Gallery 1.

エッフェル塔を望む
パリ・プラス アートバーゼルのレストラン

世界的な現代アートのトレードフェアを開催するアートバーゼル（Art Basel）が、フランス・パリで2022年10月に立ち上げた新たなアートフェア「パリ・プラス アートバーゼル（Paris+ par Art Basel 2022）」のレストラン風景。2023年は2022年同様、仮設のグランパレ・エフェメールで、2024年以降は改修が終わるグラン・パレでの開催を予定している。アートバーゼルなどハイエンドなアートフェアではこのような素晴らしい雰囲気のカフェやレストランがアートフェア期間の数日間だけのために特設される。

[アートバーゼルについては本文第1章31ページ以降を参照]

Courtesy of Art Basel（Paris+ par Art Basel）

Gallery 2.

フリーズ ロンドンより
メガギャラリー ガゴシアンのブース

2022 年 10 月にロンドン、リージェンツパークで開催された「フリーズ ロンドン (Frieze London) 2022」より、世界的なメガギャラリーであるガゴシアン（Gagosian）のブース。2022 年のヴェネチア・ビエンナーレにも出展した現代美術家で、日本のタカ・イシイギャラリーでも取り扱いがあるジャデ・ファドジュティミの新作絵画の個展が開催された。フリーズはアートバーゼルと並ぶ世界的なアートトレードフェア。

[フリーズについては第 1 章 31 ページ以降を参照]

Photo:Linda Nylind

Gallery 3.

TEFAF《テファフ》マーストリヒト2022における
贅を凝らした空間

2022年6月に開催されたテファフ マーストリヒト（TEFAF Maastricht）のレストラン風景。現代アートのみならず、過去7000年に遡る美術品が出展されるテファフは、アートバーゼル、フリーズと並ぶハイエンドなアートフェア。会場内のレストランやバーの贅沢な空間は、オランダに拠点を置く照明ブランドで、“光の彫刻”と称される「ブランド・ファン・エグモンド」の作品によってライティングされている。

[テファフ マーストリヒトについては、第1章31ページ以降を参照]

Courtesy of Brand van Egmond (brandvanegmond.com)

2004年から開催されているアートフォトの祭典、「フェスティバル フォト ラ・ガシィ（Festival Photo La Gacilly）」。パリからTGVで2時間の小さな村は、知る人ぞ知る「アートフォト」の聖地。写真は「I LOVE AFRICA」をテーマにした2018年のフェスティバルの風景。巨大な野外ギャラリーに展示されているのは元ジャーナリストでエチオピア出身のアイダ・ムルネ（Aida Muluneh）の作品《The World is 9 collection》。

[フェスティバル フォト ラ・ガシィについては第6章262ページ以降を参照]

Photo: Jean-Michel NIRON
Courtesy of the artist and Festival Photo La Gacilly

Gallery 4.

フランスの小さな村、ラ・ガシィで衝撃を受けた
アートの展示方法

Gallery 5.

歴史ある農園をギャラリー空間に
ハウザー＆ワース サマセット

メガギャラリーの一つに数えられ、世界に 18 のギャラリーを運営するハウザー＆ワースのイギリス・サマセット州の「ハウザー＆ワース サマセット（Hauser & Wirth Somerset）」。敷地内にはギャラリーに加えオランダ出身のランドスケープ デザイナーでニューヨークのハイラインの植栽でも知られるピート・アゥドルフによる抽象絵画のような「アゥドルフ・フィールド（Oudolf Field）」（写真）が広がる他、所属する著名アーティスト作品で装飾されたファームホテルなどが点在する。

[ハウザー＆ワース サマセットについては第１章 30 ページを参照]

Courtesy of Piet Oudolf and Hauser & Wirth
Photo: Jason Ingram

Gallery 6.

ドイツ銀行本店、ダヤニータ・シンによる
コミッションワーク

ドイツ銀行は現代美術における「ペーパーワーク」のコレクションとしては世界最大（6万点）を誇る。フランクフルトの40階建てドイツ銀行ツインタワーには東西60の各フロアに1人のアーティストを選び、40カ国以上のアーティストの作品を出身地域別に展示している。写真は日本でも展覧会が開催されたことがあるインド在住の世界的な写真家のダニヤータ・シンによるコミッションワーク《Dream Villa11, 2009》（wallpaper）。

[ドイツ銀行のアートの取り組みについては第2章56ページ以降を参照]

Gallery 7.

バーゼルワールドで世界に披露された グランドセイコーの感性価値

グランドセイコーが55周年を迎えた2015年、スイスで開催された時計フェア「バーゼルワールド2015」で披露されたアートフォトが、「Grand Seiko Through Three Photographers’ Eyes」。田原桂一、濱田祐史、野村佐紀子の3人のフォトグラファーがそれぞれの視点でグランドセイコーを撮影し、グランドセイコーの感性価値を世界に問う企画となった。写真はセイコーが独自に開発した合金で作られた「動力ぜんまい」を撮影した田原桂一の作品。

[グランドセイコーのアート活用の事例は第3章115ページ以降を参照]

Photo: Keiichi Tahara
Courtesy of the artist and SEIKO GROUP

世界視点で読む

企業戦略とアート

上坂真人

光文社新書

まえがき

本書を手に取ったビジネスパーソンにお尋ねします。アート作品を購入されことはありますか？　購入経験者は少ないだろうと推察します。

この本は、アートをビジネスツールとして活用することに気づき始めた企業人に向けて書いたものです。皆さんの中にはもしかしたら作品の購入はおろか、美術館にほとんど行かないという方さえいらっしゃるかもしれませんが、もちろんそうした方もウェルカムです。企業でスポーツや音楽を活用した事業の担当者が、実際にそのスポーツや音楽を経験していない、関心がないことはありますよね。それと同じです。ちなみに、本書は近年流行の〝ビジネスパーソンへのアートシンキングのすすめ〟とは何の関係もありません。

私自身も、13年前までは、美術館には行くけれども作品を購入するなんて考えたこともない、典型的な日本人アートファンでした。しかし、それが大きく変わった、「買う」楽しさを知らされたのは、２０１１年のことです。

私はそれまで「朝日ジャーナル」「日経マイクロデバイス」「日経デザイン」など出版業界の広告現場の第一線を経て、「BRUTUS」「GINZA」「VOGUE」「GQ」「ELLE」といった成長途上のメディアのビジネスディレクターとして、企業との新しい関係を模索し、試行錯誤を続けていました。しかし既存メディアの限界を感じ、新しいメディアの形を求めて、広告写真の制作や販売事業を行う株式会社アマナに入ったのが、２０１１年でした。

すると、アマナの代表取締役社長でフォトグラファー出身でもある進藤博信さんから、「アーティストをもう少し良い環境にするために、アートを買う人を増やす。要するにアートのあるライフスタイルを提案して実現したいんだよ」というミッションを下されました。そして、「まずは世界を見てこい」と言われ、毎年11月にパリで開催される、アートフォトでは世界最高のアートフェアである**「パリフォト」**（＊１）へ行くことになったのです。アマナという会社の性質上、私にとってのアートの世界への入り口は「アートフォト」でした。したがってこの新書で取り上げる事例にもアートフォトが多いのですが、「フォト」といっても、皆さんの想像を超えるであろうアート性を持っていて、最高取引金額は「億」単位です。

少し脱線しますが、この本を読み進める上で重要な「アートフェア」と「アートフェス」の違いをお伝えしておきます。「アートフェア」は、いくつものギャラリーが集まって、作品を展示販売する取引の場です。一方、「アートフェス」は、アートフェスティバル＝芸術祭の略で、さまざまなジャンルの芸術が屋内、屋外を使って展示、披露される催しで、販売は伴わないイベントです。２年に一度イタリアで開催される**ヴェネチア・ビエンナーレ**（＊2）、５年に一度ドイツのカッセルで開催される**ドクメンタ**（＊3）、10年に一度ドイツのミュンスターで開催される**ミュンスター彫刻プロジェクト**（＊4）が世界の3大芸術祭と言われています。パリフォトは「アートフェア」ですから、取引金額の話に至るわけですね。

「そんなの知っていて当然だ」「いまさら何を言ってるんだ」と感じる読者もいると思います。でも、私自身がこの世界に入った時は大混乱に陥りましたし、日々お会いするビジネスパーソンの中にもご存知ない方はかなりいらっしゃいます。

話をパリフォトに戻します。パリのグラン・パレという１９００年のパリ万国博覧会のために建てられた大規模な展示会場に入った途端、大げさではなく私の人生が変わりました。日本のアートフェアでは少しも感じたことのない、憧れのライフスタイルがそこにはありました。素敵な空間に集う１５０のギャラリーと、作品の前で腕を組み、語り合い、行ったり来たりして、作品を購入していく人々。それも、金持ち然とした人々ではありません。後でわかったのは、プライベートジェットで来るような富裕層は、初日のさらに前日のＶＩＰデーに訪れるということ。私が初めて足を踏み入れたこの日は、世界のアートファンはもちろん、多くのパリ市民たちが会場に集っていました。同じ時期、パリの街にはアートフォトを販売する空間であふれています。

こうしてアートの世界に魅せられた翌年、アマナとしてパリフォトに出展し、私もその担当となりました。ここからは当事者ですから、売らねばなりません。そこで事務局の話を聞くと、そこには大きなビジネスが存在していることがわかりました。

運営は、ビジネスの世界でも大規模イベントを仕切ることで有名な企業「リード エグジビション」。そして、現在もパリフォトのオフィシャルパートナーを務めるＪＰモルガンが膨大な資金を支払ってトップクライアントになっています。すると初日には、ＪＰモルガンに招待された顧客しか入れないのです。この意味がわかるでしょうか？　つまり、他の人より先にパリフォトの会場に行って作品を買うためには、ＪＰモルガンに口座を持つ必要があるのです。アートがビジネスになることの一例です。

またこの年は、ＪＰモルガン以外にジョルジオ アルマーニやＢＭＷなどの企業が協賛し、センスある富裕層のリストとイメージを獲得するためのビジネスをしていました。ＶＩＰしか入れないカフェがあり、会場の前にはＢＭＷの車が20台以上並び、ＶＩＰチケットを保有する人を送迎してくれます。

こうして、アートと、それをしたたかにビジネスにする企業へと関心を持つようになった私は、アマナで「Ｉ《イ》Ｍ《マ》Ａ」という、アートを絡めたプロジェクトを起ち上げました。アーティストの招聘や、企業ブランドに応じたイベントの提案・運営といった事業です。その後も、現代アートに関するプラットフォームを創設したり、アートフォトを購入できるギャラリーを作ったり、アートをどうやって具体的なビジネスへと落とし込むことができるか10年以上試行錯誤してきました。

こうした経験のさなか、私が身をもって感じたのは、日本にはアートを「ビジネス」「事業」にする発想自体が決定的に欠けているということです。さらには、根拠となる事例やデータといった情報も、ほとんど海外のものしかありませんでした。

先ほどご紹介したＪＰモルガンやＢＭＷなどのビジネスは、仕組み自体は非常にシンプルです。でも、こんな単純なビジネスが、なぜか日本ではいまだに成立していません。アートフェアに協賛する企業は増えましたが、協賛金の金額はあまりにも少なく、また補助金頼りの側面が強く、会場の雰囲気や魅力も世界とは全く異なります。そこは「憧れ」を抱く空間ではありません。巻頭にアートフェアのレストランの写真をご紹介しましたが（「巻頭 Gallery1.」）、日本のアートフェアとはあまりに違う光景です。

残念ながら、アートマーケットにおいては、日本は世界を知らない「江戸時代」です。しかし時代の必然で、明治維新は必ずやってきます。今の日本は、アートといえば政府の補助金頼みです。政府主導のライフスタイルの変化なんて気持ち悪いと思いませんか？　私は、企業主導で時代を変えたいと思っています。だから私はこの新書の中に、あなたが属する「藩」＝会社を説得するための、理屈と数字と世界における常識を用意しました。

第1章では、世界ではごく普通のアートのある生活を、第2章では、世界の企業とアートとの代表的な例を提示し、第3章と第4章ではそれに比して残念な日本のアート産業の現状とともに、芽生えてきたたくさんの新しい動きをご紹介します。そして、第5章ではアートと教育、第6章ではアートと地方について、世界と比較するとともに、私論を展開します。

とはいえ、私は楽観主義者です。アートのある素敵な生活をご紹介し、最後の第7章では、それに向けての企業への具体的なご提案をして締めくくります。

本書を手に取ったビジネスパーソンの方々へ。お読みになった後は、岩倉使節団さながらに世界のアートシーンに出掛けて見聞を広め、楽しみ、エネルギーをつけ、試行錯誤をして悩みながら、「藩主」＝社長を説得してください。まずは、世界を真似してみましょう。皆さんと一緒に、アートで日本をもう少し素敵にすることが私の願いです。

＊1 パリフォト（PARIS PHOTO） 毎年11月にフランスのパリで開催される世界最大級の写真フェア。世界各国から写真・映像作品を扱うギャラリーや出版社が出展し、来場者は例年5万人以上。

＊2 ヴェネチア・ビエンナーレ（Biennale di Venezia） イタリアのヴェネチアで開催される国際現代美術展。１８９５年に発足し、世界で最も長い歴史を誇る。2年に一度、奇数年に、6月頃から11月頃まで開催されている。万国博覧会やオリンピックのように国が出展単位となっており、参加各国はヴェネチア市内のメイン会場にパビリオンを構えて国家代表アーティストの展示を行う。なお、ビエンナーレには美術部門だけではなく映画、建築、音楽、演劇、舞踊部門がある。

＊3 ドクメンタ（documenta） ドイツ・カッセルで１９５５年以来、5年に一度行われる国際現代美術展。ナチス政権によって芸術を破壊した国というドイツの負のイメージを払拭する目的も兼ねて始まった。毎回チーフキュレーターが選ばれ世界情勢や時代背景を考慮したテーマを掲げるため、アートを通して世界に何を訴えられるかという要素が強く出ている。

＊4　ミュンスター彫刻プロジェクト（Skulptur Projekte Münster）　ドイツ・ミュンスターで10年に一度開催される彫刻展。１９７７年から始まり、ミュンスターの街全体を活用した大規模な屋外彫刻展へと発展。公共空間と芸術作品の関係がテーマで、芸術家が事前に町に滞在し、市民と議論を重ねた上で作品と設置場所のアイデアを出し、作品を制作・設置する。

世界視点で読む　企業戦略とアート　目次

図表作成：デザインプレイス・デマンド

第1章

世界におけるアートのある日常

本章では、世界と日本を比較してアートの存在感が全く異なることを例示します。

まずお伝えしたいのが、海外金融機関から発表されている多数のアート関連リサーチに表れる日本の存在感の低さです。また、海外では一般企業においてもアートが経営資産および経済活動の重要項目になっており、それに対応するように、世界の著名美術館（私立か公立か問わず）には10人以上の資金調達専任スタッフ、もしくは営業およびマーケティングスタッフが存在し、税金だけに頼らない営業活動をしています。さらに、数千平米の敷地面積を持つメガギャラリーがあり、素敵なレストランやカフェが併設された上質な空間でセンスある人々が集まるアートフェアが催され、日本では普通の人にとっては無縁だと考えられているオークションハウスが、見事なまでに親しみやすく開放的な場所となっています。

また、富裕層の多くがアートコレクターであることは想像にたやすいのですが、私がお伝えしたいのは、アートコレクター＝富裕層ではないということです。世界では、普通の人々もアートを見るだけではなく、「語り」「購入し」「飾る」日常があります。世界の美術館では子どもたちが作品を見ながらおしゃべりしています。アートスクールでは、作品を通して何を訴えたいのかというプレゼンテーションを存分に学びます。

確かに、日本にも新しい風が吹き始めていますが、世界の日常からははるかに遅れています。そして最大の問題は、日本人がこの大きなギャップに気づいていないことです。

もう一つ重要な点があります。私は世界のギャラリー、美術館、オークションハウス、アートメディアを20カ所以上回りましたが、その半分以上で「世界の情報を日本に伝えるのもいいけれど、日本からの情報が全く届いてない」と言われました。日本の「マンガ」は世界から注目されています。でも、それだけでいいのでしょうか。私は不満です。

アートマーケットにおいては、日本には世界の情報がなくて、世界には日本の情報がない。これが現実です。

１・１　アートマーケットの起点・金融機関

では、具体的な話に入りましょう。世界的コンサルティング会社の**デロイト**（＊５）とアートマーケットリサーチの**アートタクティック**（＊６）が隔年で共同発行している「アート＆ファイナンスレポート」[1]があります。レポートといっても２００ページにもおよび、地域別に詳細が報告され、アートを産業として捉えています。その２０１７年版を見ると、「アメリカ」「イギリス」「ヨーロッパ」から始まり「中国」「南アジア」「東南アジア」「ラテンアメリカ」「中東」「ロシア」があり……しかしながら、そこには「日本」または日本が含まれる「東アジア」地域がないのです。さらに「Japan」というキーワードが登場するのは、国別にデータが説明されている約40ページ中、5回だけです。２０１９年版には国別調査の掲載はありませんでしたが、Art Tech 分野では日本が大きく取り上げられ、２０２１年版では「Japan」は62回登場し、日本の特集が6ページにわたり組まれました。

　また、**アートネット（Artnet）（＊7）**が毎年発表する「アートネット・インテリジェンスレポート」[2]の２０２１年版では、アジアのアート市場がパンデミックを乗り越えて、かつてないほど強力になった経緯や今後の展望を紹介していますが、ここでも日本は対象になっていません。アジア地域のアートマーケットを取り上げた章ですら日本を取り上げていないことからも、アートの世界での日本のポジションは低いどころか、「存在していない」とすら言えるでしょう。

　こうしたレポートの究極は、世界のアートビジネスの中心であるスイスのバーゼルに本拠地を置く金融機関のＵＢＳが、世界的なアートフェアである**アートバーゼル（＊8）**とともに毎年3月に発表する、約３００ページにもおよぶレポート「アートバーゼル＆ＵＢＳ グローバルアートマーケットレポート[3]（略称：アートマーケットレポート）」です。現在のアートマーケットで最も信頼されているレポートと言われ、アートの世界では必読の資料です。インターネット上でどなたでもダウンロードできますし、英語ができなくても、わかりやすいグラフばかりですので、充分理解できます。

図表1-1：アートマーケットの国別シェア

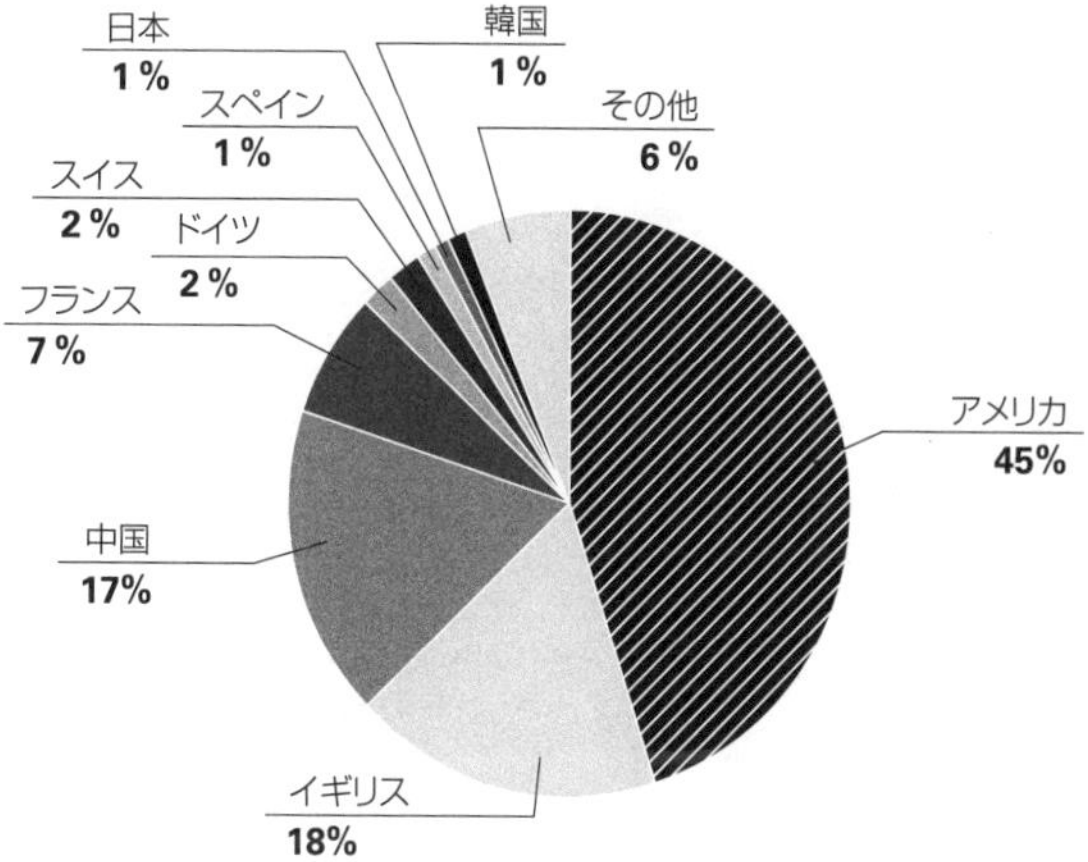

出所：The Art Market 2023（アートバーゼル＆UBSグローバルアートマーケットレポート2023年版）

このレポートは３００ページにわたってたくさんの数字が出てくるのですが、特に見てほしいのは、その基本であるアートマーケットの国別シェアの表（図表１－１）です。２０２３年３月に発表された同レポートの最新版では、日本のアートマーケットのシェアはスペイン、韓国と並び「１％」と発表されました。昨年までの「その他」からは脱却できたものの、それでも日本のＧＤＰが世界第３位（約５％）であることをふまえると、アートマーケットでは世界からかなり遅れている――これが世界の認識です。

ここで、いくつもの日本の遅れに気づきます。世界の金融機関やコンサル

図表1-2：富裕層の国際比較

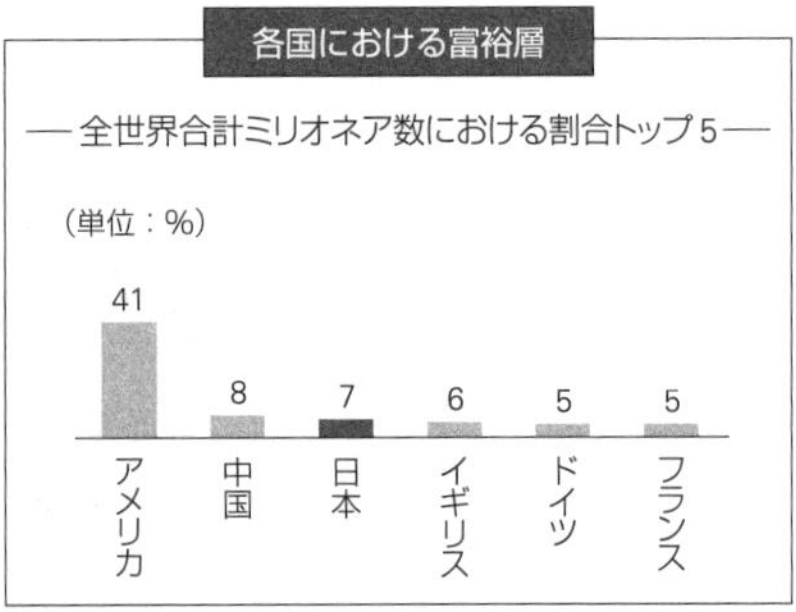

▶図表1-1と比べると日本は世界的にも富裕層が多いにも関わらず、アート市場が小さい例外的な国であることが分かる

出所：デロイトトーマツグループ（CreditSwiss "Global wealth report 2018", "Global wealth data book 2018", Arts economics (2019)）

ティング会社は、こうしたアートマーケットについてのデータやレポートを競うように毎月発表しています（**巻末資料1**）。しかし、日本の金融機関はどうでしょう。どこも出していません。「国際化」といいながら、世界の金融機関のこうした日常をほとんど知らないのが現状です。私がこれまでに会った何十人もの日本を代表する金融機関の方々も、一人もご存知ありませんでした。

ちなみに、日本ではアートマーケットの情報を文化庁が発表していますが、その内容には疑問があります。２０２１年の文化庁の発表では、「２０２０年の世界の市場規模（5・2兆円）に本調査の国内事業者の市場規模（１９２９億円）をあてはめると、日本の割合は３・７％と推計される。為替変動の影響もあり２０１９年の３・２％から上昇した」[4]と記載されていました。ですが、文化庁が発表した図表はアートバーゼル＆ＵＢＳレポートの図表をそのまま掲載したものでした。ＵＢＳの図で日本は「その

図表1-3：金融機会から生まれる事業例

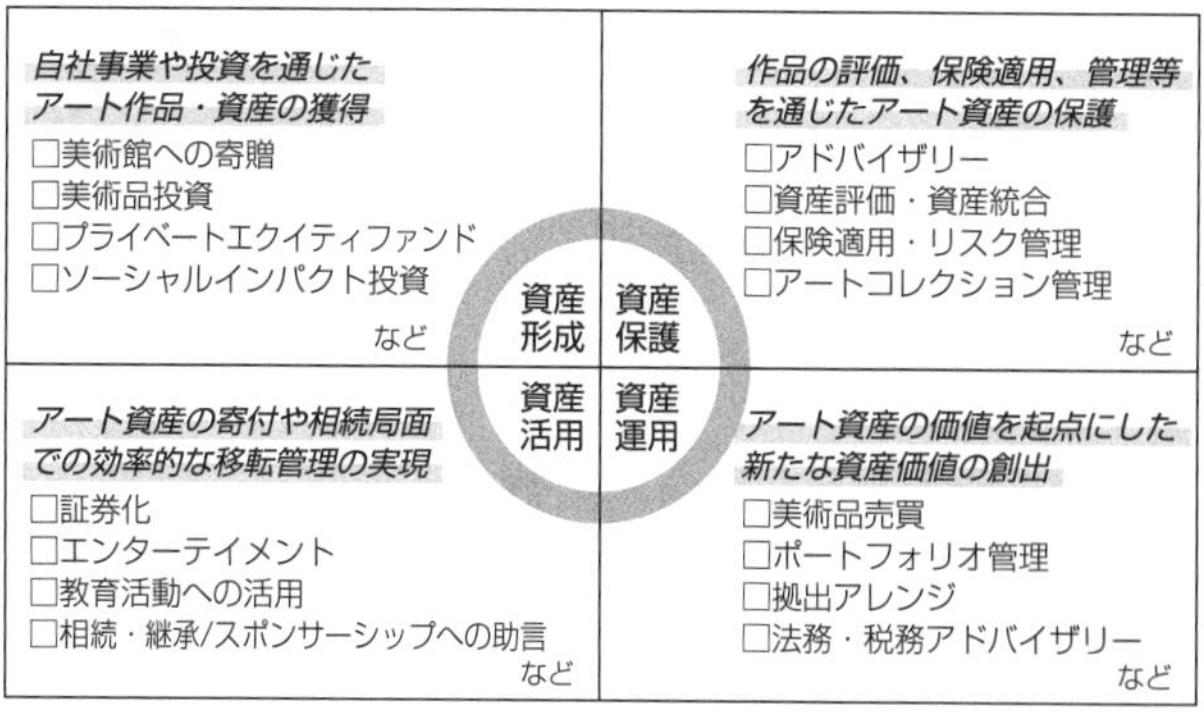

出所：デロイトトーマツグループ

他」に分類されていたにもかかわらず、定義の異なる数字を組み入れていました。

　ここで、二つの表をご覧ください。一つは、日本の富裕層の世界との比較（図表1-2）です。これによると、日本の富裕層の割合はアメリカ、中国に次ぐ世界第3位だとわかります。日本ではまだ、アートを買う楽しさを知られていないのだとすると、ここには大きな潜在的可能性があると言えます。もう一つは、金融機会から生まれる事業例（図表1-3）です。世界の常識からいうと、金融機関が富裕層に対して資産としてのアートの活用を完全にフォローし、それにより富裕層の支持を獲得しています。この点からも、日本の金融機関の前には大きなチャンスが広がっていると言えるでしょう。

　私がこれまで会った日本のビジネスパーソンたちは「上司を説得するための根拠となる数字が全くな

いので、アート関連の事業計画を提案できない」と言いますが、世界には、アートと多方面の関係を表現するデータがあふれています。日本においても、ビジネスの基礎、発想となるデータをきちんと調査発表して初めて、世界との差を「チャンス」と捉えた積極的な活動が始まるのだと思います。いつかは日本の金融機関、あるいは他の組織が詳細なレポートを発表する日が来るかもしれませんが、それまでは世界で発表されているデータを駆使してください。

1・2　資金調達専任スタッフのいる美術館

アメリカの美術館レポート**「アートミュージアムバイナンバーズ」**（＊9）を初めて読んだ時、日本人もよく行くニューヨークの有名美術館の多くが公立ではなく私立であることに驚きました。そしてグッゲンハイム美術館のマーケティング・ディレクター（当時）に実際に話を聞くと、グッゲンハイムをはじめとするアメリカの著名美術館には資金調達担当者が10人以上いて、収入の70％が民間からのお金だというのです。しかも、収益表はウェブサイトで公開されています。

例えば「チーフ・ファイナンシャル・オフィサーからの報告」と題されたメトロポリタン美術館の収支報告書[5]によると、ニューヨーク市からの補助金は8％のみでした。また、ニューヨーク近代美術館の２０２２年の収支表（図表1-4）を見ると、営業収入とその他の支援による収益が運営費の合計を上回っています。

日米では税制や寄付文化等の違いがあることも事実ですが、それで済むレベルの話ではありません。この数字の背後には美術館の営業活動があり、一般市民と企業にとってはアートへ寄与することで生じるリアルなメリットが存在しているわけです。そうでなければ、あれだけたくさんの企業が美術館に膨大な資金を提供しないでしょう。

美術館でのパーティはその象徴です。収入源のメインはトップ富裕層の寄付によるものですから、企業が高額の協賛金をオープニングパーティに支払うことで、アートを支援する企業というイメージをつけるだけではなく、アートへの関心が高いトップ富裕層へリアルに近づくことができます。その仕組みによって、美術館は多額の収入を得るのです。

さらに、欧米の美術館は有名建築家による建物や素晴らしいアート作品に囲まれたオンリーワンの館を、企業主催のイベントにも貸し出しています。大富豪も含まれる美術館の会員を招待できるということだけでも富裕層をターゲットにする企業には魅力であり、美術館はそれを見事に「ビジネス」にしているのです。

資金調達担当者だけではなく、キュレーターも「ビジネス」に積極的です。日本の美術館学芸員には考えられないことですが、アメリカのキュレーターは営業的な仕事にも多くの時間を

図表1-4：MoMA（ニューヨーク近代美術館）の収支表（2022年）

（単位：1,000ドル）

営業収入	
入場料	22,473
会員費	13,164
資産運用収益	58,581
年間基金拠出金	12,331
その他の助成金および寄付金	19,573
その他	4,070
補助活動収入	71,192
純資産	31,163
営業収入合計	**232,547**

営業費用	
キュレーションとそれに関するサポート・サービス	43,509
展示会	11,482
その他のミュージアムプログラム	4,616
売上原価・付帯活動	69,204
減価償却費	5,315
公共サービス	4,287
会員制度の開発・育成	11,447
設備・セキュリティ	36,418
情報公開	7,099
管理・その他	28,147
営業費用合計	**221,524**

出所：「The Museum of Modern Art Consolidated Financial Statements June 30, 2022 and 2021」をもとに著者作成

割いています。自分の企画した展覧会を実現し成功に導くために、資金調達チームと協働する。税金頼りの日本とは全く異なります。もちろん、これは文化をサポートする企業が尊敬されていることと表裏一体の関係にあります。

ところで皆さんは、イギリス政府から活動におけるサポートを受け、アート作品を購入、所蔵をして展示する美術館群である**テート**（＊10）をご存知でしょうか。イギリス国内に「テート・ブリテン」「テート・モダン」「テート・リバプール」「テート・セント・アイヴ」の４カ所を構えるテートは、１８９７年に始まりました。１９００年以降の作品を扱うテート・モダンが２０００年にオープンし、２０１８年の来場者数は世界の美術館で5番目となっています。このテート・モダンのインターナショナル・アート写真部門シニア・キュレーター、中森康文さんから聞いた次のコメントがとても印象に残っています。

「テートの資金調達部（Development Department）のスタッフの数は60人ほどで、キュレーターである私も彼らと一緒に営業的な仕事にかなりの時間を費やしています。ただし、アメリカの美術館でキュレーターをしている時はそれ以上でした。美術館のパトロンを招いた資金調達のパーティに出席する機会がなんと多かったことか」

美術館の運営手法は、各国それぞれの特徴があるようです。入館料については、ロンドンのナショナル・ギャラリーやテートなどイギリスの美術館は入館料が無料な一方、パリのルーブ

ヴィクトリア＆アルバート博物館のメンバーズルーム。伝統と現代性、そしてデザインの創意がミックスされた空間。世界の主要美術館には、このようにメンバーだけが特典として利用できるスペースがある。 © Victoria and Albert Museum, London

ル美術館は15ユーロ、オルセー美術館は16ユーロ（全て2023年1月現在）などフランスの美術館は有料というように、国によって違いがあります。ただ、世界のほとんどの美術館には共通して「経営」の発想があります。事実、各美術館の経営レポートは公開され、ダウンロード可能です。

　また、美術館の会員特典も充実しています。ロンドンの**ヴィクトリア&アルバート博物館**（＊11）のように会員しか入れない展示スペースやラウンジなどの素敵なスペースがあり、会員だけが受講できる、一流の講師陣による体系的で質の高いセミナーも多数開催されています。キュレーターによるツアーもあります。教育プログラムに力を入れているアーティゾン美術館や京都市京セラ美術館など、日本の美術館も大きな可能性を秘めているとも言えますが、欧米の美術館のレベルに到達するには、かなりのエネルギーを要するのではないかと思います。

１・３　デートコースとしてのギャラリー、アートフェア

海外旅行の時、美術館にはよく行くけれど、ギャラリーには行かない方がほとんどでしょう。私もそうでした。国や都市によって異なりますが、欧米各国には入りやすいギャラリーがいくつも存在します。また、先にも述べたように「アートを買う」ことはごく普通の消費活動で、富裕層も普通の人々も自分に見合った価格と好みのテイストのアートについて子どもの頃から話題にし、購入することが「日常」です。海外の都市においては、ギャラリーや、多数のギャラリーが出展するアートフェアは、センスの良いデートコースの一つです。

ガゴシアン（＊12）や**ペース**（＊13）、**ハウザー&ワース**（＊14）など、著名アーティストを多数マネジメントしているギャラリーを「メガギャラリー」と呼びますが、そうしたギャラリーは世界各地に拠点があり、日本で発行されているごく普通の旅行ガイドでも紹介されています。世界のメガギャラリーの総面積（展示、オフィス、およびストレージスペースを合わせたもの）のトップランキング[6]には、ガゴシアン、ペース、**タデウス・ロパック**（＊15）、**ホワイト・キューブ**

（＊16）、**デビッド・ツヴィルナー**（＊17）、**ペロタン**（＊18）、ハウザー＆ワース、**ブラム＆ポー**（＊19）、**リッソン・ギャラリー**（＊20）といった名前が連なります。ガゴシアンの総面積は約１万６３７１平米で、ニューヨーク（５カ所）、サンフランシスコ、ビバリーヒルズ、ロンドン（３カ所）、パリ（２カ所）、ローマ、アテネ、ジュネーブ、香港など世界16カ所に展示スペースを持っています。２位のペースは２０１９年にニューヨークのチェルシーに8階建て、約７０００平米（サッカースタジアムと同程度）の、ギャラリースペースやライブラリーを含む巨大な社屋をオープンしました。これらのメガギャラリーでは、スペースの広さだけでなく、美術館並みのクオリティの展覧会も開催しています。さらに出版部門を有し、教育普及プログラムに力を入れているギャラリーもあります。

　ロンドンから車で2時間のハウザー＆ワース サマセットは、日本でイメージされる「ギャラリー」の枠を超えています。かつて農場だった広大な敷地を利用した施設内には、オランダ出身の国際的なランドスケープデザイナー、ピート・アゥドルフの設計した素晴らしいフィールド（巻頭「Gallery5.」）や、レストラン、ショップが点在し、ハウザー＆ワースのアーティスト作品によるユニークなアートワークが飾られたダースレード ファームハウスに宿泊することもできます。

　ところで、これらのメガギャラリーも出展する世界の2大アートフェアにはアートバーゼルと**フリーズ**（＊21）があります。

アートバーゼルは本国スイスのバーゼルに加えてマイアミ、香港、パリ、そしてフリーズはお膝元のロンドン、ロサンゼルス、ニューヨークなど各地でアートフェアを開催しており、世界のトップコレクターのほとんどが、このいずれか、または両方で高額の作品を購入します。初日のＶＩＰ ＤＡＹは、プライベートジェットが飛び交うハイエンドなトレードフェアです。イギリスの不動産コンサルティング会社のナイトフランクが発表する「ウェルスレポート」[7]では、世界経済フォーラム（いわゆるダボス会議）やゴルフのマスターズ・トーナメントなどと並んで富裕層がプライベートジェットで出掛ける主要イベントとして紹介されています。

アートバーゼルとフリーズに並び、世界で重要なアートフェアと称されるのがオランダのマーストリヒトとニューヨークで開催される**テファフ**（＊22）です。テファフは近現代アートのみならず、オールドマスターの絵画、骨董品、古典骨董品から、ジュエリー、20世紀のデザインまでを網羅していて、オランダで開催されるテファフ マーストリヒトは、約20カ国から270の著名ギャラリーやアートディーラーが出展します。テファフは、デロイトのレポートも作成するアートタクティック社と共同で、その年の注目すべき個別テーマについて掘り下げるアートマーケットレポートを発行することでも有名です。２０２０年発表の最新版レポート[8]では、アートとパトロンとの関係性に焦点を当て、各国の企業や財団の事例やインタビューを紹介していました。過去に取り上げたテーマには、「画商の金融術」（２０１８年）、「中国市場」（２０１９年）などがあります。

アジアに目を移すと、アートバーゼルは既に２０１６年から香港で開催されていますが、２０２２年、フリーズは初めてのアジアの開催地としてソウルを選び、「フリーズソウル」を開催しました。アートコレクターという富裕層が集まる世界的なイベントが日本の東京ではなく韓国のソウルを選んだことは、アートの世界では大きな話題になりました。

このフリーズの本社に、私が２０１９年に取材で赴《おもむ》いた際、「アジアでのフリーズ開催は日本で」と提案したのに対し、出版部門のディレクター（当時）から「日本には魅力的な場所がないし、それにコレクターが少ないでしょう」と言われたのをはっきりと覚えています。悔しかったですね。ただ、アジアでの開催に向けて各都市のアートマーケットやアートシーンの研究を既にしていた結果なのだとは思います。ソウルにはサムスンという現代アートに造詣の深い企業があり、東京よりもアートコレクターが多く存在するのは紛れもない事実です。帰る際に、「イギリスも20年前はアートを買う人は少なかったんだから、焦らずに……」と慰められました。

フリーズの選択は、ソウルのアートマーケットが日本より魅力的であることを示しています。私がかなり前に観光でソウルに行った時、レストランを併設しているギャラリーでアートと食

フリーズが初のアジアでの開催地にソウルを選んだことで大きな話題となった2022年9月開催の「フリーズソウル2022」、ホールＣの展示風景
Photo: Lets Studio , Courtesy of Lets Studio and Frieze.

事を堪能しました。とてもいい雰囲気だったのを覚えています。韓国では「アートを買うために」ギャラリーに行くことは、センスある消費者の「日常」行為なのです。ソウルだけではありません。知人が赴任していたベトナムのハノイやインドのムンバイにも、入りやすい素敵なギャラリーがあると紹介してくれました。

海外に行ったら、ぜひ一度ギャラリーに行ってみてください。美術館とはちょっと違う幸福感があるはずです。欧米に限ったことではありません。アートを取り巻く世界は、アジアでも大きく動いています。その一方で、少なくとも私にとって日本には入りやすいギャラリーが一つもないような気がします。

１・４　カフェのあるオークションハウス

海外旅行の際は美術館だけではなくギャラリーにも行く、というアートファンも、**クリスティーズ**（＊23）や**サザビーズ**（＊24）といった**オークションハウス**（＊25）は、訪れる候補にもあがらないのではないでしょうか。オークションハウスとは競売会社のことで、両社ともに世界各地にネットワークを広げています。しかしたいへん残念なことに、世界的なオークションハウスであるサザビーズやクリスティーズは10年以上、日本でオークションを開催していません。

日本にも**毎日オークション**（＊26）や**シンワオークション**（＊27）、**SBIオークション**（＊28）などがありますが、世界のオークションハウスとはちょっと異なります。私は世界のアートマーケットを知るために、クリスティーズ・ジャパン出身のアートアドバイザー大《おお》胡玄《ごげん》さんのご紹介で、パリとニューヨークのクリスティーズを訪ねたことがあるのですが、とにかく驚きでした。重厚なビルの中にあるオフィスかと思いきや、誰でも立ち寄ることができるオープンなスペースで、入り口にはリーズナブルで気軽な雰囲気のカフェがあり、そこから、宝飾品の部屋、絵画の部屋、彫刻の部屋……とハイエンドなアートが展示された素敵な空間が奥深くまで続いていたのです。もちろん見学は無料です。しかもそれは特別な展示というわけではな

マンハッタンのロックフェラーセンターに隣接するロックフェラープラザにあるクリスティーズニューヨークの外観。写真は2022年に開催されたポール・アレン コレクションセールの下見会の際の長蛇の列の様子。© Christie's Images Limited 2022

く、日常の風景でした。テレビでよく見る、ダークスーツを着た紳士が取り仕切るあのオークションも普通に開催されていて、実際に私もさらりと見学してしまいました。

また、詳細は第６章で述べますが「サザビーズ」「クリスティーズ」のブランドで、たくさんのアートセミナーが開催されています。サザビーズはアートに関する幅広いニーズに応えるアートスクールをライセンスビジネスとして別法人のサザビーズ・インスティテュートが運営しています。[9] また、クリスティーズにはロンドン、ニューヨーク、香港で修士号プログラムからアートツアーまでを網羅する多様なプログラムを展開するクリスティーズ・エデュケーションがありますが、これはオークションハウスが完全に所有する唯一の

テーマや展示アーティストが定期的に変わる「サザビーズ ストーリーカフェ ロンドン」はペストリーやケーキ、ドリンクなどを気軽に楽しむことができるカフェ。写真は2023年３月～５月に展示されたイギリスのテキスタイルブランド、クリストファー・ファーとの提携によるカフェのデコレーション。Christopher Farr x Sotheby's Story Café, London – Wallcovering Child's Check Grass, Anni Albers, rug 675, Gunta Stölzl; Image courtesy of Sotheby's

学術機関ということです。

アートマーケットがあり、それに対応するサービスや教育があり、それゆえにアートの消費者が一流に育っていく。欧米だけではなく、アジアでもそうなりつつある。その事実さえ知らずにいるのが日本です。

ちなみに、クリスティーズやサザビーズの年間の売上をご存知ですか？ ２０２２年のクリスティーズの売上は85億ドル、サザビーズは80億ドルでした[10,11]。ともに１兆円を超えています。サザビーズとクリスティーズが近年日本で主だったオークションを開催していないという事実は、日本のアートマーケットの遅れを象徴しています。

サザビーズは香港のセントラルに約２２００平米の壮大な新スペース「サザビーズメゾン」を２０２４年にオープンすることを発表しました。オークション、プライベートセール（相対取引）、名品展など、サザビーズが提供する全ての商品を展示する広大な展示スペースにはサザビーズカフェも併設され、年中無休で営業されるということです。２０２２年は香港のオークションで11億ドルの売上を記録しており、このサザビーズメゾンのオープンによってさらなるマーケットの拡大が見込まれるでしょう。こうした一流が存在しないと、しっかりしたマーケットは開かないし、世界はおろかアジアのマーケットにも日本が肩を並べることはできません。

１・５　世界の富裕層はアートコレクター

毎年12月に発表されるアメリカの老舗アートメディア、**アートニュース**（＊29）の「アートニューストップ２００コレクター」[12]は、毎年世界のアートファンの注目を集める名物企画です。２０２２年は３組の日本人がランクインしました。しかし、私はこの数字にも不満です。ＧＮＰ世界３位の日本であれば計算上10組は入るはずが、わずか３組です。その内訳は、大林組会長でイギリスのテートやニューヨーク近代美術館（ＭｏＭＡ）のインターナショナル・カウンシル・メンバーを務める大林剛郎《たけお》さん、世界各地の現代アート作品およそ５５０点（２０２０年12月現在）からなる**タグチアートコレクション**（＊30）を有するミスミグループ創業者の田口弘さんとその運営を引き継ぐ娘の田口美和さん、そしてユニクロの柳井正さんです。

　このアートコレクターのトップリストは、富裕層のトップリストと重なります。フォーブスの世界の長者番付２０２２年版を見ても、世界標準では富裕層が１００人いれば、過半数がアートコレクターといっても過言ではないでしょう。「日本ではねえ……」と言って首をかしげる人が多いかもしれませんが、子どもの頃からアートを「見て」「聞いて」「集めて」「語り合い」、若手アーティストの作品を「購入」して喜ばれ、アーティストとともに成長する（＝投資する）楽しさを知ったら、日本でも日常の中でアートを楽しむコレクターは間違いなく増えるでしょう。

　そしてそれは、新しい「品のいい趣味」になるかもしれません。そんなコレクターがビジネスで成功し、富裕層になり、購入できる作品の幅が広がり、購入したアーティストから喜ばれ、ともに成長し、冷静に数字を見ると資産としても作品の価格が上がり、トップコレクターになれば美術館の一角に寄贈したコレクションを展示する個人名の展示室ができるのです。日本の富裕層には、アートを購入し、アーティストと語り、その価値が上がっていく楽しさが知られていないだけだと私は思っています。

かつて、私はメトロポリタン美術館の展覧会のオープニングパーティに出席したことがありますが、そこでは明らかに富裕層たる方々が、シャンパングラスを片手に、作品の前で語り合っていました。それは年に一度のアジアウィーク中に開催された浮世絵や仏像など日本を含むアジアをテーマにした展覧会だったのですが、時に作品を指さしながら、時にちょっとした議論をしつつ……それは素敵な情景でした。

１・６　アートを語る小学生、アートを論ずる美大生

毎週同じ時間に絵を描かされ、粘土を混ぜさせられ、果物の写生をさせられ、見事にアート嫌いになった……それは私だけではないと思います。「創作教育」が中心の日本における、アート教育犠牲者の典型です。

世界の美術館を訪れた際に、子どもたちが集団で来場しているシーンに出くわした方も多いのではないでしょうか。大人なら「よくわからない」と逃げてしまいがちな現代アートも、子どもたちにとっては、日々現れる未知の物事の一つであり、作品を前にして新鮮な感想を語り合っています。そう、日本以外の多くの国では、子どもの頃からアートを「見る」「語る」＝「鑑賞教育」がなされているのです。

一例をあげると、フランスでは「哲学とアート」について小さい頃から考えさせられ、大学入試であるバカロレア試験には「芸術作品とは必ず美しいものだろうか」「自分自身の文化から自由になれるだろうか」といった記述問題が並びます。欧米だけではなく、韓国や中国も、近年はアートを見て解釈する学習に変わっているそうです。

海外の大学の美術・芸術系課程ではアートをめぐって議論し、自分の作品を言葉で説明することを求められ、さらに月に1回程度、かなり難易度の高い論文を提出しているという現実があります。例えば、私と一緒に仕事をしている貝谷若菜さんがオランダのライデン大学在籍中に行ったレポート課題の一つは、「日本で公開されたＮＩＫＥの広告『動かしつづける。自分を。未来を。』（２０２０年）をケーススタディとし、日本の歴史と感覚に根付くWhite gazeと黒人系ビジブルマイノリティに対する人種差別の存在を指摘する」というものです。このレベルのレポートを、学期ごとに数回提出することを義務づけられていたそうです。一方、日本の大学の美術・芸術課程で課される論文は卒業時だけ、というのがほとんどです。子ども向けアート教育の違いは日本でもたまに話題になりますが、美術・芸術系の大学教育の違いは、なかなか論じられる機会がありません。ここでも海外と日本とのギャップには驚かされます。

日常的に社会問題について考え、理論を学び、議論を重ね、自分の考えを言葉と文字で表現した上で、作品を創作しているアーティストおよびその予備軍。そして、アートを見て感じたことを自由闊達に語り合っている子どもたち――こうしたシンプルな事実が知られないままに論じられているのが日本のアートシーンの現状です。問題の根は深いと感じます。行政の変化を待つのではなく、民間の力で変革したいと私は考えていますが、まずは日本のアート関係者が、世界と日本の根本的なエコシステムの違いを認識することが必要でしょう（図表1-5）。

1・7　アートのある日常

世界各国の企業オフィスに行く機会はなかなかないものですし、機会があったとしても、アートに関心がなければ気づかないかもしれません。でも、今度海外に行った際には、改めて企業のオフィスを覗いてみてください。どこでもいいのです。きっとアートの素人でも「なんだか素敵だな」「これは価値がありそうだな」と感じる作品が飾ってあるはずです。

しばらく海外に行く機会がない方には、**アートニュース日本版**（＊31）でも取り上げられたメタ社（旧フェイスブック）のオフィスをご紹介しましょう。マンハッタンのミッドタウンで2022年に始動した新オフィスは、国家歴史登録財に指定されているジェームズ・A・ファーリー・ビルにありますが、そこを5人のアーティストに依頼してサイトスペシフィック・アート（特定の場所に合わせて制作するアート）で彩りました。今、この本を手に取っている読者の中

図表1-5：アート業界のエコシステム

世界

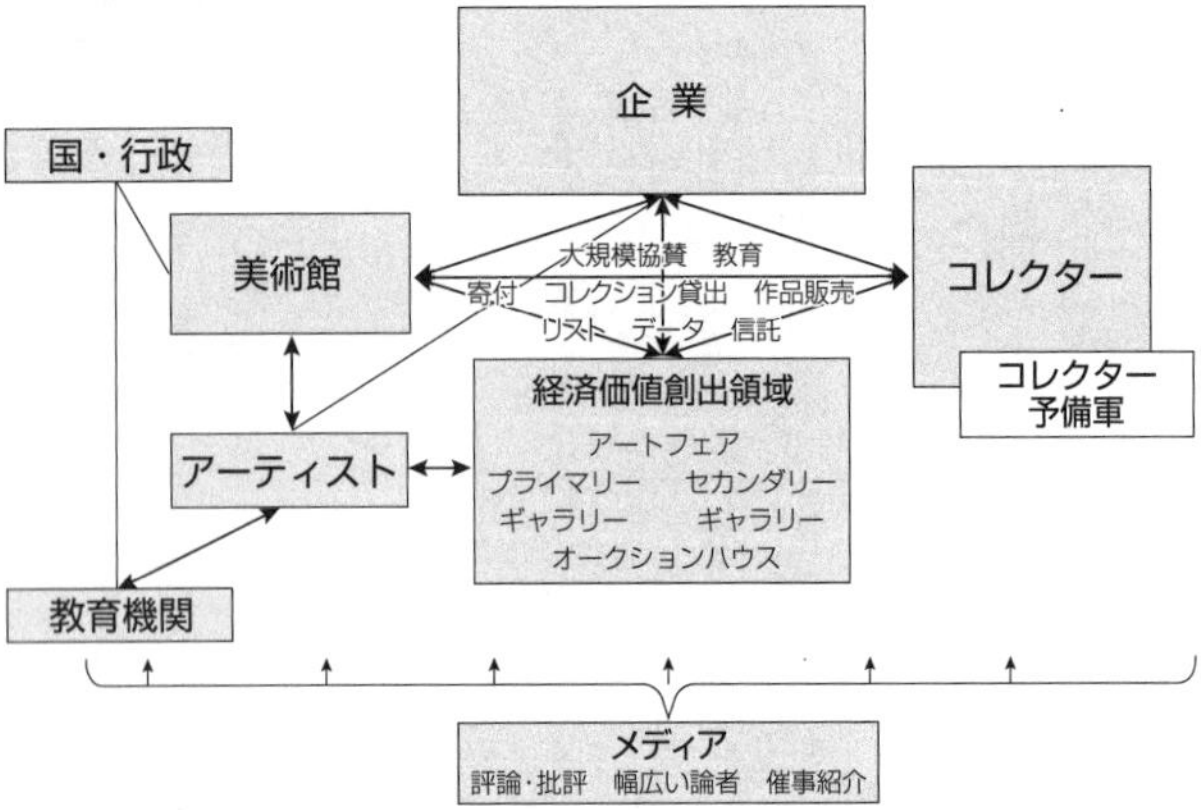

日本

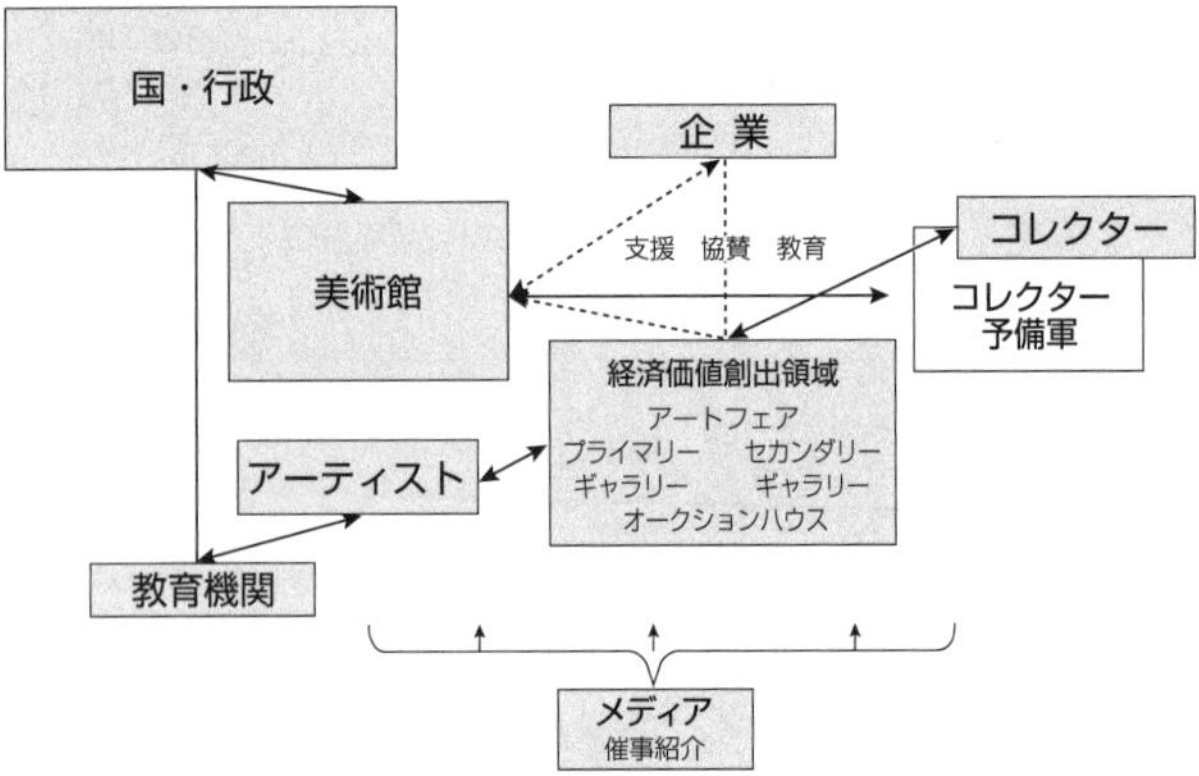

出所：著者作成

メタ社（旧フェイスブック）のNYミッドタウンの新オフィスを彩る、サイトスペシフィック・アート（特定の場所に合わせて制作するアート）のひとつ。ティムール・シー＝チン《Sacred Footprint》(2022)
Photo：Timur Si-Qin（アーティスト自身の撮影）　Courtesy of the artist

には、日本の企業に属し多くの企業を訪問する方が多いと思いますが、そのオフィスにアート作品はありますか？　アート尽くしのメタの例は桁違いとはいえ、新しいオフィスビルが続々と増えている東京で、オフィス建築には創意工夫があっても、ロビーや共有エリアにアート作品はなく、せいぜい会議室にある程度でしょうか。

先日、ある大企業の方に「世界のオフィスにはたくさんの本格的アートが……」と話したところ、「上坂さん、私の会社にだって飾ってあるじゃないですか」と返されてしまいました。「はい、存じておりますが、レベルが、量が、飾り方が……」とは言えませんでした。それが現状です。ただし、ここにきて、ごく少数の例外が出てきました。詳しくは第

図表1-6：アート市場における望ましいグッドサイクル

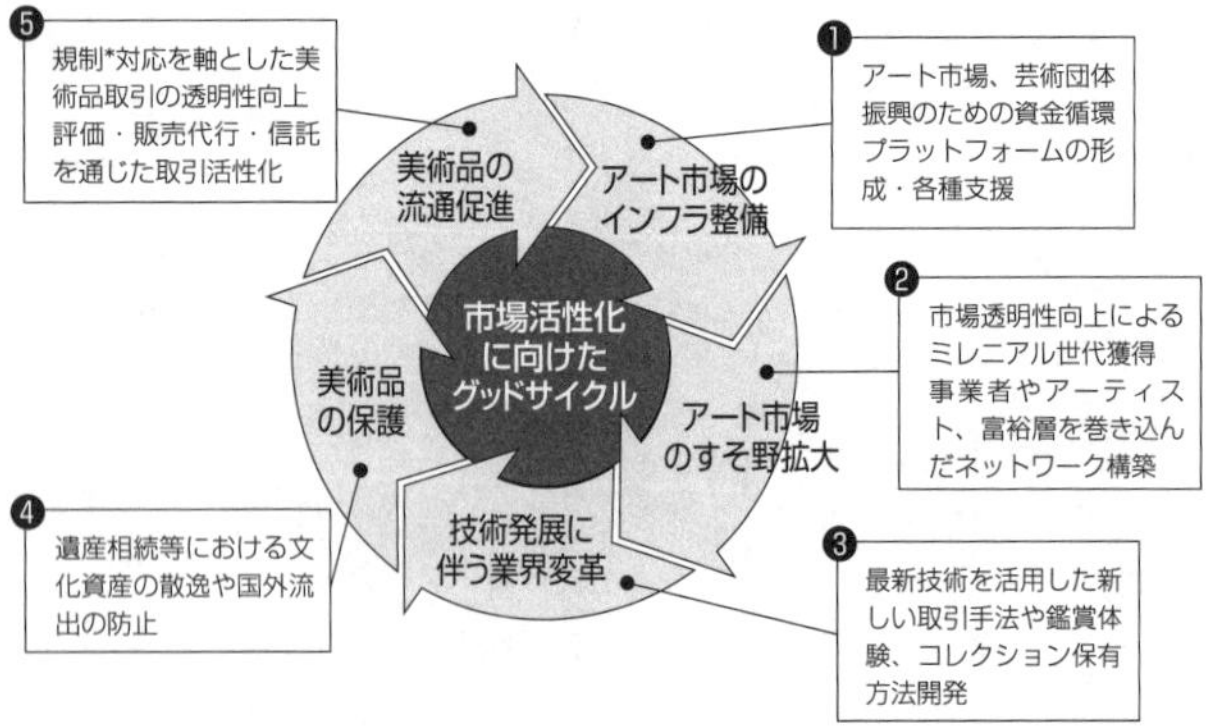

*AML D5やFATCA（The Foreign Account Tax Compliance Act）、CRSなど

出所：デロイトトーマツグループ

4章で紹介しますが、これは大きな第一歩です。

オフィスの次は家庭です。海外の住宅に招かれる機会はなかなかないと思いますが、ドラマや映画で外国の普通の住宅の様子が映ったら、これまでとは違う視点で観察してみてください。ほとんど必ず、部屋の壁にはアート作品が飾ってあります。

本章では、私自身が知るたびに驚いた、世界と日本の違いを認識するためのいくつかの事実をご紹介しました。世界では、企業でも家庭でも、素敵なアートについて語らい、飾って楽しむのが普通のことなのです。もちろん全員ではありません。しかしそれは、スポーツだって音楽だって全員が生活に取り入れているわけではないのと同じです。ただ、少し頭を悩ますのは、スポーツや音楽と異なり、アートは教育が絡まないと本物にならない、という点です。

とにかく、世界が楽しみ、考え、産業にしているアートの魅力は富裕層のためだけのものではありません。ごく普通の人々がアート作品を美術館で見るだけではなく、購入し、心の糧《かて》にしています。逆に言えば、このような大きな楽しみが日本の私たちに残っているのです。

図表1-6をご覧いただければ、アート市場の理想的な循環がわかると思います。しかし、欧米およびアジア諸国で、いきなりこのようなグッドサイクルができたわけではありません。第２章以下で現状を見直し、変革への道を提案していきたいと思います。

＊5 デロイト（Deloitte Touche Tohmatsu）　経営コンサルティング企業大手。世界的な会計事務所、デロイト・トウシュ・トーマツのグループ。２００８年よりArt & Finance（アート＆ファイナンス）部門を発足させ、美術館へのコンサルティング、税務など幅広いクライアントサービスを提供。デロイトトーマツグループは、日本においても、監査・保証業務、リスクアドバイザリー、コンサルティング、ファイナンシャルアドバイザリー、税務・法務の５つのビジネスとコーポレート機能から構成されている。

＊6 アートタクティック（ART TACTIC）　２００１年に設立されたロンドンに拠点を置くアート市場調査会社のパイオニア。金融市場で用いられるのと同様の手法でアート市場を分析している。サービスは地域やメデ

イア別の市場セクターレポート、オークション分析、アーティストレポート等の発行など多岐にわたり、多角的な市場分析を提供。

＊7 アートネット（ArtNet） １９８９年設立。ニューヨークに本社を置くアートネット・ワールドワイド・コーポレーション（Artnet Worldwide Corporation）が運営している世界最大の美術売買サイト。価格データベース、オンラインギャラリー、ニュース情報サイトを展開する。

＊8 アートバーゼル（Art Basel） １９７０年よりスイスの都市バーゼルで毎年開催される世界最大級の現代アートフェア。出展数は３００以上、来場者は7万人を超える。現在は「アートバーゼル」の名称のもと、マイアミ・ビーチ（アメリカ）、香港、パリでも開催され、ヨーロッパ、アメリカ、アジアにまたがる世界規模のアートフェアに成長。リード・パートナーは１９９４年よりスイスのＵＢＳが務める。バーゼルとマイアミで開催されるアートバーゼルはプライベートジェットで来場するＶＩＰの多さで知られる。

＊9 アートミュージアムバイナンバース（Art Museums By the Numbers） アメリカ、カナダ、メキシコの美術館館長の団体（ＡＡＭＤ、Association of Art Museum Directors）が発行する年次レポート。美術館運営と地域社会への貢献に関する情報をデータとともに開示している。

＊10 テート（Tate） イギリス政府が所有するイギリス美術コレクションや近現代美術コレクションを所蔵・管理する組織で、ロンドンなどにある4カ所の国立美術館を運営する。イギリス政府の文化・メディア・スポーツ省に属する外郭公共団体に位置づけられ、同省の資金のほか、各種の基金等からの寄付で運営されている。

＊11 ヴィクトリア&アルバート博物館 人類の過去５０００年にわたり、さまざまな時代と地域で制作された表現作品・製品を収集する、イギリスの国立博物館（通称「Ｖ＆Ａ」）。本館はロンドンにある。収蔵品は世界

各国の古美術や現代美術、デザイン、ファッション、工芸などの装飾芸術から、おもちゃや建築関連等多岐にわたり、世界最大級の４００万点におよぶ。名称はヴィクトリア女王と夫アルバート公に由来。１８５１年に開催されたロンドン万国博覧会の経済的成功を契機に、翌年、労働者階級への教育やデザイナーや製造業者への触発によって芸術・デザイン産業の振興促進がなされることを目的に設立された。

＊12　ガゴシアン（GAGOSIAN）　１９８０年、ラリー・ガゴシアンがロサンゼルスに設立。現在ニューヨーク、ロンドン、パリ、ジュネーブ、香港など世界各地17カ所にスペースを展開。取り扱いアーティストは、現存アーティストのオークションにおける過去最高額を記録したジェフ・クーンズをはじめ、ピカソ、アンディ・ウォーホル、村上隆など80人を超える。

＊13　ペース（PACE）　１９６０年、アーネ・グリムシャーがボストンに設立。現在ニューヨーク、ロンドン、香港、ソウルなどにある９つのギャラリーを運営。デイヴィッド・ホックニーやマーク・ロスコ、奈良美智、名和晃平、李禹煥《リウファン》など約90人の作品を取り扱う。ニューヨークにある8階建ての本社ビルは約７０００平米の面積を持ち、ガゴシアンと並ぶ規模となる。

＊14　ハウザー&ワース（HAUSER & WIRTH）　イワン・ワースとマヌエラ・ワース、ウルスラ・ハウザーが１９９２年にスイス・チューリッヒに設立。現在ニューヨークで2店舗、ロンドン、サマセット、ロサンゼルス、香港など合計10のギャラリーを運営し、六本木ヒルズ屋外の巨大蜘蛛の彫刻で知られるルイーズ・ブルジョワなど80名以上のアーティストを取り扱う。また現代美術の展示だけでなく、ワークショップ等子どもから大人までの教育プログラム提供にも注力し、イギリスやスペインにアートセンターを設立している。

＊15　タデウス・ロパック（Thaddaeus Ropac）　１９８３年、タデウス・ロパックが設立。現在ロンドン、

パリ、ソウルなどに5つの拠点を持ち、アントニー・ゴームリー、アレックス・カッツ、エリザベス・ペイトンなど60名以上のアーティストとアーティスト財団を取り扱う。

＊16 ホワイト・キューブ（White Cube）　１９９３年、ロンドンでジェイ・ジョプリングによって設立。現在ロンドンの2カ所、香港、ニューヨークにギャラリーを持ち、パリにも事務所を構える。ダミアン・ハーストやトレイシー・エミンといったスターアーティストを輩出し、イギリスのアートシーンを代表するギャラリー。

＊17 デビッド・ツヴィルナー（David Zwirner）　１９９３年、ドイツ人美術商デビッド・ツヴィルナーがニューヨークに設立。ニューヨーク、ロンドン、香港等世界5カ所で展開。取り扱いアーティストは、ドナルド・ジャッド、草間彌生、ゴードン・マッタ=クラーク、トーマス・ルフなど、60人以上。また、ツヴィルナーは奨学金のためのチャリティーオークションの企画等多くの慈善事業の企画でも知られる。

＊18 ペロタン（PERROTIN）　１９９０年にエマニュエル・ペロタンがパリに設立。２０１２年の香港を皮切りに、ニューヨーク、ソウル、東京、上海と世界各地でスペースを展開。90年代から積極的にアートとファッションやクラブミュージックなどの橋渡しをして、新しいコンテンポラリー・アートのムーブメントを創生する。ＫＡＷＳ、マウリツィオ・カテラン、ＪＲといった現代アートを代表するアーティストが所属。

＊19 ブラム&ポー（BLUM & POE）　１９９４年にティモシー・ブラムとジェフリー・ポーによってカリフォルニアに設立。現在、ロサンゼルス、ニューヨーク、東京にスペースを持つ。欧米圏だけでなく、村上隆、奈良美智、李禹煥、河鍾賢《ハジョンヒョン》などアジア圏のアーティストも多く取り扱う。ブラムには東京のギャラリーの勤務経験があり、その時代に奈良美智や村上隆と出会った経緯から１９９５年に奈良美智、１９９７年に村上隆のアメリカでの初個展を当ギャラリーで開催した。

＊20 リッソン・ギャラリー（LISSON GALLERY）　１９６７年、ニコラス・ロッグスデールによってロンドンに設立。現在、ロンドン、ニューヨーク、上海など世界5カ所で展開。マリーナ・アブラモヴィッチやアイ・ウェイウェイ、アニッシュ・カプーア、リチャード・ロングなどを取り扱う。アジアで強い存在感を示し、宮島達男や李禹煥、ラッシード・ラナなどアジアの作家を国際的に紹介するのに大きな役割を果たす。

＊21 フリーズ（Frieze）　イギリスのアート雑誌『フリーズ（FRIEZE）』が２００３年より毎年ロンドンで開催しているイギリス最大規模の現代アートフェア。２０１２年以降はロンドン以外の都市でも開催。ニューヨーク、ロサンゼルス、ソウルで開催されている。第1回以来、リード・パートナーをドイツ銀行が務める。

＊22 テファフ（TEFAF：The European Fine Art Fair）　ヨーロピアンファインアートフェアの略称。オランダのマーストリヒトにあるＭＥＣＣを会場に、世界有数のギャラリーが出展する。１９８８年に初めて開催され、現代アートだけではなく、古代や古典作品などの博物館級の作品やデザインを扱うのも特徴。

＊23 クリスティーズ（CHRISTIE'S）　１７６６年にロンドンで創業された世界的な美術品オークションハウス。サザビーズと同様に著名人の蔵書も扱ったが、美術品の取り扱いに関してはクリスティーズの方が早い。現在ではロンドン、ニューヨーク、香港を中心に世界46カ国に拠点を置き、美術品をはじめ、宝石、時計、家具など80種類以上におよぶ分野を取り扱う。１９９８年、ＰＰＲ（現ケリンググループ）会長フランソワ・ピノーの所有する投資会社アルテミスの一員となった。

＊24 サザビーズ（Sotheby's）　イギリス発祥の世界的なオークションハウスの一つ。１７４４年に創業し、現在も操業する世界最古の国際競売会社。インターネット上でオークションを開催した世界初の美術品オークション会社でもある。現在はニューヨークに本部を設置し、ロンドン、香港など世界40カ国に計80もの拠点を

持つ。

＊25 オークションハウス　オークションを行う場またはオークションを行う競売会社のことで、美術品、貴重品、コレクション品、不動産などのオークション（競売）を主催する。オークションハウスは、オークションの運営のほか、査定や評価、出品物の調達、落札者とのやり取りなど、さまざまな業務を行う。また、今日ではオンライン上での入札システムの整備や、海外からの参加者も含めた国際的なオークションも行われている。

＊26 毎日オークション　株式会社毎日コミュニケーションズ（現：株式会社マイナビ）の美術事業部として、欧米市場からの美術品輸入販売事業を開始。その後、１９８９年に美術品を中心とするオークション事業を立ち上げ、日本の美術品オークション業界のパイオニアとして成長する。２００１年に毎日コミュニケーションズから分社化。主に日本の美術品やアンティークに特化したオークションを開催しており、絵画や陶器、刀剣、茶道具などの品々が出品されている。

＊27 シンワオークション　東京を拠点にアート、ワイン、アンティークや工芸、マンガ等のオークションを定期開催する１９８９年創業のオークションハウス。美術品取引業界のわかりにくい商習慣と価格形成に一石を投じ、一般の人々が参加できる美術品の換金市場を日本に確立するため、オークションの継続的な開催をビジネス化した。アート、ワイン、アンティークや工芸などのオークションを定期開催している。

＊28 SBIオークション　２０１１年に開設された、ＳＢＩホールディングス株式会社が運営する公開型のオンラインオークションサイト。主にアート、ジュエリー、時計、ブランド品などの高級品を扱い、ネット上での入札が可能となっている。出品者は商品を無料で出品でき、同社は出品物の鑑定や認定、プロモーション、販売代行サービスなどを提供。アートは将来性が期待される現代アート作品に特化している。

＊29 アートニュース（ARTnews）　アメリカで１９０２年に創刊され、世界で最も歴史があり、世界最大級の発行数を誇る美術雑誌。読者は１２４カ国の業界人から一般のアートファンまで幅広い。年6回発行の本誌とウェブ版で、アート界のさまざまなニュースを掲載。毎年秋に発表する「アートニューストップ２００コレクターズ（The ARTnews Top 200 Collectors）」はアート界に大きな影響力を持つ。

＊30 タグチアートコレクション　日本の実業家・ミスミグループ創業者の田口弘氏が１９８０年代から収集し始めた現代アートのコレクション。所蔵作品は日本のみならず海外でも展示され、世界中で高い評価を得ている。収集作品の展示や、教育普及活動にも力を入れている。

＊31 アートニュース日本版　２０２１年1月にローンチしたアメリカの『ARTnews』の日本版。経済・社会・カルチャーの三つの視点から、日本を中心にアジアや世界のアート情報を提供するオンラインメディア。

第2章

世界の企業にとってのアートとビジネス

この章では、世界における企業とアートとの関係を紹介します。簡単に言うと、世界ではスポーツや音楽やファッションと同様に、アートも企業にとっての重要な要素として位置づけられています。というよりも、そんな力んだ感じではなく、「日常」になっているのです。「日常」の意味は二つあります。オフィスに明らかに価値のありそうなアート作品がごく自然にかかっている「日常」。そして、マーケティング的観点でアートという題材を活用する「日常」です。

とりわけラグジュアリーブランドとアートの関わりは深く、ブランドごとに個性的な考え方があります。ただ、基本的には、文化に貢献して企業の信頼性を獲得するための手段であり、そのほとんどがアートに関心のある富裕層や、センスのある消費者の支持を勝ち取るためのものでしょう。最近になってようやく日本企業が言い始めたことと同じですが、その歴史、本気度、学び、日常性などを総合した結果として表れる、規模と影響力と社員への浸透度合いが全く異なります。そこには、第1章でも少し触れたように、アートの文化的、歴史的側面における子どもの頃からの教育につながる、深い問題があります。

2・1　企業がアートに関わる日常

日本の場合、企業がアートと関わるためには理由が必要です。そしてたいへんなエネルギーが必要です。10年前であれば、それは多くの場合「寄付」のようなものであり、企業ごとに予算がある程度決まっていて形式的なものでしたが、そこから徐々に「事業部」として取り組む発想へと変化しました。しかし、アートへの認識の変化は、ある日一斉に起こるわけではありません。多くの場合は、アートの事業化を企画する若手社員に対して、決裁権のある上司の発想の転換が遅い。そこに少しでも寄与するべく、本著の執筆に至ったわけです。

世界のオフィスをご覧いただけばわかる通り、アートを「見る」だけではなく「語り」「購入し」「飾る」といった行為は、レベルの違いはあるにせよ、日本以外の多くの国で「日常」または「日常に近い」ものです。また、このように一流と想像されるアート作品群がオフィスに飾ってあるということは、多くの企業がアートをコレクションしている可能性が高く、日本のように大企業でさえアート作品を一点購入するのが経営判断次第になっている仕組みとは異なることが想像されます。

別格の事例となりますが、ドイツのフランクフルトに本店を持つドイツ銀行についてご紹介します。ドイツ銀行のアート部門グローバルヘッドであり、ドイツ銀行コレクションの開発とキュレーション、および同銀行のグローバルアートプログラムのあらゆる側面の形成に長年携わってきたブリッタ・ファーバー氏に話を聞きました（2023年1月実施の書面インタビュー）。

＊＊＊

——まず初めに、ドイツ銀行のアートへの取り組みについて教えてください。

ファーバー　ドイツ銀行のアートへの取り組みはアート&カルチャー部門というユニットに所属しています。ここでは、ドイツ銀行の資金調達プログラムを束ね、さらにコンセプトに基づいて発展させながら、顧客に対して、芸術と文化の世界への新たなアクセスを提供しています。

主な取り組みとしては、ドイツ銀行が所有する世界で最も重要な美術品コレクションの一つである、ドローイングや写真などのペーパーワークの現代美術作品の収集があります。また、ドイツ銀行がベルリンで開催している文化フォーラム「パレ・ポピュレール」で国際的な展覧会を開催しています。さらに、ドイツ銀行は20年前からアートフェア、フリーズのグローバル・リード・パートナーを務めており、ロンドン、ニューヨーク、ロサンゼルス、ソウルに拠点を置いています。これらの取り組みは、「アートとの関わりは顧客や従業員だけでなく、当行が事業を展開する地域社会にもプラスの影響を与える」という強い信念に基づいています。

アートは、私たちの未来を形作るための新しいアイデアを生み出し、人々に疑問を投げ掛け、インスピレーションを与えます。その結果、従来とは異なる革新的な解決策を受け入れることができるようになると考えています。

――フランクフルトのドイツ銀行タワーは、まるで現代アートの美術館のようだと言われています。

ファーバー　タワーのコンセプトは、各階に１人のアーティストの作品を展示するというもので、ドイツ銀行の拠点がある５つの世界地域ごとに分類しています（図表２－１）。さらに、ワールドワイドなアート作品を１階と会議室にも展示しています。ドイツ銀行タワーと隣接するキャンパス・ビルディングでは、アーティストやその作品との対話の場を提供すると同時に、世界のさまざまな文化を洞察する機会を提供しており、そこでは世界各地の文化に触れることができます。このユニークな現代美術のセレクションは一般に公開されていて、無料のガイドツアーもあります。

――ドイツ銀行には、あなた自身を含めて、何人のアートスペシャリストがいるのでしょうか。その主な役割は？

図表 2-1：ドイツ銀行タワーのアートマップ

38	Cai Guo-Qiang	Karen Kilimnik／Tom Sachs／Kamrooz Aram Ori Gersht／Olafur Eliasson／Simon Periton Kai Althoff／Nic Hess.
37	Tokihiro Sato	Takashi Murakami／Yoshitomo Nara Rirkrit Tiravanija／Yang Jllechang／Julie Merhretu Francis Alys／Jonathan Monk／Wolfgang Tillmans
36	Miwa Yanagi	
35	Wong Hoy Cheong	
34	Yang Fudong	
33	Shilpa Gupta	
32	Dayanita Singh	
31	Fiona Tan	
30	Yan Pei-Ming	Andreas Slominski
29	Cao Fei	Neo Rauch
28	Raymond Pettibon	Tobias Rehberger
27	Ellen Gallagher	Martin Liebscher
26	Ellizabeth Peyton	Birgit Brenner
25	Carlos Garaicos	Matthias Welscher
24	Rivane Neuenschwander	Annette Kelm
23	Kara Walker	Nediko Solakov
22	Mike Bouchet	Peter Doig
21	Laura Owens	Claudia ＋ Julia Müller
20	Dr.Lakra	Angus Fairhurst
19	Amy Cutler	Pavel Pepperstein
18	Marcel Dzama	Santiago Sierra
17	Larissa Fassler	Gavin Turk
16	Pablo Bronstein	Mathilde ter Heijne
15	Ian Tweedy	Adrian Paci
14	William Kentridge	Osman Bozkurt
13	Samuel Fosso	Tim Stoner
12	Zohra Bensemra	Paola Pivi
11	Yehudit Saportas	Wilhelm Sasnal
10	Yto Barrada	Charles Avery
9	Maha Maamoun	Yane Calovski
8	Wangechi Mutu	Anri Sala
7	Shirin Aliabadi	Ivan Grubanov
6	Ebtisam Abdulaziz	Jakub Julian Ziolkowski
5	Mohamed Carmara	Anni Leppälä

アジア／太平洋　ドイツ
南北アメリカ　ヨーロッパ
中東／アフリカ

ファーバー　私たちは世界各地の10人のスタッフからなる非常に小さなチームです。それぞれが美術に関する専門的な知識を持ち、コレクションを管理するだけでなく、さらなる取り組みも行っています。ドイツ銀行というグローバル企業の社員として、銀行のさまざまな部署や外部のパートナーと協力し合いながら業務を遂行しています。

――ドイツ銀行におけるアート・イニシアチブは、本国で管理されているのですか？　それとも国ごとに管理されているのですか？

ファーバー　私たちは銀行のコーポレートセンターに位置しており、ドイツを拠点に、芸術と文化に関するあらゆるトピックを扱っています。しかし、グローバルな取り組み同様、地域的な取り組みについても、各国の同僚と話し合いながら進めています。

――今後、ドイツ銀行が世界各地で計画している新しい取り組みやプロジェクトはありますか？

ファーバー　私たちは、現代アートの世界にアクセスするための新しい方法を常に考えています。その中心にあるのが、毎年1人のアーティストに知名度を上げるためのプラットフォームを提供する「アーティスト・オブ・ザ・イヤー」というプログラムです。この賞は、ドイツ銀行コレクションがフィーチャーする「紙」と「写真」のアートから、芸術的にも社会的にも意義深い作品を制作した現代アーティストに贈られます。２０２３年はラ・チョーラ・ポブレテを「アーティスト・オブ・ザ・イヤー」に選出しました。アルゼンチン出身の女性作家であるポブレテは、母国で植民地主義や白人至上主義がもたらしたものを、批判的に検証しています。この賞の一環として、２０２３年の１月からベルリンのパレ・ポピュレールでヨーロッパ初となるラ・チョーラ・ポブレテの個展を開催する予定です。

またドイツ銀行が市内の新しい施設に移転するロンドンでは、大規模な建築プロジェクトに参加しています。このビルのために具体的なアートコンセプトを開発し、実行するという素晴らしい機会を得ました。私たちの計画や取り組みに関する最新情報は、インスタグラム（@palaispopulaire）で発表しているので、フォローしていただけると嬉しいです。

——アートフェア、フリーズのスポンサーになる目的の一つは、富裕層のリストを入手し、更新することでしょうか？

ファーバー　ドイツ銀行とフリーズは二つの共通の目標を持っています。一つは、現代アートの世界における芸術的な卓越性を支援すること。そして新進気鋭の才能をサポートすることです。ドイツ銀行はこれまで40年以上にわたってコレクションや展覧会を通じて、現代美術界の優れた芸術を支援し、新進気鋭の才能を支援してきました。フリーズとのグローバル・リード・パートナーシップは、この目標をより広く展開することを可能にしています。

ドイツでは「フリーズ×ドイツ銀行」、イギリスでは「フリーズ×ドイツ銀行・エマージング・キュレーターズ・フェローシップ」、アメリカでは「ドイツ銀行・フリーズ ロサンゼルス・フィルム・アワード」のようなプログラムも共同で立ち上げました。これらは、さまざまな分野やコミュニティで活躍する新進の才能を支援するプログラムです。これらのパートナーシップによって、世界中の見本市でお客様とコンタクトする機会を得ることができるのはもちろん、アートコレクターであるお客様との交流の場にもなっています。また、ドイツ銀行のコレクションとして、フリーズで作品を購入することもあります。

——２０２３年から２０２４年にかけて新しい動きはありますか。

ファーバー　２０２３年は、アートフェア、フリーズがロンドンで初めて開催されてから20周年という特別の年であると同時に、ドイツ銀行とフリーズとのグローバル・リード・パートナーシップの20周年を祝う年です。続く２０２４年も、ロンドン、ロサンゼルス、ニューヨーク、ソウルのフリーズアートフェアのスポンサーになります。私たちはアートフェアとパートナーシップを結ぶだけでなく、先に述べたような地域密着型のプロジェクトに今後も関わっていきたいと考えています。そのために、「アートオブカンバセーション」と「アート：ライブ」という、世界中のさまざまな場所で現代アートにデジタルでアクセスでき、身近に感じてもらうためのプログラムを開発しました。

＊＊＊

ドイツ銀行タワーのアートマップを見れば一目瞭然ですが、この素晴らしいコレクションには驚くばかりです。ブリッタ・ファーバーさんのお話からは、この章の冒頭に書いたそのままの「世界」を垣間見ることができました。ドイツ銀行＝現代アートという、世界での圧倒的な認知度と信頼の理由がここにありました。翻《ひるがえ》って日本を見渡すと、世界のアートマーケットでの低い地位、世界的なアートフェアがない事実、そしてアートに対する企業の姿勢、さらに世界標準のアート教育の欠如など、厳しい現実を感じずにはいられません。

ここで、ドイツ銀行を含む「検索する価値のある11の主要な企業現代美術コレクション」[1]という資料を紹介しましょう（**図表2－2**）。この**ラリーズ・リスト**（＊32）のレポートによると、企業がアートを収集する歴史はルネッサンス時代にまでさかのぼり、企業による最初のアートコレクションは、1472年にイタリア・シエナの銀行によるものだそうです。今日では「ブ

図表2-2：大規模なアートコレクションを行っている世界の企業一覧

企業名	コレクション名	概　要
JPモルガン チェース JPMorgan Chase （アメリカ）	JPMorgan Chase Art Collection	1959年、当時のチェース・マンハッタン銀行の頭取デイヴィッド・ロックフェラーが「Art at Work」というプログラムを設立し、以来広く親しまれてきたコレクション。現代における初の企業コレクション。当初から「新進気鋭」、「発展途上」、「認知度の低い」アーティストに焦点を当てる。ソル・ルウィット、ロバート・ラウシェンバーグ、アンディ・ウォーホルの傑作を含む、近現代の絵画、彫刻、紙作品、写真、デジタル/ビデオアートなど3万点以上のコレクションが世界中の事業所で公開されている。
バンク オブ アメリカ Bank of America （アメリカ）	Bank of America Art Collection	現代美術を中心に、国内外の多様な才能による約6万点の作品からなる。企業コレクションとしては世界最大であり、同社が所有する複数の公共ギャラリー、オフィス内に展示されている。第二次世界大戦後のアメリカ美術を得意とし、エド・ルシェ、フランク・ステラ、ジョアン・ミッチェル、トーマス・ストルース、ウィリアム・エグルストンなどの作品が含まれる。世界各地の美術館に作品を貸し出すことも多い。
ドイツ銀行 Deutsche Bank （ドイツ）	The Deutsche Bank Collection	フランクフルトの60階建てドイツ銀行タワーにコレクションを展示。各フロアに1人のアーティストを選び、40カ国以上の100名のアーティストの1800点もの作品を出身地域別に展示。ドイツ銀行のビジネスマップと合わせてアートマップも成長しており、ドイツやヨーロッパの若手アーティストの作品はA館に、アジア、アメリカ、中東、アフリカのアーティストはB館にて展示されている。
UBS （スイス）	UBS ART COLLECTION	UBSは1960年代から現代美術の収集を行っており、3万点以上を所蔵。ウェブサイトによると「現代において最も影響力のあるアーティスト」の作品コレクションであり、世界で最も重要な企業コレクションと言われている。
ソシエテ ジェネラル société générale （フランス）	Collection D'art Société Générale	1995年にソシエテ ジェネラル コレクションを開始。570点以上のオリジナル作品と750点以上のリトグラフ、エディション、セリグラフ（シルクスクリーン）を収蔵し、フランスの銀行が収蔵する現代美術の中でも最も重要なコレクションの一つとなっている。タケオ・アダチ、リュー・ボリン、ソニア・ドローネ、ソル・ルウィット、ヴィック・ムニーズ、トーマス・ラフ、タキス、アントニ・タピエス、アンディ・ウォーホルなどの作品を収蔵。コレクションはソシエテ ジェネラル本社内のさまざまな場所に展示されている。現代美術は、クラシック音楽と並ぶ、ソシエテ ジェネラル グループの文化支援政策の一つ。

企業名	コレクション名	概　要
ラボバンク RABOBANK （オランダ）	Rabo Kunstcollectie	アートを社会のバロメーターと捉えるオランダのラボバンクは、オランダ美術界を代表するアーティストと密接に連携。ラボ・アート・コレクションは、1950年以降のオランダの現代美術を反映しており、すべての作品をオンラインで見ることができる。
ウニクレディト グループ UniCredit group （イタリア）	UniCredit Art collection	イタリア、ドイツ、オーストリアに所在する数万点の芸術作品を含むコレクションを所有。同グループのヨーロッパでのアイデンティティを反映し、15世紀から19世紀にかけての古代作品、ヨーロッパのマスターピース、さらに現代作品まで幅広く質の高いコレクションを有する。写真もコレクションの重要な一部であり、4,000点以上の歴史的・現代的な作品が含まれる。コレクションを活用する戦略として、多くの人が仮想的にコレクションにアクセス可能なデジタル構想や、ウニクレディトグループ財団との協力による子ども向けの教育プログラムも実施されている。
カイシャファウンデーション Caixa Foundation （スペイン）	Colección de Arte Contemporáneo	ラ・カイシャ財団の現代美術コレクション。スペイン美術と国際的な動向を結び付け、現代美術を普及させ、その知識と研究を促進するために構成。1985年から、絵画、彫刻、写真、ビデオアートに至る国際的な作品を約1,000点収集・展示。その中には、ヨーゼフ・ボイス、アントニ・タピエス、ゲルハルト・リヒター、ブルース・ナウマン、フアン・ムニョスなどが名を連ねる。
スワイヤープロパティーズ Swire properties （香港）	Artwork Collection	世界的な不動産企業であるスワイヤー・プロパティーズのすべての開発物件には、ビジュアルアートが組み込まれている。所蔵するコレクションの中には、パブリックスペースのために特別に制作された作品も含まれており、当該施設の中で国内外のアーティストによるオリジナル作品に触れ、日常生活の中で自然にアートを楽しむことができることを目的としている。
泰康保険 （中国）	泰康空間 TAIKANG SPACE	中国の企業として初めての現代美術のコレクションを展開。泰康コレクションは中国で初めて公に発表された企業コレクションでもある。美術史上の意義と規模を持つ美術品収集システムを確立しており、1930年代の中国近代の絵画や写真、初期の赤色美術、社会主義リアリズム美術、そして現在中国で最も人気のある新しい美術まで網羅する。コレクションの学術的価値について調査をスタートし、今後は国内外の重要な学術機関と協力する予定もある。

企業名	コレクション名	概　要
プログレッシブコーポレーション Progressive Corporation (アメリカ)	Experience The Progressive Art Collection	1974年、プログレッシブ社の新本社の公開にあたり、創業者ピーター・ルイスが思い描いた、企業の創造的で革新的な文化を反映したユニークでモダンな空間のビジョンを実現するために、建物全体に購入した現代アート作品を展示したことにより始まったコレクション。同社にとってアートは、ワークスペースに活気を与えるだけでなく、熱い議論を呼び起こし、「リスクを回避し、学び、成長する」文化を醸成する機会と考えられている。ピーターによる30点の写真、版画、ドローイングのコレクションは、数十年を経た現在、彫刻、絵画、写真、ニューメディアを含む、世界70カ国、2,000人以上の現代アーティストによる1万点を超える現代美術の世界的コレクションに発展。すべての作品が全国のオフィスに設置されている。長年にわたり、何千人もの社員とその友人や家族、そして一般の市民が、ツアーやセミナー、アーティストトーク、展示会、チーム活動を通じてコレクションに携わってきた。現在ではプログレッシブ・アート・アプリで誰でも広くコレクションを体験できる。
マイクロソフト Microsoft (アメリカ)	Microsoft Art Collection	1987年、「アートで壁を埋め尽くし、よりクリエイティブな職場にしたい」という思いからスタート。現在では、世界中の180以上の建物に5000点以上のアート作品が展示され、従業員やゲストが作品を楽しめる。現代美術を中心に、絵画、彫刻、紙作品、写真、陶芸、ファイバーアート、金属加工、ミクストメディア、そして関連するアーカイブ資料からなるコレクションには、チャック・クローズ、村上隆、ジュリアン・オピー、シンディ・シャーマンなどの作品が含まれる。

出所：LARRY'S LIST「11 Major Corporate Contemporary Art Collections That Are Worth Exploring」

ランドイメージの強化」に加え、「従業員にインスピレーションを与える環境」や「同時代に生きているアーティストを支援」するためにアートコレクションを構築しており、ある企業は「積極的な収集」を実践し、ある企業は一般の人々とのつながりのためにアートを活用している、と言及されています。

アートをキーにしてセンスある富裕層を囲い込むことは、音楽やスポーツをテーマにして、そういう趣味・嗜好を持つ消費者にアピールし、売り込み、顧客リスト化するのと同じ発想です。そのためには、企業が自らアートイベントを開催し、美術館の寄付者に接近し、アートフェアへ参加する。これらが世界での常識です。

２・２　収支レポートをＷＥＢ公開する著名美術館

美術館が企業に向けて営業活動をするのも、海外では「日常」です。関係者に話を聞くと、日本の美術館の場合は営業担当者が在籍するケースは少なく、イベントごとに共催新聞社に依頼することが当然になっています。営業力が激減している新聞社の、それも広告営業局ではなく、旧来の美術催事部が行っているのが実態です。企業がアートに力を入れている時代にもかかわらず、その良い流れは美術館にほとんど波及していません。しかし、世界では美術館の当事者が企業に向けて資金調達のための営業活動を展開し、キュレーター自らも一緒に時間を割くという話は、前章でテートモダンの中森さんにお伺いした通りです。

　テートのウェブサイトには次のように記載されています。

「テートは、世界で最も認知されたアートブランドの一つであり、イギリスの四つのギャラリーには８００万人以上が訪れ、デジタルオーディエンスは年間２５００万人を超えています。テートは、これらの強みを活かし、企業パートナーとの野心的で革新的な関係を築いています」

　テートの企業パートナーは、バンク・オブ・アメリカ（エキシビション・パートナーシップ）、ブルームバーグ（ブルームバーグ・フィランソロピー・アンド・テート）、ＢＭＷ（ＢＭＷテートライブ）、ＢＮＰパリバ（ターナー賞）、ドイツ銀行（インターナショナルアートパートナーシップ）などです（カッコ内は具体的なサポート）。世界的なアートフェアに協賛する企業が名前を連ねていますが、実は日本のユニクロも「ユニクロ テート ＬＡＴＥＳ」「ユニクロ テート ＰＬＡＹ」といったプログラムでテートの企業パートナーとなっています。[2]

　アメリカのメトロポリタン美術館ともなると、さらに規模が大きいようです。運営費の大半を寄付や基金でまかなう真の意味での「公共（パブリック）美術館」であるこの美術館では、実質40人前後の資金調達を専門とするスタッフたちが活躍しています（２０２０年6月末時点）。このことは、２０１９年まで同館の広報として29年間勤務した高渕直美さんが教えてくれました。

　高渕さんによると、キュレーターがパトロンやコレクターのエスコート役としてパーティに出席することもよくあり、そうして良い関係をキープすることが、結果として莫大な寄付や素晴らしいコレクションを得ることにつながるケースも少なからずある。そういう意味ではキュレーターも立派なファンドレイザーとしての役割を果たしているということでした。ちなみに、メットに在籍するキュレーターは１００人ほどです。

　実は、メトロポリタン美術館においては、この資金調達を専門とする部署のほかにもう一つ、重要な部署があるそうです。「私が所属していたエクスターナル・アフェアーズ（External Affairs）部の中にガバメント・アフェアーズ（Government Affairs）というディビジョンがあり、ここではニューヨーク州の行政府からできるだけの援助を引き出すための活動をしています。ニューヨーク州からのサポートをいくら獲得するかがこのディビジョンの腕の見せ所です」（高渕さん）。しかし、やはりアメリカでは、芸術は民間や地方が主体となって行われるべきという考えが強く、連邦政府が芸術をサポートする独立機関はあっても支援額はそれほど多くはないので、必然的に民間からの支援を募る活動に力が入るということでした。

２・３　アートフェアに競って協賛する企業

スポーツや音楽イベントと原則は同じことなのですが、アートでアプローチできる人数はそれらと比較して少ないかもしれません。しかしセンスの良い富裕層を囲い込むことができる確度の高さは、それを補って余りあるでしょう。いずれにしても、選択肢としてスポーツや音楽と同じ舞台にいるということです。アートバーゼル、フリーズ、パリフォト等のハイエンドなアートフェアに協賛する企業（図表２－３）を見ても、富裕層をターゲットにしていることが一目瞭然です。

アートバーゼルなどの富裕層がプライベートジェットで来場するアートフェアで、一般開催日より先んじて開催されるＶＩＰプレビューのさらにその前日を独占できる権利は、富裕層向けの施策としては極めてわかりやすい例でしょう。アートバーゼルでは、バーゼル、マイアミビーチ、香港の三つのフェアでＵＢＳがリード・パートナーとして君臨しています。そして、その下に２０２２年はオーデマ・ピゲ（高級時計）、ルイ・ヴィトン、ルイナール（シャンパン）、ＢＭＷなどのラグジュアリーブランドが顔を揃えました。フリーズのリード・パートナーはドイツ銀行、パリフォトはオフィシャルパートナーにＪ．Ｐ．モルガンというように、富裕層を顧客に持つ金融機関とハイエンドなアートフェアは蜜月関係にあります。

図表2-3：アートバーゼル、フリーズ、パリフォト協賛企業一覧（2022年）

アートバーゼル（バーゼル）

- リード・パートナー：UBS（金融）
- アソシエイト・パートナー：オーデマ・ピゲ（高級時計）、NetJets（プライベートジェット）
- その他、ホストパートナー：ルイナール（LVMH傘下・シャンパン）、ラ・プレリー（高級化粧品）
- オフィシャルパートナー：BMW、Vive Arts（台湾HTC傘下・デジタルアートプラットフォーム）、Chateau d'esclans（MHD傘下・仏プロヴァンスのワインメーカー）、Vitra（家具メーカー）、Enea（造園）、Mövenpick（リゾートホテル）、the fixer group UK（ライフスタイルマネジメント＆高級旅行会社）
- メディア・パートナー：Financial Times（英経済紙）、neue zürcher zeitung（老舗日刊新聞）

アートバーゼル（マイアミビーチ）

- リード・パートナー：UBS
  アソシエイト・パートナー：オーデマ・ピゲ、NetJets（プライベートジェット）、ルイ・ヴィトン
- ショー・パートナー：Tezos（ブロックチェーンプラットフォーム）、Douglas Elliman（不動産）
- ホスト・パートナー：ルイナール、Sanlorenzo（オーダーメイドヨット/ボート造船会社）、ラ・プレリー、Chubb（保険）、FARFETCH（デジタルマーケットプレイス）、Arkive（1万6000以上の絶滅危惧種についてのマルチメディアデータを収集/保管している企業）
- オフィシャル・パートナー：VICE（デジタルメディア）、BMW、Tequila Casa Dragones（テキーラ）、Château D'Esclans、ペリエ、On（ランニングシューズ＆ウェア）、Kannoa（屋外家具メーカー）、Quintessentially（コンシェルジュ）、サンローラン、リッツ・カールトン、Grand Beach Hotel Miami Beach（ホテル）
- メディア・パートナー：Financial Times、Miami Herald（マクラッチー社傘下・日刊紙）

アートバーゼル（香港）

- リード・パートナー：UBS
- アソシエイト・パートナー：オーデマ・ピゲ
- ショー・パートナー：Tezos、Hong Kong Tourism Board（香港政府観光局）
- ホスト・パートナー：ラ・プレリー、ルイナール、Swire Properties（スワイヤーグループ傘下・香港と中国本土内の商業用不動産の開発、所有、運営）
- オフィシャル・パートナー：BMW、On、マッカラン、Rose wood香港（ホテル）
- コンシェルジュ：Quintessentially
- メディア・パートナー：Financial Times、South China Morning Post（香港国内発行の日刊英字新聞）、Bloomberg　Media、VOGUE、PRESTIGE（オンラインライフスタイルメディア）、美紙（香港アート系雑誌）
- カルチュラル・パートナー：Para Site 藝術空間（香港の現代アートセンター）、Hong Kong Art Centre（非営利芸術機関/美術館）、Asia Art Archive（国際的な文脈の中でアジアの現代美術の歴史を記録することを目的とした香港を拠点とする非営利団体）、Artasiapacific（1993年に創刊された、アジア、太平洋、中東の現代美術と文化を扱う英文アートメディア）、1a Space（アートギャラリー）、Hong Kong Asia　Society（NPO法人施設。アジアの芸術、歴史、文化の展示施設として使用されている）、Asian Cultural Council Hong Kong（国際文化交流活動を通して、異なる文化や人々の間における尊敬や理解を支援する非営利財団）

アートバーゼル（パリ＋）

- アソシエイト・パートナー：ルイ・ヴィトン、オーデマ・ピゲ
- ショー・パートナー：Tezos
- オフィシャル・パートナー：David Yurman（ジュエリー）、Groupe Galeries Lafayette（高級百貨店）、BMW、Vitra（家具メーカー）
- ホスト・パートナー：Sanlorenzo（オーダーメイドヨット/ボート造船）、ラリック（ガラス工芸品製造）、ゲラン（香水）
- オフィシャル・プロバイダー：ルイナール
- メディア・パートナー：Numéro　art（ファッション誌）、Brut.（グローバルメディア）、Financial Times、The Art Newspaper（ロンドンとニューヨークを拠点とする老舗アートメディア）、Beaux Arts Magazine（芸術メディア）、Connaissance des ArtsLe（芸術メディア）、Journal des Arts / L'Œil（芸術メディア）、Le Quotidien de l'Art（Beaux Arts & Cieグループ傘下・デジタル日刊紙）
- オフィシャル・ホテル・パートナー：Le　Meurice（５つ星ホテル）、The　Peninsula Paris（５つ星ホテル）、Park Hyatt Paris-Vendôme（５つ星ホテル）、SO/ Paris Hotel（５つ星ホテル）

フリーズ（各都市共通）

- リード・パートナー：ドイツ銀行
- オフィシャルパートナー（FS）：BMW
- スポンサー：イリー（コーヒー/食品関連）、ルイナール、ブレゲ（2022より）（高級腕時計）、Don Julio Tequila（テキーラ）、ボンベイサファイヤ、Bulleit Bourbon（バーボン）、LIFEWTR（米国大手飲料会社ペプシコ傘下・飲料。一般的な水と異なり、精製水にビタミン、ミネラル、栄養素が付加されている飲料）、サムスン、Stella Artois（ビール酒造）、Douglas Elliman、Standard Hotels（ブティックホテル）、ペリエ

パリフォト

- オフィシャル・パートナー：BMW、JPモルガン
- アソシエイト・パートナー：Clifford Chance（法律事務所）
- パートナー：ルイ・ヴィトン、クロエ、LVMH、TASCHEN（出版社）、Fundación Amigos Museo del Prado（プラド美術館の支援を主に行う非営利民間文化機関）、Dahinden（1968年以来、代理店/アーティスト/写真家にサービスを提供しているフォトラボ）
- プログラム・パートナー：Aperture（ニューヨークを拠点とし、フォトコミュニティとそのオーディエンスを繋げる非営利財団）、The eyes publishing（写真に特化した出版・コンサルティング）、Gares & connexions（鉄道駅の設計からマーケティング、運営までを専門に行う公営の有限会社）、Picto Foundation（著名ファッション写真家を顧客に持つ国際的フォトラボラトリー）、Hahnemühle（製紙）、FILMOLUX（図書装備用フィルムや補修用品）、MUUS Collection（20世紀のアメリカらしい写真アーカイブの収集）、KERING
- カルチュラル・パートナー：Ministélre de la culture（フランス文化省）、Ville de Paris（パリ市庁舎）、Paris Offiece du Tourisme et des Congrés（パリ観光・コンベンション協会）、Paris Capietal de la Creation（パリで開催されるクリエイティブ産業の展示会）
- チャリティー・パートナー：エスティ・ローダー

出所：著者作成

シャンパーニュ・メゾン、ルイナール（Ruinart）は、フリーズをワールドワイドにスポンサードしている。写真フリーズ ニューヨーク2022の「ルイナール アート バー（Ruinart Art Bar）」の会場風景
Photo：Casey Kelbaugh, Courtesy of Frieze.

２０２３年１月にシンガポールで開催された新しいアートフェア、アートＳＧでは、ＵＢＳが「ファウンディング＆リード・パートナー」、つまりアートフェアを創設した企業として、会場内に特設された「ＵＢＳラウンジ」でシンガポールを代表する現代アート作家の個展を開き、訪れた上顧客にシャンパンや軽食をふるまっていました。シャンパンはアートフェアには欠かせないもので、写真のフリーズニューヨークのようなシャンパン・バーは必ずといっていいほど設置されています。

この発想は、来場者数は少ないとはいえ、日本のアートフェアでも使える手法です。ただ、日本の金融機関はアートと富裕層の関係にこれまであまりに鈍感でした。この他にも

「アート＝センスある消費者＋富裕層」が常識である海外の事例からは学ぶことがたくさんあります。

読者にお伝えしたいのは、世界を股にかけた企業は日本にも増えているものの、世界のアートイベントにおける日本企業の存在感のなさは、各種レポートにおける日本の不在とともに、間違いなく大きなマイナスになっているということ。そして最悪なのは、当事者がそれに気づいていないことです。

2・4　アートアワードに見るアートシーンの格差

世界の企業がアートと日常的に向き合い、しっかりとビジネスに結びついていることを紹介しましたが、アートアワードも同様です。

２０２２年９月、**グッゲンハイム美術館**（＊33）がヒューゴ・ボス賞の終了を発表し、アート界で大きな話題になりました。ヒューゴ・ボス賞とは、ドイツのファッションブランドのヒューゴ・ボスが１９９６年に設立したアートアワードです。現代美術において革新的かつ影響力のある制作活動に従事するアーティストの功績を讃えるためのもので、受賞者には賞金10万ドル（約１３２４万円）とグッゲンハイム美術館での個展の権利が授与されました。

アートニュースペーパー（＊34）によると、同社の取材に応じたグッゲンハイム美術館の副館長兼チーフ・キュレーターのナオミ・ベックウィズは、「ヒューゴ・ボス賞が登場する以前は、世界は現在のように現代アートに夢中になっていませんでした。グッゲンハイム美術館がこの賞を通して現代アートをより多くの聴衆に届ける流れを作り、その結果、ファッション、音楽、映画、ソーシャル・メディアにおける文化的で社会的な会話において、アートがより大きな部分を占めるようになったのです」と、同賞の担ってきた意義について語っています。続けて10万ドルという高額な賞金にも触れながら、「ヒューゴ・ボス賞は、対象とするアーティストの年齢、国籍、制作手法を問いませんが、世界でより注目されているターナー賞は、イギリスのアーティスト、またはイギリスを拠点とするアーティストに限定されています」とも語っていました。[3]

　この副館長の見解からは、いくつかの気づきがあります。まず、海外においても現代アートへの関心が高まったのはそれほど昔ではないということ。また、企業がアーティストの経済的側面をサポートしていることです。

　ヒューゴ・ボス賞が明確に意識していたイギリスのターナー賞は１９８４年に設立された若いアーティストをサポートするためのアワードで、勝者には４万ユーロが授与されるだけでなく、イギリスのアートコレクター団体が後援に入り、購入者と結びつく仕組みがあります。また、ターナー賞に並んで世界的に有名なアートアワードに、現代アートの父である**マルセル・デュシャン**（＊35）の名を冠したマルセル・デュシャン賞があります。こちらは２０００年にフランス現代美術国際化推進会（ＡＤＩＡＦ）というアートコレクターの団体によって設立され、企業がサポートし、公的機関と協力してフランスの国際的な影響力向上に貢献しています。この賞もフランスで活動しているアーティストたちが対象で、ポンピドゥー・センターでのノミネートアーティストによる展覧会と３万５０００ユーロの賞金が用意されています。

その他にも、世界のアートアワードには、キュレーターを表彰するもの、美術館の作品収蔵に結びつくもの、環境保護といったテーマの写真限定ながらも１０００万円レベルの賞金があるものなどがあり、極めて個性的で、まさにアートの世界らしいと思います。

それに比べると、ここ数年で日本のアートアワードも賞金額は上がってきたものの、発展性やユニークさが感じられません。内容、世界性、ＰＲ手法、賞の中身に、描かれている「シナリオ」が見えないのです。ある著名企業のアートアワード担当者にお会いしたことがありますが、たまたま異動で担当になったという方で、全てを外部に委託し切っていました。また、とあるアートアワードで賞を獲得したアーティストからは「嬉しいのですが、賞金の割には要請されることが多くて……」という本音を聞いたこともありました。ここにもまた、世界を見ずに内輪に留まっている現実があります。

今後、第４章でご紹介するアートに挑戦を始めた日本の企業の中から、若きアーティストたちに世界への道筋を示す、世界標準のアートアワードが創設される日も近いと思います。

２・５　ラグジュアリーブランドとアートの関係

企業の形態や事業内容、方向性や時期によっても変わりますが、音楽やスポーツ同様、アートが企業のブランド価値を高める重要な選択肢の一つであることは繰り返しお伝えしてきました。ラグジュアリーブランドが、いかに莫大な金額をアートに費やしているか。これは文化支援に限った話ではありません。この章の冒頭に企業のアートコレクションについてご紹介しましたが、ラグジュアリーブランドやそれを傘下に置く企業グループでは、かなり前からアートをコレクションし、財団化して素晴らしい美術館を運営しています。

ルイ・ヴィトンの親会社として知られるＬＶＭＨ（モエ・ヘネシー・ルイ・ヴィトン）は、フランス・パリを拠点に１９８７年に設立されたラグジュアリービジネスの世界的グループです。創業者のベルナール・アルノーは現在も会長兼ＣＥＯであり、２０２２年末にはブルームバーグがまとめた世界長者番付[4]でイーロン・マスクを抜いて世界一の富豪の座に就きました。アルノー氏の資産は発表当時で１７０８億ドル（約23兆円）。第１章で紹介したアートニュースが毎年秋に発表する「アートニューストップ２００コレクターズ」では、ここ数年5位前後をキープする世界有数のコレクターで、かつてオークションハウス、**フィリップス**（＊36）のオーナーだった時期もあります。このＬＶＭＨが２０１４年秋にパリに開館した美術館がフォンダシオン・ルイ・ヴィトン（建築はグッゲンハイム・ビルバオの設計でも知られるフランク・Ｏ・ゲーリー）です。約４０００平米の展示スペースでは、今をときめく著名な現代アート作家の展覧会が開催されています。

　ＬＶＭＨのそれぞれのブランドとアートもたいへん強い結びつきがあります。ＬＶＭＨの中核ブランドのルイ・ヴィトンは、「エスパス ルイ・ヴィトン」というアート展示スペースを東京、大阪、北京、ミュンヘン、ヴェネチア、ソウルに開設し、フォンダシオン ルイ・ヴィトンの所蔵作品を展示しています。２０２１年にオープンしたエスパス ルイ・ヴィトン大阪では、２０２２年に日本でも展覧会が開催され話題となった**ゲルハルト・リヒター展**（＊37）が開催されました。

　また、最も記憶に新しいルイ・ヴィトンとアートのコラボレーションといえば、２０２２年11月末に開催された「草間彌生の東京ジャック」でしょうか。これは東京のみではなくグローバルに展開された一大キャンペーンでした。現代アーティストの**草間彌生**《くさまやよい》（＊38）とルイ・ヴィトンとのコラボレーションによる「ルイ・ヴィトン ヤヨイ・クサマ コレクション」の新しいアイテムが発売されることを記念したイベントですが、増上寺や東京駅といった都内各所に、お馴染みの草間作品のかぼちゃやドットのモチーフがＡＲ作品やインスタレーションで登場しました。この、ルイ・ヴィトンと草間彌生コラボレーション広告で丸ごと包み込まれた２０２３年１月３日の日本経済新聞の朝刊には驚きました。まさしく「ジャック」された面《おも》持《も》ちだったからです。

　ルイ・ヴィトンがアーティストとのコラボレーションをスタートしたのは、最近のことではありません。草間彌生だけでなく、村上隆作品とコラボレーションした商品も話題になりました。アーティストとのコラボ商品をルイ・ヴィトンが数多く発表する背景には、自身もコレクターである当時のアーティスティック・ディレクター、マーク・ジェイコブスの存在があると聞きましたが、世界で最も有名なブランドであるルイ・ヴィトンが「アート」の力を使って、より付加価値のある特別な商品を提供していることに注目してほしいと思います。

東京都現代美術館（＊39）で開催された展覧会が話題になったディオールもＬＶＭＨを代表するブランドです。この展覧会でまず驚いたのは、私には見慣れた現代美術館の展示室がディオールの城に変化していたことです。ここまでダイナミックに展示空間が変わってしまった展覧会を見たことがありませんでした。当然ながら、展示作品の９割がファッションですが、それら全てがアートと化していました。世界を巡回した展覧会だったのですが、日本の会場構成を手掛けた建築家・重松象平の素晴らしさはもちろん、効果的に使われていた日本の写真家高木由利子の作品、また東京都現代美術館の所蔵作品の中から選ばれた日本の現代アート作家の作品も含めて、見事なまでにディオールの世界を演出していました。高校生までが無料という料金設定も、幅広い人々との接触を求めるブランドの特別協力があって実現したものだと推測します（何人もの人におすすめしたのですが、2カ月先まで予約で満員だったのが残念でしたが……）。

ＬＶＭＨグループの各ブランドはもとより、エルメス、シャネルといった企業が発信するアートのコンセプトは、それぞれかなり異なります。しかしそこには企業側の論理とフィロソフィーが如実に物語られていて、いずれのアートイベントも素直に楽しめるのです。

ラグジュアリー企業とアートの関係は、非常に深いものがあります（図表2－4）。カルティエやヴァン クリーフ＆アーペルなどを擁するリシュモングループのように、アートというよりクラフトマンシップに重心を置いた活動もありますが、今やブランドにとってアートは欠かせないコンテンツです。展覧会やイベントでは、一般の公開に先駆けてＶＩＰ顧客やプレスを招いた華やかなパーティを開催し、新規の顧客獲得のためには、展覧会に入場するためのアプリをダウンロードさせて、展覧会終了後も最新情報を送り続けて消費マインドを刺激する……。

こうした動きについて、「ブランドにアートを利用されている」「美術館がブランドに乗っ取られている」「アーティストがブランドの意向に沿った作品を作っている」などと言われること

図表2-4：アートと関わりの深いラグジュアリーブランド

LVMH（エルヴィエムエイチ）

フランス・パリを拠点にするラグジュアリーブランドの企業グループ。1987年設立。創業者のベルナール・アルノーは現在も会長兼CEO

- 主なブランド：ルイ・ヴィトン、ディオール、フェンディ、ロエベ、ジバンシィ、セリーヌ、パルファン・クリスチャン・ディオール、ゲラン、ショーメ、ウブロ、ブルガリ、モエ・エ・シャンドン、ヘネシー、ドン・ペリニヨン、など酒類、香水まで幅広い分野のハイエンドブランド多数。
- 創業者ベルナール・アルノーは2022年末のフォーブス世界長者番付で世界1位となった資産家。アートニュース誌の「世界トップコレクターランキング」でここ数年は5位前後をキープする世界有数のコレクター。オークションハウス、フィリップスのオーナーだった時期もある。
- 《ルイ・ヴィトン財団美術館》を2014年秋にパリに開館。建築はグッゲンハイム・ビルバオの設計でも知られるフランク・O・ゲーリー。開館以来、約4,000平米の展示スペースにて、企画展と並行し、コレクションもテーマによって入れ替えながら展示。

KERING（ケリング）

フランス・パリを本拠地とするグローバル・ラグジュアリー・グループ。2013年に現在の名称に変更。創業は1963年に遡る。創業者はアートコレクターとしても有名なフランソワ・ピノー。現在は息子のフランソワ=アンリ・ピノーが会長兼CEOを務める。

- 主なブランド：グッチ、サンローラン、ボッテガ・ヴェネタ、バレンシアガ、アレキサンダー・マックイーン、ブリオーニ、ブシュロン、ポメラート。
- フランス「ピノー・プランタン・ルドゥート」（PPR）の組織改編・商号変更により2013年に設立。グッチを中心とする強力なブランドのポートフォリオを構築。
- 創業者フランソワ・ピノーはアート・レビュー誌の「最もアート界に影響のある人物」でたびたび第1位とされている重鎮アートコレクター。2009～2012年まで「高松宮殿下記念世界文化賞」の国際顧問にも就任。
- ケリングとは別の団体として運営されているピノー財団はヴェネチアの2つの美術館「パラッツォ・グラッシ」（2006年）、「プンタ・デラ・ドガーナ」（2009年）を、パリに現代美術館「ブルス・ドゥ・コメルス」（2021年）を開館。ともに既存の歴史的建築物を安藤忠雄の改修により展示空間としたもので、文化遺産と現代美術が融合する空間で、フランソワ・ピノーが世界から蒐集した1960年以降に制作された作品（約1万点）を所蔵。そのコレクションを展示。
- ケリング・グループとしては、「ウーマン・イン・モーション」というプログラムを通じて、文化・アートの世界で活躍する女性に光を当てる取り組みを実施している。また、2008年設立のケリング・ファウンデーションはアートに特化したものではなく、暴力被害者の女性支援や暴力防止策の展開、啓蒙活動を行っている。

RICHEMONR（リシュモン）

スイス・ベルビューを拠点にする、ジュエリー、高級時計、ファッション、アクセサリーブランドを傘下に持つコングロマリット。1988年に南アフリカの実業家であり現会長のヨハン・ルパートにより設立。

- 主なブランド：カルティエ、ヴァン クリーフ&アーペル、ジャガー・ルクルト、モンブラン、ピアジェ、ダンヒル、IWC、オフィシーネ・パネライ、ロジェ・デュブイ、ヴァシュロン・コンスタンタン、Aランゲ&ゾーネ、アズディン・アライア、ボーム&メルシエ、ブチェラッティ、クロエなど。傘下には大手オンライン・ディストリビューターも含まれる。
- 傘下のメゾンに共有する理念は「創造性、革新性、卓越性の追求」。
- 2015年、ヨハン・ルパートとフランコ・コローニ（元リシュモンの経営幹部）によりミケランジェロ財団を設立。これは、優れたクラフトマンシップを称え、保存し、さらにデザインと芸術の世界とのつながりを強化するための国際的な非営利組織。
- ミケランジェロ財団は、世界の優れた職人たちの存在を守り、ものづくりの知恵、作品の裏にある物語や地域性を丁寧に伝えることを目的に、2018年にヴェネチアで現代工芸の祭典「HOMO FABER EVENT（ホモ・ファベール・イベント：HOMO FABERとはラテン語で「（道具を持って）作る人」を開催。2022年の同イベントでは22人のキュレーターによる15の展覧会が開催され、日本の人間国宝の展覧会も開催された。
- ミケランジェロ財団ではホモ・ファベール・イベントの開催を機に独自のデジタルプラットフォーム〈ホモ・ファーベル・ガイド〉を製作し、現代の名工たちをオンラインで紹介。また、ミラノデザインウィーク中に、アルティザン（職人）とデザイナーの共同作業によるコレクションを展示する「ドッピア・フィルマ（Doppia Firma）」を開催。

CARTIER（カルティエ）

フランス・パリを本拠地とする高級宝飾・時計ブランド。ラグジュアリーブランドの企業体としてはLVMHに次ぐリシュモングループ（本拠地スイス）の傘下となる。リシュモングループの主要ブランドはカルティエのほか、IWC、ジャガー・ルクルト。A.ランゲ&ゾーネ、ピアジェ、ヴァンクリーフ&アーペル、モンブラン、ダンヒルなど。

- 1984年に、パリにカルティエ現代美術財団設立。現代美術の財団創立としては先駆けの存在。＊プラダ財団（1993）、ルイ・ヴィトン財団（2006）、エルメス財団（2008）
- カルティエ現代美術財団は当時のカルティエ会長、アラン・ドミニク・ペランが現代美術の振興を目的に設立。同時代の現存作家の作品を国際的な規模で収集。国内外での企画展、委託制作を通じたメセナ活動を展開。
- 1994年、パリにジャン・ヌーヴェル設計による1200平米の展示空間をもつカルティエ現代美術財団を開館。科学から映画、ダンス、デザインなど多岐にわたるテーマで独自性ある現代美術展プログラムを企画するとともに、50カ国500人のアーティストによる2,000点以上の作品を集めたユニークなコレクションを築く。荒木経惟、日比野克彦、石上純也、川内倫子、北野武、宮島達男、三宅一生、森山大道、杉本博司、束芋、横尾忠則など日本人アーティストの作品も多く所蔵。
- 近年は、世界中の主要文化機関とパートナーシップを結び、東京、ブエノスアイレス、ソウル、ミラノ、上海といった都市で展覧会を開催。
- 近年の日本での展覧会は、2021年の『横尾忠則：The Artists』展（21_21 DESIGN SIGHT）、2022年の「ダミアン ハースト　桜」展（国立新美術館）。

Hermès（エルメス）

1837年、ティエリ・エルメスにより設立。フランス、パリ8区フォーブル＝サントノレ通りに本店を持ち、職人技を重んじる独立したフランスのファミリー企業。皮革製品、ジュエリー、時計、プレタポルテ、香水、化粧品、ホームコレクションなどを扱う。現在はエルメスファミリーの6代目、アクセル・デュマがエルメスインターナショナルの最高経営責任者（CEO）。

- 2008年にエルメス財団を設立。 エルメスを母体としながらも、独立した方針を掲げ、芸術や技術伝承、環境問題、教育などに関わるプロジェクトの支援を行っている。
- 2001年にオープンした「銀座メゾンエルメス」の8階にはエルメス財団の運営するアート・ギャラリー「フォーラム（Le Forum)」がある。「フォーラム」では、独自のキュレーションによる展覧会を開催。10階は予約制のミニシアター「ル・ステュディオ（Le Studio)」を併設。
- エルメス財団では、アーティストをエルメスの工房に招聘し、職人と体験の共有や協働制作を行うアーティスト・レジデンシーを実施。活動の成果を「コンダンサシオン」展、「眠らない手」展、「転移のすがた」展などの展覧会を通してパリ、東京で紹介。
- 銀座メゾンエルメス1階のウィンドウディスプレイは、開館当初から銀座の街に開かれ、エルメスのその年のテーマに基づきながら、アーティストやデザイナーが自由な表現を繰り広げている。近年はジュリオ・ル・パルク、川俣正らの作品も発表された。
- エルメス財団が2014年からフランスで実施してきたプログラム「スキル・アカデミー」を、そのコンセプトを引き継ぎつつ日本バージョンとして改変し、2021年より開催。

CHANEL（シャネル）

1909年、ガブリエル・シャネルが設立したフランスのラグジュアリーブランド。ツイード素材を使ったアイテムや「シャネルNº.5」などの香水が代名詞。ファッション、宝飾、時計、化粧品などを幅広く展開。

- 日本では2004年のシャネル銀座ビルディングのオープンとともに、「シャネル・ネクサス・ホール」の活動をスタート。以来、芸術を愛し、支援したガブリエル　シャネルの精神を受け継ぎ、若手音楽家の支援や展覧会など、コンサートとエキシビションの2つの柱をベースとする。写真展を中心に、絵画や彫刻など、さまざまなアート作品の展覧会を開催。
- 2021年、「CHANEL Culture Fund」(シャネル文化基金) を発足。幅広い芸術分野で活躍する10人のクリエイターを支援する取り組み「CHANEL Next Prize」(シャネル ネクスト プライズ) では、アートの各分野で定義を再構築する10人のアーティストにそれぞれ10万ユーロ（トータル100万ユーロ）の賞金を授与するほか、シャネルが企画するメンターシップやネットワーキングの機会を提供 。
- シャネル文化基金の活動には、ナショナル・ポートレート・ギャラリー（ロンドン)、ポンピドゥー・センター（パリ）など世界の主要文化団体との長期的パートナーシップも含まれる。

PRADA（プラダ）

1913年、イタリア・ミラノに創立されたイタリアを代表するファッションブランド。プラダ、ミュウミュウを展開するほか、イギリスの靴メーカー　チャーチなどを傘下に置く。ミウッチャ・プラダは創業者の孫で、グループの取締役兼デザイナー。

- ミウッチャ・プラダと共同経営者であるパトリツィオ・ベルテッリ夫妻はアートニュースのトップ200コレクターズに毎年ランクインする世界のトップコレクター。
- 1993年にプラダ財団を設立。2011年にヴェネチアの歴史的建造物「カ・コルネール・デッラ・レジーナ」に財団の展示スペース「プラダ財団 カ・コルネール」を、2015年にはミラノにOMA/レム・コールハース設計による文化複合施設「プラダ財団 ミラノ」をオープン。ミラノのガレリア・ヴィットリオ・エマヌエーレ2世には「プラダ財団 Osservatorio」があり、美術展、建築、映画祭、哲学、その他の文化プロジェクトを展開。ミラノとヴェネチアではこれまでにウォルター・デ・マリア、ルイーズ・ブルジョワ、アニッシュ・カプーア、デビッド・スミス、マイケル・ハイザー、サム・テイラー＝ウッド、スティーブ・マックイーンなどの展覧会を開催した。
- プラダ財団のプロジェクトは、パリ、ロンドン、ソウル、東京でも開催されている。
- 財団設立の1993年からアーティスティック・ディレクターを務めたジェルマーノ・チェラントは、元グッゲンハイム・ニューヨークのシニアキュレーター。
- プラダ財団ミラノには『ダージリン急行』や『グランド・ブダペスト・ホテル』などを手がけた映画監督ウェス・アンダーソンがデザインしたバーが併設されている。

MAX MARA（マックスマーラ）

1951年、アキーレ・マラモッティによりレッジョ・エミリアに設立されたイタリアのファッショングループ企業。女性向けのラグジュアリーブランド、マックスマーラ、スポーツマックスなどを展開。コートに定評がある。

- 1960年代に創業者アキーレ・マラモッティが現代美術のコレクションをスタートし、イタリアで最初の現代美術のプライベート　コレクションの一つに位置づけられる。1960年代後半のイタリアの前衛美術運動であるアルテ・ポーヴェラのコレクションで有名。
- アキーレ・マラモッティ没後の2007年にレッジョ　エミリアにかつてマックスマーラの工場があった建物を改装した美術館、「コレツィオーネ　マラモッティ」をオープンし、ルーチョ・フォンタナ、クラウディオ・パルミジャーニなどを展示。
- マラッモッティ家はアートニュースのトップコレクター200にランクインし、重要なコレクターとされている。
- 2005年からはイギリスのホワイトチャペル　ギャラリーと共同でマックスマーラ・アート・プライズ・フォー・ウィメンをスタート。2年に一度開催され、女性アーティストを支援・育成し、6カ月間のイタリアでのアーティスト・イン・レジデンスの機会を提供。

もあります。しかし、歴史を振り返れば、アートは富裕層に支えられてきましたし、大富豪のために作品を制作するところから始まっています。この流れについては高橋芳郎氏の『画商が読み解く西洋アートのビジネス史』（ディスカバー・トゥエンティワン）にわかりやすく書かれています。ブランドの資金力があるからこそ成せる、質の高い展示もたくさんあるわけです。このようにアートを実装することでブランド力が大幅にアップすると気づいた日本企業の登場を私は待っています。

＊32 ラリーズ・リスト（LARRY'S LIST）　香港を拠点に、世界70カ国以上、３５００人以上のアートコレクターのデータベースを持ち、アーティスト、ギャラリー、コレクターを結ぶプラットフォームを運営するマーケティング会社。

＊33 グッゲンハイム美術館（Guggenheim Museum）　アメリカ・ニューヨークアッパーイーストサイドにある近現代美術の専門美術館。１９３９年開館。ニューヨークのほか、ベルリン、ベニス、アブダビ、ビルバオに美術館を要するソロモン・R・グッゲンハイム財団が運営する美術館の一つで、フランク・ロイド・ライトの有機的な外観を持つ建築（１９５９年竣工）でも有名。

＊34 アートニュースペーパー（The Art Newspaper）　１９９０年にイギリスで創刊され、ロンドンとニューヨーク市に拠点を置く美術専門誌。政治経済、文化政策や美術市場等、美術関連のニュースを幅広く提供している。国際版のほか、フランス版、ロシア版、中国版等も発行し、オンラインも含めて世界中に読者がいる。

毎年3月末に、前年の世界の美術館の来場者数のトップ１００を発表する「Visitor Figures」を掲載している。

＊35 マルセル・デュシャン　１８８７年フランスに生まれ、晩年にアメリカに帰化した美術家。のちのコンセプチュアル・アート等にもつながる、視覚的な美しさではなく鑑賞者の能動的な思考の成立を拠り所とする観念的な作品を制作。20世紀美術に決定的な影響を与えたアーティストとして美術史に位置づけられ、現代美術の父と称される。

＊36 フィリップス（Phillips）　２００年以上の歴史を持つイギリス発祥のオークション会社。20世紀および21世紀美術・デザイン分野に特化し、全世界で美術品売買のプラットフォームを提供。近現代アート、デザイン、写真、エディション、時計、ジュエリー分野の専門家を擁し、オークションおよび展覧会はニューヨーク、ロンドン、ジュネーブ、香港で開催。

＊37 ゲルハルト・リヒター　１９３２年ドイツ・ドレスデン生まれの抽象画家。現在世界で最も注目を浴びる重要な芸術家のひとりであり、「ドイツ最高峰の画家」と呼ばれている。２０１２年、サザビーズがロンドンで行った競売で、エリック・クラプトンが所有していたリヒターの抽象画『アプストラクテス・ビルト（809-4）』が約２１３２万ポンド（約26億９０００万円）で落札され、生存する画家の作品としては当時の史上最高額となる。

＊38 草間彌生　１９２９年長野県生まれの前衛彫刻家、画家、小説家。幼少期より、幻聴・幻影をきっかけに、自身の代名詞である水玉や網目模様を反復・増殖させる作品を描き続ける。１９５７年に渡米後、ボディ・ペインティングなど「ハプニング」と呼ばれるパフォーマンスや、柔らかい素材を使用したソフト・スカルプチュアなどで「前衛の女王」と称される。

＊39 東京都現代美術館　1995年に現代美術の振興、芸術文化の充実を目的として都立木場公園内に開館。2019年にリニューアル・オープン。約5500点の収蔵作品を生かした現代美術の流れを展望できるコレクション展や、大規模な国際展をはじめ、幅広く現代を捉える企画展を開催。

第3章

日本のアートマーケット

さて、次は日本です。美術館に行く人は多く、富裕層は増えています。また、世界と比して狭いと言われるオフィスや個人宅ですが、アートを飾る余地はありますし、アートコレクターが増える素地はあります。なぜなら、「アートを買う」という選択肢を、これまで誰も教えてこなかったからです。雑誌で、テレビで、ＳＮＳで、アートが取り上げられることは山ほどありますが、「アートを買う」「飾る」「アーティストと話す」楽しみについては、まだまだ紹介されていないのではないでしょうか。本章では、日本でアートを買う人が増える可能性を提示したいと思います。

章の締めくくりには、かなり早い段階でアートを国際的なマーケティング活動に活用した、二つの会社をご紹介します。「他社の成功事例は？」などと躊躇することなくアートの世界に突入した両社は、見事な成果と学びを勝ち得ました。

3・1　美術館に行く人世界1位、マーケットシェアは「1%」

第１章でもご紹介したアートバーゼルとＵＢＳの「アートマーケットレポート」の２０２３年３月に発表された最新版によると、日本のアートマーケットのシェアはスペイン、韓国に並び１％でした。実際に「アートを買う」会話をした経験、家庭やオフィスを訪問して「アートに出会う」経験、友人と「アートを買う話をした」経験がほとんどない日本では、文化庁発表の「3・7%」という数字より、「1%」がリアルな実感です。そして何より、世界中のアート関係者がこのレポートの数字をもとに行動していることからも、日本のアートマーケットは世界からかなり遅れている——これが世界の認識です。

でも、新型コロナのパンデミック前の展覧会を思い出すと、日本の美術館はとても混雑しているイメージがあります。一方、海外で美術館に行くと、チケットオフィスやエントランスには行列ができていたとしても、館内に入ってしまえばそれほど混み合っていません。もちろん、私の海外での経験は少ないですし、ルーブル美術館の《モナリザ》やウフィッツィ美術館の《ヴィーナスの誕生》の閲覧室など例外はあるでしょう。しかし、常設展示が中心ということもあり、世界の美術館の閲覧室が激混みして人の頭越しにしか作品が見られないようなことは滅多にない。これは、海外在住の知人からもよく聞く話です。

アートニュースペーパーによる人気のあった世界の美術展のランキング[1]（**図表3-1**）を見ると、「ムンク展—共鳴する魂の叫び（東京都美術館）」（4位）、「クリムト展 ウィーンと日本 1900（東京都美術館）」（5位）、「国宝 東寺—空海と仏像曼荼羅（東京国立博物館）」（7位）など東京で開催された展覧会が5つもランクインしているように、日本は美術館に行く人数では世界1位です。「見る」人は世界一、「買う人」は世界有数の少なさ。第1章で紹介したように、日本のアート教育は「創作」に偏っていて、世界のアート教育のようにアートを「見て語る」ことには慣れていない。そのはずなのに、美術館に行くのは好き。率直に言うと、日本ではイベントとしての美術館訪問であり、世界では日常としての美術館訪問なのです。

日本で美術館を訪問する人の多くは、普段はなかなか拝むことのできない国宝展、そしてブロックバスター展と呼ばれる、海外の著名美術館やゴッホ、フェルメールといった人気画家の「企画展」に行くのが目的です。一方、世界の人々が美術館を訪問する目的は主に「企画展」ではなく、その美術館が所蔵している作品の「常設展」を見に行くためです。日常としてのアートであり、イベントとしてのアートではないのです。皆さんも世界の美術館を訪問する時は、常設展を見ていますよね。

世界の美術館・博物館の入館者数ランキング（図表3-2）を見ると、コロナ禍における感染対策が影響しているものの、上位に並ぶのはルーブル、中国国家博物館、ヴァチカン、メトロポリタン、大英博物館……。日本の美術館は最高位で17位、トップ１００にも４館しか入っていません。

日本の美術館では多くの場合、（コロナ禍以前であっても）会話をしていると叱られます。スマホでの撮影を許されることがあっても、展示物を模写し始めると監視員が飛んできて注意されます。世界の美術館に行ったら確認してみてください。例えば写真にあるオランダのロッテル

図表3-1：世界で最も来場者数の多かった展覧会（2019年）

1位	DreamWorks（ブラジル銀行文化センター/リオデジャネイロ）
2位	DreamWorks（ブラジル銀行文化センター/ベロオリゾンテ）
3位	Ai Weiwei：RAIZ（ブラジル銀行文化センター/リオデジャネイロ）
4位	ムンク展―共鳴する魂の叫び（東京都美術館）
5位	クリムト展 ウィーンと日本 1900（東京都美術館）
6位	ツタンカーメン：ファラオの宝物（ラ・ヴィレット）
7位	国宝 東寺―空海と仏像曼荼羅（東京国立博物館）
8位	ジャン=ミシェル・バスキア/エゴン・シーレ（フォンダシオン ルイ・ヴィトン）
9位	Diane Arbus：Box of Ten Photographs（スミソニアン・アメリカ美術館）
10位	50 Years of Realism: Photorealism to VR（ブラジル銀行文化センター/リオデジャネイロ）

出所：The Art Newspaper

図表3-2：世界で最も来場者数の多かった美術館／博物館（2019年）

1位	ルーブル美術館（フランス）
2位	中国国家博物館（中国）
3位	ヴァチカン美術館（ヴァチカン市国）
4位	メトロポリタン美術館（アメリカ）
5位	大英博物館（イギリス）
6位	テートモダン（イギリス）
7位	ナショナルギャラリー（イギリス）
8位	エルミタージュ美術館（ロシア）
9位	ソフィア王妃芸術センター（スペイン）
10位	ナショナル・ギャラリー・オブ・アート（アメリカ）

出所：The Art Newspaper

オランダ、ボイマンス・ファン・ベーニンゲン美術館の展示を楽しむ家族。美術館の中でおしゃべりやスケッチをしても注意させることがないのが欧米のスタンダード。
Photo:Wakana Kaitani

ダムにある**ボイマンス・ファン・ベーニンゲン美術館**（＊40）のように、子どもたちがはしゃぎ、笑い、作品を模写するために何時間も同じ場所に陣取る人々がいて、大人たちが作品の前で語り合っています。それが普通のことなのです。

日本で美術館に行く行為は、見る側からも見せる側からも「知的スタイルの表明」でしかない、というのが私の解釈です。自分の生活に取り入れるつもりはありませんから、アート作品を購入できるギャラリーでどんな個展をやっているかには関心がない。記念写真だけは撮りたがる。作品を購入するつもりはないけれど、ミュージアムショップでの「お土産」的な買い物は大好き。そして、海外の美術館のように、体系的にアートを学べるスクールや会員制度を用意している美術館は非常に稀です。

３・２　日本の富裕層がアートを買わない理由

本書で焦点を当ててきた、極めて独特な日本の現状をまとめてみましょう。

●教育
・小学校では「創作する」のみで、「語る」機会は少ない
・美大・芸大では「創作する」ことが中心で、「語る」「議論する」機会は少ない

●人々の生活
・「見る」ものという認識で、「買う」ことは少ないし、あまり考えない
・住宅事情などで「飾るスペースがない」と思っている

●企業の考え
・「事業」ではなく「文化支援」であり、「買う」「飾る」行為は考えていない
・ファッションとグルメの次の題材としては魅力的だが、採算が取れるか全く考えられない

●アート関連企業（オークション会社・ギャラリーなど）の考え

・買う人は増えてはいるが、事業拡大は考えていない
・新しい購入層を増やす施策は考えていない

「自分は違う」という人もいるかもしれませんが、おおよそこの傾向です。少しずつ良い方向に変わってきていますが、多くの企業の方からアート事業についてご相談をいただくようになった現在も、アートの世界に参入するにあたって「売る」「買う」以外の工夫を考えている企業はほとんどありません。さらに、アートに特に関心のない企業の人と会って、あくまでも雑談で、昨今のアートを買う流れについて話しても、「そうなのですか。でもまあ、かつてもそんな時がありましたね」「やがて落ちていきますよ」と悲観的です。

そして、アートに可能性を感じたビジネスパーソンにも、関心のないビジネスパーソンにも、共通点があります。日本のアートシーンが世界から遅れているという認識がないのです。私が強く指摘したいのはここです。「アートを買う楽しさ、アーティストを育てる楽しさ、アートのある空間の素敵さを誰も教えてこなかったのだから、諦めるのは早いでしょう」と言うと、「家の狭さ」「過去に行ったアート施策の失敗」「どこで買えばよいかわからない」等の理由が次々と出てくるのです。「知らされていないこと」を楽しめるはずはないですね。

2021年10月に六本木ヒルズで開催された「CADAN ROPPONGI presented by Audi」の展示風景。写真は大山エンリコイサム氏による、Audi とのコラボレーションアートカー（非売品）。
Photo:Magus

ここで、一つのヒントとして、２０２１年秋に、私が属していた**マグアス**（＊41）が企画し、アウディジャパンの全面支援の下で東京・六本木ヒルズのヒルズカフェで開催された「CADAN ROPPONGI presented by Audi」をご紹介します。

会場の入り口には、新進気鋭のアーティスト大山エンリコイサム氏による、アウディとのコラボレーションアートカーが展示されました。その場所に、現代アートの最先端に触れる楽しい空間演出の、通りがかる人なら誰でも入りやすい雰囲気のギャラリーを２週間の期間限定でオープンしました。そして、**CADAN（日本現代美術商協会）**（＊42）に加盟する日本の著名ギャラリーが推薦する大型作品10点（約20万円～３３０万円）を展示・販売したのです。さらに、アートを買う楽しさを伝え、アートコレクターの世界を垣間見るためのセミナーや映画上映も企画しました。ここに「アートを買う楽しさをまだ知らない富裕層」を招待したのですが、彼らは見事に「楽しかった」「アートを勉強してみます」と言って、素敵な笑顔で帰っていきました。

ところで、日本の富裕層人口の伸びが、世界から注目されているのはご存知ですか？　ナイトフランクのウェルスリポート[2]によると、「都市富裕指数」（富裕層が居住・投資・活動する世界の各都市を評価する指標。彼らが拠点とする都市の富裕層人口、投資活動、生活様式の3点から都市を総合的に評価）の総合順位は、ロンドンが世界でトップ。次いでニューヨーク、パリ、ロサンゼルス、東京と続きました。ちなみに、富裕層人口では東京はニューヨークに次ぐ2位（以下、パリ、ロンドン、ロサンゼルス）です。

とはいえ、私は富裕層だけに注目しているわけではありません。「アートを買う」人は富裕層だけでは拡大しませんし、自分の生活と水準に合ったアート作品を購入するシーンを、海外でたくさん見てきました。しかし、富裕層がリードする面は否めませんし、日本の富裕層が増えているという現実があります。そしてその富裕層には、アートを買うことでアーティストが喜んでくれることや、作品が値上がりする可能性もあるといったアートの楽しさを知らない人々がいまだ多く存在するのです。彼らは住居も広く、オフィスも持っていて、「アートを買うことに否定的な方々」が問題視する「アートを買う条件」を全てリアルに備えているのです。私はここに大きな期待をしています。というより、ファッションやグルメで差がつかなくなった今こそ、富裕層がアートに向かうのは必然だと思っています。

かつて、さまざまな新しいライフスタイルを雑誌が提案し、牽引してきた時代がありました。最初は小さく、そしてどんどん広まり、テレビが取り上げ始め……現在では雑誌からＳＮＳに移行しているとはいうものの、いつものパターンがもうすぐやってくるのではないかと予想しています。

３・３　個人がアートを買おうと思った時の現実

第１章で、世界では誰でもふらりと立ち寄ることができるギャラリーがあるだけでなく、クリスティーズやサザビーズといったオークション会社に入りやすいカフェまであることを紹介しました。一方、日本のギャラリーに入るには勇気が必要です。私は雑誌社にいた頃にカルチャーメディアを担当していたこともあり、ギャラリーに入ることへの心理的なハードルはクリアできました。ただ、それでも結構な勇気とエネルギーが必要でした。「アートを買う」選択肢を持ったとしても、普通の人はギャラリーに入りにくい雰囲気がある。これは私の友人からもとてもよく聞く声です。

また、たとえ勇気が出たとしても、どのギャラリーに行けば適切な価格で信頼できる作品を購入できるのか、さっぱりわからないのです。かつて、マグアスが金融系をはじめとする企業3社から「富裕層向けのサービスとしてアートに力を入れたい」と言われて立て続けにプレゼンテーションをしました。そしていつもの資料を持って出掛け、プレゼンの途中で「ところで**小山登美夫**（＊43）さんという**ギャラリスト**（＊44）をご存知ですか」と質問しました。この本を読んでいるあなたはご存知でしょうか。小山さんはＣＡＤＡＮの代表理事で、日本の現代アートの世界では最も著名なギャラリストです。しかし、各行合わせて約15人に聞いたところ、知っていたのは５人だけでした。

ちなみに、アートマーケットにはプライマリー（一次市場）とセカンダリー（二次市場）があります。先の小山さんのギャラリーは「プライマリーギャラリー」といって、主に現存するアーティストの個展を開催して最新作を扱い、アーティストのマネジメントも手掛けています。一方、オークション会社や、オークションなどで作品を調達し取り扱うディーラーが運営する「セカンダリーギャラリー」があります。

信頼できるギャラリーをどう見つけたらよいのかわからない人は、世界の主要アートフェアに出展しているかどうかを確認することは有効なフィルターとなります。この観点から、現代アートに興味があるので一度ギャラリーを覗いてみたい、購入してみたい、と思っている人向けに、世界の主要アートフェアに出展している日本のギャラリー一覧を巻末にまとめました**（巻末資料２）**。

さて、こうしてようやくギャラリーに辿りつくと今度は、その入りにくい雰囲気に躊躇するわけです。新しい人にここまで優しくないマーケットも珍しいものです。勇気を出して入ってみると、自分の行動が監視されている感もありますし、早く出るのもなんだか恥ずかしい……。しかしそこで、気に入った作品に出合い「おお、ついに来た、買おうかなあ」と思った時に「価格はどこだ？」となります。アートを買うようになって、かような書籍を出版するに至った私でも、価格表を見せてもらうのには勇気がいります。アート購入の初心者のことを考えているとはとても思えない価格の提示方法です。

さらに、勇気を持って価格表を見たとします。そして出てきた価格の妥当性……わかりませんよね、全く。価格について自分で納得がいくようになるまでには、あまりに時間がかかります。メディアを参考にしたり、詳しい知人に相談したりしないと、ギャラリーでアートを購入することは日常の消費活動にならないでしょう。これが65歳になった私と、その友人たちにとっての現実です。「退職金も出たし、アートに関心あるから買ってみようかな」と考え始める知人が何人もいますが、みんな同じです。その中の一人から、「最近、藝大の中に学生の作品を売っているギャラリーがあって、そこなら自分でも買える」と聞きました。しかし、私が実際にこのギャラリーに行ってみて、店の人に尋ねると「価格はアーティストに任せている」とのことでした。私は逆に心配になりました。その価格は果たして適正なのだろうかと。

日常の一般的な消費活動とは性質が異なるとはいえ、アート購入にあたっての判断材料になる数字は必要であり、これについても誰かが何らかの役割を果たさないと、日本のアートマーケットは伸びないのではないかと思います。一番いいのは周囲の友人たちと情報交換し、語り合えるようになることだと思いますが、遠い道のりですね。問題は、これを改善しようとする動きが既存のアート業界にないところです。美術手帖のような専門メディアではなく、一般メディアのアート情報にも、もう少し「買う」を意識した内容を望みたいものです。そして、作品を「売る」限りは、マーケティングの基本を考えてほしいと思います。

マーケティングの基本である4P（＝商品：Products　価格：Price　場所：Place　動機づけ：Promotion）の観点からアートの世界を考えた人は日本にいるでしょうか。ここで4Pが示しているのは、「どんな作品が、どんな価格で、どんな場所で、どのような誘導で」販売に結びつけられるのか、ということです。そしてその結果、アーティストに然るべき資金が回っていく。日本のアート業界にはこの当たり前の感覚が抜けています。アートは特殊なのでしょうか？そんなことはありません。全ての商品・サービスが特殊な面を持っていますが、消費者が買うかどうか決める心理は極めて似ています。アート業界は一度、4P全ての側面を見直すべきだと私は思います。特に「場所」（Place）と「動機付け」（Promotion）は重要です。日本のアートマーケットにはあまりにも買う人側の視点がなさすぎるのです。世界はずっと開かれています。アートの世界も競い合い、成長していくものです。

3・4　日本のアートフェアの現状

「ギャラリーに入りにくいなら、アートフェアに行けばいいですよ」。この言葉を私自身も何度も聞きました。確かに大きな展示会場にブース形式で多数のギャラリーが出展しているアートフェアは敷居も低く、一度にいくつものギャラリーを見比べることができます。前章で世界の2大アートフェアのアートバーゼルとフリーズについて紹介しましたが、アジアや日本を含め世界各地でさまざまなアートフェアが開催されていますから、まずはアートフェアに行ってみる手もあります。参考として、巻末に世界と日本のアートフェア年間カレンダーを掲載しました**（巻末資料3）**。

アートフェアは入場料を払うケースがほとんどですが、ギャラリーに行くよりもずっと入りやすいし、自分のペースで誰に話す必要もなく動くことができます。ビジネスとして「アート」に関心を持ち始めたビジネスパーソンにとっては、たくさんの種類のアートに出合う最高の機会です。できれば「見る」だけでなく、そこで「買う」経験もしてください。

ただし、言っておくことがあります。日本のアートフェアは世界のアートフェアとはかなり趣《おもむき》が異なるということです。巻頭に掲載した写真（巻頭「Gallery1.」）のような、「素晴らしい空間」「憧れのライフスタイル感」は、日本のアートフェアには残念ながら、今のところありません。友人を連れて行っても、アートファンになるとは思えません。もちろん世界中の全てのアートフェアが素敵な雰囲気に満ちているわけではないのですが、主要アートフェアにはそうした空気が必ず備わっていると言えます。アートのある生活を追求すれば、おのずとそうなります。

そんな中で期待しているのは、２０２３年７月に日本で初開催となる**「東京現代」**（＊45）です。２００７年に香港でアートフェアアートＨＫを設立し、２０１２年にはアートバーゼルと組んでアートバーゼル香港を創設したマグナス・レンフリュー氏によるものです。２０２３年１月には、レンフリュー氏がシンガポールに設立した**アートＳＧ**（＊46）の第１回が開催されて、著名なメガギャラリーをはじめ世界から１６０以上のギャラリーが集結しました。東京現代の第１回が日本のアートマーケットの黒船となるのか、注目が高まっています（本章末にレンフリュー氏へのインタビューを掲載しました）。

もちろん、近年は日本で開催されるアートフェアでもさまざまな工夫がされています。ギャラリーではなく、アーティスト自らが企画、運営、出品を手掛けて新しいマーケットの開拓を試みる**「アーティストフェア京都」**（＊47）、同じく京都で開催される**「アートコラボレーション京都」**（＊48）は海外ギャラリーと組むという新しい手法でアートの多様性を見せています。アートによる都市活性化を推進する福岡市で、ホテルと展示場の2拠点を会場にアジアからのギャラリーも参加して開催されている**「アートフェアアジア福岡」**（＊49）、工芸に特化した新しいアートフェアとして工芸の街・金沢で開催される**「工芸アートフェア金沢」**（＊50）など、個性を持ったアートフェアも始まっています。日本で最も長い歴史を持つ**「アートフェア東京」**（＊51）も近年は好調なセールスを記録しています（図表3－3）。

しかし、日本のアートフェアには友人を誘う気にならないというのが、私の率直な意見です。世界から見ると圧倒的に人数の少ない既存アートコレクターだけではなく、新しいアートコレクターを誘う仕掛けや、訪れることで幸福感を得られるような工夫が必要だと思うのです。これは、海外の主要アートフェアに比べるとスポンサーとして提携する企業が少なく、潤沢な運営資金がない中での関係者の苦労と工夫をお聞きしつつの、あえてのコメントです。この新書を読んでくださる企業の方にお話ししたいのは、日本のセンスの良い消費者を確実に囲い込める方法が、こうしたフェアへの投資だということです。これまでに紹介した、スポンサー企業

図表３-３：日本の主なアートフェア一覧

3月	アーティストフェア京都
3月	アートフェア東京
7月	東京現代
7月	アート大阪
9月	アートフェアアジア福岡
10月	東美アートフェア
10月	デザイナート東京
10月	アートウィーク東京
11月	アートコラボレーション京都
12月	工芸アートフェア金沢

の顧客のみが入場できる特権といった事例など、アートを事業化している世界の企業を見て学んでほしいと思います。

　アートフェアではありませんが、２０２１年にスタートし、２０２２年にメインローンチした**アートウィーク東京**（＊52）は、世界的なアートフェアであるアートバーゼルとコラボレーションしています。「大竹伸朗《しんろう》展」が開催中だった東京国立近代美術館や、国立新美術館、オフィシャルパートナーのホテルオークラ東京では、世界中からコレクターの方々をお招きして華やかなＶＩＰプログラムが開催され、開催初日には第１章で紹介したアートフェアも運営する世界的なアートメディア「フリーズ（Freize）」のＷＥＢ版に、取材のために来日していたチーフエディターによるアートウィーク東京のレビューが配信されました。日本のアートフェアやイベントが会期中に世界的なメディアで紹介されるのは珍しいことですが、これはＶＩＰ同様に世界の主要アートメディアがアートウィーク東京とアートバーゼルの新しい試みに関心を持った結果です。

　アートウィーク東京のディレクターでギャラリー**タケニナガワ**（Take Ninagawa）（＊53）の代

表の**蜷川敦子**（＊54）さんは、アートバーゼル香港のセレクションコミッティの一員としてアートバーゼルとの強い関係を築いている方で、「アートバーゼルという素晴らしいブランド力と発信力を持つグローバルなアートフェアとの提携によりアートウィーク東京のクオリティがコンファームされ、予想以上に高い反響をいただいた」と語っています。「アートフェアでもなく、ビエンナーレのような芸術祭でもない、アートウィークという地域創生型イベントで、国際的なアート都市として東京を国内外に共有する」（蜷川さん）ことに成果を得たアートウィーク東京ですが、「２０２３年は子ども向けを含む教育プログラムを強化していく」（同）と伺いました。

　アートウィーク東京における、ワンパターンの見せ方ではない手法、入りにくいギャラリーを訪れる工夫、鈴木京香さんをアンバサダーに立てるといったマスへの意識、アートバーゼルとのコラボレーションを生かした海外アートコレクターの誘導などは、今の日本には重要な試みだと思います。このスタンスでの「子ども向けの教育」へのチャレンジも楽しみです。さらに期待するとすれば、こうした試みの新しい層へのＰＲ――アートへの関心は出てきたものの既存のアートメディアには接しない人々へのアピールが必要だと思います。全ての業界に通じる言葉でいえば、「潜在ユーザーの育成と掘り起こし」です。ただこれは、アートの世界の人が皆で試行錯誤する問題であり、私たちメディア人の役割だと思います。

3・5　アートビジネスの前に立ちはだかる問題

世界の企業はアートを「ファッションやスポーツのように」ビジネスに活用し、アートは一般の市民生活に溶け込んでいる。そのことを私が初めて聞かされたのは、2011年でした。それから毎年海外のアートシーンに関わる仕事をし、大通り沿いにある、入りやすい大きなギャラリー、素敵なレストランが会場内にあるのびのびしたアートフェア、そしてそこに集う「普通の人々」に接して、いくつもの気づきがありました。

・アートは、センスある消費者が好きなテーマであり、ターゲットは富裕層には限らない
・アートが「好き」の中にはアートを「買う」行為も入っている
・日常的に楽しむアートと、投資的側面のアートが共存している
・一方、高価なアートを美術館に寄贈・寄託する行為も盛んである

日本において、アートに関心が出てきた企業が「富裕層」へのアプローチとして考えていることについて理解はしていますが、それが全てではないとも考えています。海外ではアートはもっと市民に浸透していました。ワインやレストランを楽しむことと同様の、普通の「日常」

なのです。「アートは教育から始まって、アートについて語り、購入する行為はそれぞれの社会階層の日常である」のが事実であり、今の日本はそこから乖離しています。

日本でも国内大手銀行を含む金融機関、住宅、クレジットカード会社、ラグジュアリーブランド、百貨店、生命保険、自動車、時計、化粧品、通信など幅広い企業が、富裕層向けのアイテムとしてアートに関心を持ち始めたのは心から嬉しいことです。私が代表を務めていたマグアスにも、多くの企業からの相談がありました。

ただし、問題もありました。ほとんどの会社が、世界の同業企業がいかにアートとの関係を構築しているかを調べたことがなく、そのため、企業にできるのは「アートを買う」「売る」ことくらいしか考えられない点です。そこで私たちがまず説明するのは、この10年間、世界で見てきた企業とアートのビジネス的関係、それらを多面的に調査した世界の金融機関のレポート、音楽やスポーツ同様のアートの活用方法、世界レベルのアート教育の事業化、といったことです。ここで多くの企業が壁に突き当たります。これは残念ながら現在も続いていることなので思い出のようには語れないのですが、上司を説得するのに時間がかかりすぎる、またはすぐに却下されるのです。これはアートに限らず、先進的なビジネスパーソン共通の悩みですが、特にアートの場合は、二つの課題に集約されます。

① ビジネスの根拠となるデータや数字が日本で発表されていない
② 上司に「アート＝文化貢献」という先入観がある

ここで、興味深くも悩ましい二つの事例をご紹介しましょう。海外を知っている企業経営者の中には、私がこれまでご紹介してきたことに既に気づいている人もいるのです。その経営者曰く、「上坂さんの認識は、本当にその通りだと思うのですが、私が提案すると、経営者の遊びだと言われてしまいます」。これには笑い、困りました。もう一つは、アートに可能性を感じたビジネスパーソンが、上司への説得材料となる資料を集めて提示する必要に迫られるのですが、ほとんど全ての方々が自ら海外の資料を集めて読むことをしないという事実です。これは実に残念なことです。海外の同業他社の行動には、もう少し関心を示すべきではないでしょうか。

さて、本題に戻ります。世界の状況を説明し、「ここにチャンスがあります。オンリーワンです」とおすすめします。「先行者利益、文化度のアップ、それに万が一失敗したとしても、御社にとって失う金額と得ることができる人的知的資産を比較しても……」と話すわけですが、ご推察の通り、これでは日本の企業は動きません。数字の欠落、担当者の覚悟、同業他社のスタンス、日本企業の先例などハードルだらけです。私は過去のさまざまな事例（ワインからパソ

図表3-4：アートに関するイメージ調査

問：あなたが企業イメージに良い影響を与えると思うものを全てお選びください。

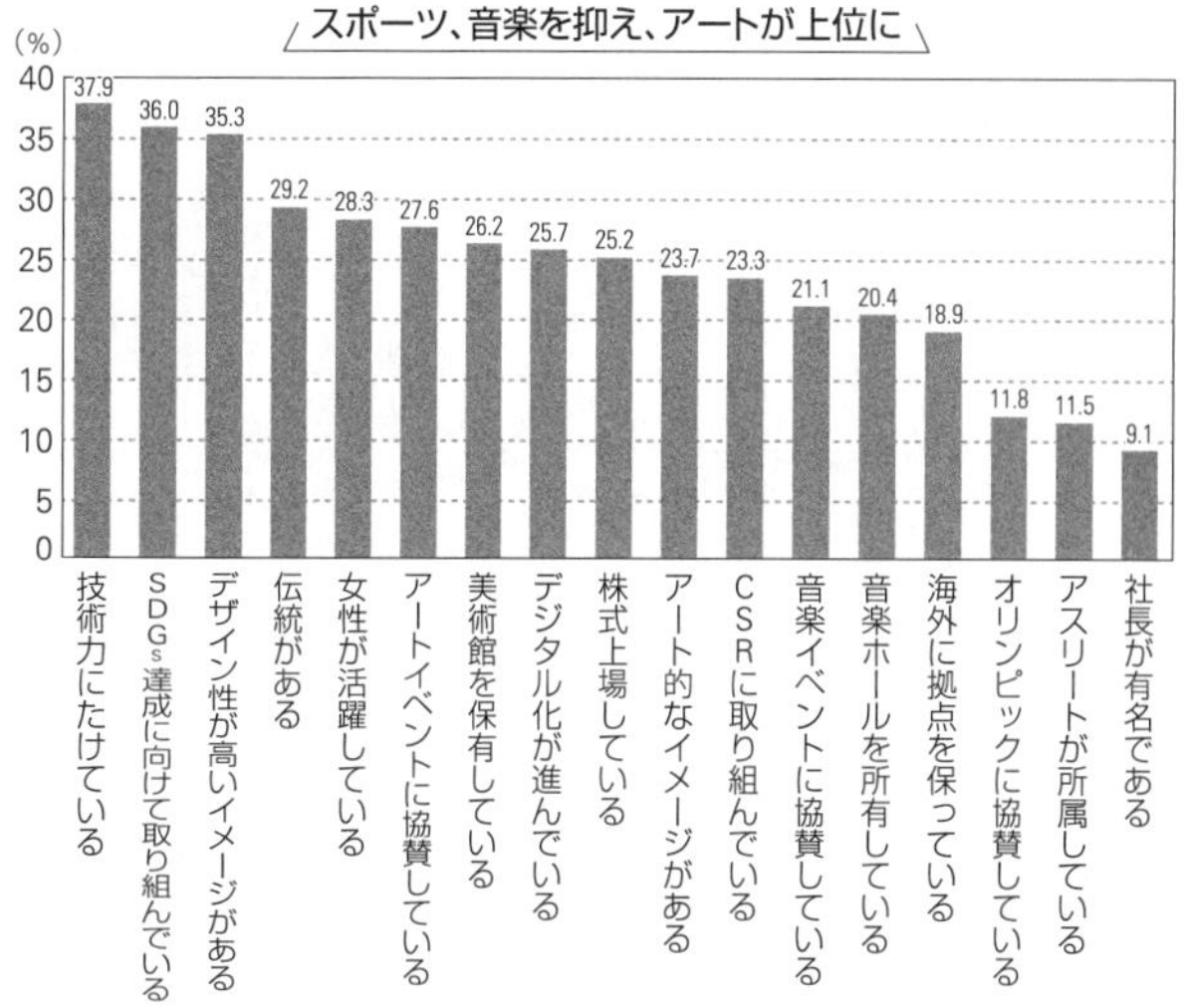

対象　年に3回以上美術館に行く×世帯年収500万円以上

出所：2021年実施のMAGUS調査より

コン、アウトレット、ティラミス、SDGs）の日本のマーケットにおける急速な伸びなどいくつもの例をあげますが、それでも難しいのです。

日本の企業イメージ調査では、企業へ良いイメージを抱く要因として「国際性」「技術力」「親しみやすさ」等が並びますが、「アート」というキーワードは選択肢としてまず出てきません。「文化」という言葉の中に含まれている場合はありますが、「スポーツ」「音楽」のように、独立して出てこないのです。ただ、マグアスで2021年に調査したところ、富裕層は見事に「スポーツ」「音楽」よりも「アート」を重視していることがわかりました（図表3-4）。これを信じるかどうかはあなた次第ですが、私はこれを信じて突き進んでいます。

この節の締めにもう一つ。相談に来るビジネスパーソンのほとんどが、個人的にもアート作品を買ったことがありません。ぜひ一度、自分自身で買ってみてください。数万円のものでいいのです。できれば、現役のアーティストの作品をおすすめします。ギャラリーでそのアーティストと「自分はなぜこの作品が好きなのか」「あなたはどんな思いでこの作品を作ったのか……」と会話してみれば、その体験が最高のエンジンになります。

3・6　アートの世界に乗り出した企業

いつの間にか人々のライフスタイルが変わっていく。私はそれを「革命記念日のない革命」と呼んでいます。そして今、それが見えつつあります。これからご紹介するのは、時代に先んじてアートを活用した企業の事例です。2013〜2019年までの、私がアマナという企業に在籍した7年間、「アートフォト」を切り口にした事業提案を採用した会社の事例になります。

２０１１年当時、ほとんどの日本企業は事業や販促としてのアート活用という提案に対して会ってもくれませんでした。しかし、それでも毎年数社はアート事業を採用してくれていました。その一つが、パナソニック株式会社による「LUMIX MEETS BEYOND 2020 BY JAPANESE PHOTOGRAPHERS展」シリーズです（当初は「TOKYO2020」という名称でしたが、オリンピックの影響で「BEYOND2020」への変更を余儀なくされました）。これは、日本人の中堅アートフォトグラファー６人（最初の年は９人）の展覧と販売会を、毎年、アートフォトの世界最高峰のトレードフェアである「パリフォト」の開催時期に合わせてパリのギャラリーで実施するものです。伸び盛りのアートフォトグラファーを全員現地に連れてゆき、自分の作品が実際に海外でどのように見られ、売れるかを経験する点も特徴です。フォトグラファーが、実際にそのギャラリーの店頭に立つのです。パリフォトから流れてきたコレクターや普通の市民たちが次から次へと入店してきて、無名の彼らの作品を見て、店頭に立つアーティストたちに質問し、考え、そして時には買っていくのです。それを緊張し、不得手な英語で説明し、売れる素晴らしさを体験し……彼らは日々、見事に成長していきました。

　この貴重なイベントはパナソニック株式会社ＡＶＣネットワークス社イメージングネットワーク事業部の北尾一朗事業部長（当時）の決断で始まりました。翌年からは坂本維賢課長（当時）が引き継ぎ、悪戦苦闘しながらも、新型コロナのパンデミックが起こる前年まで続きまし

「LUMIX MEETS BEYOND 2020 BY JAPANESE PHOTOGRAPHERS」展オープニングパーティより。日本の若手フォトグラファーが、作品を展示されたギャラリーに立ち、自ら作品を英語で説明しながら販売するという貴重な経験に。

た。今だから言えますが、最初はどのくらいの人が来場し、作品が売れるかどうかも不安でした。しかし、それまでに学んできた「世界では普通の市民がアートを自分の目で購入する」という事実が、見事に現実化したのです。初日に開催するパーティは毎年満員でした。実際に多くの市民がふらりと入ってきて、アーティストと話して、10万円以上の作品を買っていく現実を目《ま》の当たりにしました。

２０１３年から７年間にわたり数千万円をパナソニックが支援し、なおかつ自社製品であるＬＵＭＩＸを使用していない作品もＯＫという、大きな心を持った企画でした。さらに２０１６年からは、同じくアートフォトのトレードフェアである**アンシーン**（＊55）開催時のアムステルダムも加わり、パリ、アムステルダム、東京の３都市販売会になりました。ここで「世界で自分の作品は〝アートフォト〟として売れるのだ」と自信を持った卒業生フォトグラファー30人のうち、半分以上が海外で展覧会やアートフェアに出展をするに至りました。例えば**藤原聡志**（＊56）はプラダ財団美術館で個展を開催するなど、大きな飛躍を遂げています。

　多くの著名企業が日本国内でアートアワードを開催していますが、さほど高いともいえない賞金を提供し、国内のみの展覧会で完了しているのが現状です。ぜひ世界への道を作ってあげてください。

　パナソニックに続いて、「世界で人気の日本人アートフォトグラファーなるものに賭けてみよう」と決断してくれたのがセイコーでした。グランドセイコーは、国内はもとより海外においても同社の最上位ブランドと位置づけられていますが、私たちが企画を提案した当時は、特にスイスのバーゼル時計見本市での状況をさらにグレードアップさせる施策が検討されていました。そこで私たちは「世界で注目されている日本人アートフォトグラファーを前面に出した展示にしよう」と提案しました。２０１５年に開催された時計フェア「バーゼルワールド」の展示に、**田原桂一**（＊57）、**野村佐紀子**（＊58）、**濱田祐史**（＊59）という個性の異なる３人のアートフォトグラファーを起用し、まるで写真展のように、思い切って展示の前面に展示したのです（**巻頭「Gallery7.」**）。その結果、これまではブースに入ってこなかった人々を見事に呼び込むことができました。

当時のセイコーウオッチ株式会社 執行役員兼広報・PR部長で、現在はセイコーグループ株式会社 常務執行役員の庭崎紀代子さんが、当時を振り返って次のように話してくれました。「あの時のバーゼルでの試みは、グランドセイコーが現在のポジショニングを得るためのエポックメイキングな企画でした。技術のみでなく、グランドセイコーの感性価値を世界に評価していただく原点だったと思います」。この新書を執筆するにあたって久しぶりにお会いした庭崎さんが語ってくれた予想外のこのコメントに、私は感動しました。当時、「皆さんのご提案をやってみましょう」と庭崎さんに決断いただいた時も嬉しかったのですが、今回はその時よりもずっと嬉しかったです。

その後も、**プラチナプリント**（＊60）のアートフォト作品を海外の店舗で展示するなど、セイコーはこのバーゼルでの展示作品をさまざまに活用しました。各地で、時計だけでなく、あの写真も売ってほしいと言われたそうです。東京でも代官山の蔦屋書店で展覧会を開催しました。

新たな試みはさらに続きました。翌２０１６年のバーゼルワールドでは、新たなデザインシリーズの時計の発売にあたって、Grand Seiko Avant-garde というテーマで、**荒木経惟《のぶよし》**（＊61）と**森山大道《だいどう》**（＊62）という日本を代表する２人のフォトグラファーの作品を時計のベルトに起用したプロモーションを展開しました。当時１５０万円（税込）を超えるこれらの時計は、世界の販売店から取り扱いの希望が相次ぎ、大きな話題となりました。日本のフォトグラファーにとっても日本企業にとっても、素敵なことだと心から思います。

この章では、アート活用に初期の段階で着手した勇気ある企業の事例をご紹介しました。次章では、日本における企業とアートの関係を遡ってみたいと思います。

＊40 ボイマンス・ファン・ベーニンゲン美術館（Museum Boijmans Van Beuningen）　オランダ第2の都市ロッテルダムにある美術館。19世紀半ばに弁護士ボイマンスが寄付した作品を核とする美術館として竣工し、１９５８年には実業家ファン・ベーニンゲンのコレクションが加わり現在の名前になった。北方ルネサンス、17世紀黄金期のオランダ絵画、近現代の名作など、質の高い作品を多数収蔵。またダリやマグリットをハイライトとした現代絵画や彫刻庭園でも知られる。

＊41 マグアス（MAGUS）　寺田倉庫株式会社、三菱地所株式会社、株式会社ＴＳＩホールディングス、東急株式会社、上坂真人の出資により、２０２１年に設立。アートに関するメディアを通じて人や企業をつなぎ、日本国内における現代アートの情報に特化したプラットフォーマーを目指す。アメリカの歴史あるアートメディア「ARTnews」の日本版（オンライン）をローンチした。上坂真人は２０２３年3月に退社。

＊42 CADAN（Contemporary Art Dealers Association Nippon）　一般社団法人日本現代美術商協会の略称。日本の現代美術の振興と普及、現代美術市場の確立と発展、現代美術作家の国際的な認知度の向上、

若手作家への支援と人材の育成を目指し、日本の現代美術の発展に寄与することを目的として２０１５年設立。現在、国内の現代美術を扱う38のギャラリーにて組織されている。

＊43 小山登美夫　１９９６年に小山登美夫ギャラリーを開廊。奈良美智、村上隆をはじめとする同世代の日本アーティストの展覧会を多数開催した後、さまざまな地域・世代の作家を紹介している。また、オープン当初よりアートバーゼルなどのアートフェアへも積極的に参加。日本現代美術商協会代表理事。

＊44 ギャラリスト　展示スペースのある画廊（ギャラリー）を持つ美術商を指す。所属するアーティストと契約を結び、作品の展示および販売とともに、新しい美術作品を発信する場としてアーティストを育てる役割も担う。また、自らの画廊における展覧会だけでなく、多くのギャラリストが一堂に会するアートフェアなどを通じて、広く作家・作品を知らしめるべく活動を行っている。

＊45 東京現代（Tokyo Gendai）　国際的アートフェアを主催する企業のアート・アセンブリー（The Art Assembly）による、東京における国際水準のアートフェアとして２０２３年7月に初開催される。世界80か所からおよそ１００の主要ギャラリーが集結し、国際的に認知されるアーティストの作品から、ＮＦＴ等最新のデジタルメディア作品まで、多種多様な現代アートが紹介される。

＊46 アートSG（ART SG）　アート・アセンブリーが運営するアートフェアの一つで、２０２３年1月にシンガポールで初開催された。ポストコロナにおいて、シンガポールはグローバルかつ先進的な経済都市として浮上しており、アジア全域から富裕層コレクターが集まり、拠点としている状況が開催の背景になっている。ＵＢＳがリードパートナーとなっており、アートバーゼルの親会社であるＭＣＨグループが15%出資している。

＊47 アーティストフェア京都　アーティストが主体となり企画、運営、出品を行うアートフェアで、２０１８

年から京都市で開催。来場者とのコミュニケーションを醸成することで、創作活動だけでなくマーケット作りへとアーティストが活動の幅を広げることを目的としている。メイン会場を起点に市内に展開するサテライト会場や若手批評家育成プロジェクト等も設けている。

＊48 アートコラボレーション京都　２０２１年より京都市で開催されている国際的アートフェア。「アート市場活性化」「担い手の育成」「アーティストの活動の場」「街の活性化」を目的とし、日本と海外のギャラリー、行政と民間、美術とその他の領域などがコラボレーションする。アートフェアでは珍しく、日本のギャラリーが海外のギャラリーとブースをシェアして展示企画を行う形式を採用。

＊49 アートフェアアジア福岡　九州・中四国・沖縄地域で唯一のアートフェアとして、２０１５年より福岡市で開催。２０２２年には福岡市が参画し官民共同で開催され、およそ80のアジア地域のギャラリーが出展。福岡は地理的にも歴史的にもアジアの窓口として機能していたことから、アジアのアートマーケットを活性化するグローバルなアートフェアを目指す。

＊50 工芸アートフェア金沢　工芸の新しい美意識や価値観を「ＫＯＧＥＩ」として世界に発信する、国内唯一の工芸に特化したアートフェアで、２０１７年より金沢市で開催。近現代工芸に加え、古美術も含め、若手から世界で活躍するアーティストの作品を展示販売し、多様化する工芸の潮流を発信。

＊51 アートフェア東京　古美術・工芸から日本画・近代美術・現代アートまで、幅広い作品が展示されるフェアとして、２００５年から東京で開催している日本最大級の国際的アートフェア。前身は、１９９２年に横浜で始まったアジア初のメジャーな現代アートのフェアとされるNippon International Contemporary Art Fair（ＮＩＣＡＦ）。２００５年に現代アートだけでなく日本特有な古美術や近代美術等を含んだ形でのアートフェ

アとして再開された。

＊52 アートウィーク東京　２０２１年から開催される、東京の現代アートを牽引する主要な美術館やギャラリー等51のアートスペースが参加するアートイベント。東京の現代アートを支える場所や人物を国内外のより多くの人々に紹介することで、日本のアートの国際的な認知度の向上、日本と海外のアートシーンの交流促進、日本における現代アートの健全で活発なエコシステムの構築などを目的とする。

＊53 タケニナガワ（Take Ninagawa）　２００８年、蜷川敦子氏が東麻布に開廊。戦後日本の実験的な美術の前例にならい、現代の問題に国際的な視座を持って取り組む幅広い世代の作家をプロモーションする。アートバーゼルやアートバーゼル香港に２０１３年より参加。近年では、コロナ禍において世界中のギャラリー有志で立ち上げた数々のイニシアティブに参加し、国際的な課題にも取り組んでいる。

＊54 蜷川敦子　タケニナガワ代表、アートウィーク東京 共同設立者・ディレクター。２００８年にギャラリー、タケニナガワを東麻布に設立。以降、国際的な文脈の中で日本のアーティストを紹介することに努める。アートバーゼル香港のセレクションコミッティ。グローバル・サウス問題を扱うアートのためのプラットフォーム「SOUTH SOUTH」にコラボレーターとして関わる。２０２１年に一般社団法人コンテンポラリーアートプラットフォームを共同設立、アートウィーク東京を立ち上げる。

＊55 アンシーン（Unseen）　アムステルダムの写真雑誌『FOAM Magazine』を発刊するＦＯＡＭ社が運営するＦＯＡＭ写真美術館が若き才能を発掘する場として２０１２年から開催。現在では毎年２万人以上が訪れるヨーロッパの中心的写真フェアに成長。

＊56 藤原聡志　２０１２年に拠点をベルリンに移し独学で写真を始める。主な展示に「EU」（プラダ財団、

2017)、「FLUO NOIR」(リエージュ近代美術館 La Boverie、2018)、「写真都市展」(21_21 DESIGN SIGHT、2018) など。

＊57 田原桂一　１９７１年の渡仏以降２００６年までパリを拠点とし、光をテーマに写真、彫刻、インスタレーション、建築と幅広く活躍。１９７７年にアルル国際写真フェスティバル大賞を受賞。以後もさまざまな賞の受賞を重ね、ヨーロッパを中心に日本国内外で多くの展覧会を開催。また、カルティエ、ドン・ペリニヨンなど世界的ブランドのブランディングコンサルタントとして数多くの広告、企画も手掛けた。２０１７年没。

＊58 野村佐紀子　１９９１年九州産業大学芸術学部写真学科を卒業し、同年に荒木経惟に師事。１９９３年より国内外で写真展を多数開催している。主な写真集は、『裸ノ時間』(平凡社)、『夜間飛行』(リトルモア)、『黒闇』(Akio Nagasawa Publishing) など。

＊59 濱田祐史　２００３年日本大学芸術学部写真学科卒業。東京を拠点に活動し国内外で作品を発表。主な個展は『K』(2019)、『R G B』(2018)、『Broken Chord』(2017)、『C/M/Y』(2015) など。スイスのフォトフェスティバル Images Vevey (2014) などに参加。

＊60 プラチナプリント　科学的に安定性の高い金属であるプラチナを使用した、最高品質の写真現像技法。

＊61 荒木経惟　１９４０年東京生まれ。「天才アラーキー」の愛称で知られる、日本を代表する写真家。妻・陽子との生活や東京の情景、妖艶な花々、過激なヌード作品等を数多く発表。写真家が被写体と緊密な関係を結ぶ「私写真」を標榜した創作活動を展開。

＊62 森山大道　１９３８年大阪生まれ。ハイコントラストや粗粒子画面の作風は〝アレ・ブレ・ボケ〟と形容され、写真界に衝撃を与える。ニューヨーク・メトロポリタン美術館やパリ・カルティエ現代美術財団で個展

を開催するなど、日本を代表する写真家として世界的評価が高い。

「東京現代」は日本のアートマーケットを変える黒船になるか

——マグナス・レンフリュー氏 インタビュー

日本のアートフェアの寂しさ、つまり友人を連れていきたいと思えないアートフェアの慣習を打ち破ってくれるのではないか——世界のアートフェアを見てきた私が期待に胸を膨らませているアートフェアが、２０２３年７月にパシフィコ横浜で第１回が開催の運びとなった東京現代です。主催者のマグナス・レンフリューさんにお話を伺いました（２０２３年３月実施の書面インタビュー）。

マグナス・レンフリュー

セント・アンドリュース大学で美術史の学位を取得。２００８年に開幕したART HK（Hong Kong International Art Fair）を設立し、２０１２年にはアートバーゼルと組んでアートバーゼル香港を創設した。２０１７年には、その経験を記録した著書『Uncharted Territory: Culture and Commerce in Hong

Kong's Art World』をペンギン社より出版。2019年に台北當代（Taipei Dangdai）を立ち上げ、イベントオーガナイザーのサンディ・アンガス、ティム・エッチェルズとともにアート・アセンブリーを設立。2023年1月にシンガポールでアートSG、7月に東京現代を開催。アートレビューの「Power 100」（アート界で最も影響力のある100人）に2度選出され、2013年には、世界経済フォーラムからヤング・グローバル・リーダーとして表彰された。

上坂　レンフリューさんといえば、香港でアートフェアを創設した人物ということが一番に思い起こされますが、改めて、あなたのアートの世界においての仕事の領域を教えていただけますか。

マグナス・レンフリュー（以下、レンフリュー）　私は美術史家、キュレーター、オークションハウスの専門家、そして著述家です。フェアディレクターとして国際的なアートの世界で25年を過ごし、その間、香港のアートバーゼル、台湾の**台北當代**（＊63）、シンガポールのアートSG、そして東京現代を立ち上げました。

上坂　台湾の台北當代、インド・デリーの**インディアアートフェア**（＊64）、オーストラリアの**シドニーコンテンポラリー**（＊65）、シンガポールで2023年1月にスタートしたアートSG

は、あなたが共同設立した**アート・アセンブリー**（＊66）が主催する、アジアの五つのアートフェアです。アートコレクターが明らかに不足している日本で、東京現代を開催することを決定した理由は何でしょうか。

レンフリュー　これほど豊かな国でありながら、日本は、アートマーケットにおいては遅れをとっています。国際的なアートフェアが何十年も開催されていませんが、日本で国際水準のフェアを開催することで、国内市場の触媒として機能することができると考えており、日本におけるアートのオーディエンスを拡大することが私たちの仕事です。２００７年に香港でアートフェアをスタートした当初は、どこに行っても「香港は文化の砂漠だ」と言われました。しかし、わずか3年後には37カ国から２５５のギャラリーが参加するフェアに成長しました。売上も好調で、その後すぐに**ＭＣＨグループ**（＊67）に買収され、アートバーゼルに名称を変更したのです。豊かな文化、素晴らしい施設、世界でトップレベルの食事など、海外からの旅行者にとっても魅力的な国である日本には大きな可能性があります。

上坂　現在、アジアの主要なアートフェアといえば、アートバーゼル香港、そして２０２２年9月に初開催されたフリーズソウルですが、あなたが立ち上げた台北、デリー、シドニー、シンガポールも含めて、東京はアジアのマーケットの中でどのような特徴があるのでしょうか。

また、東京の弱点、強みがあるとすれば、どのような点だと思われますか。

レンフリュー　２００８年に、後にアートバーゼルと改称したアートＨＫを香港で設立し、２０１１年から２０１４年までアジアのファウンディング・ディレクターを務めたほか、台北とシンガポールでもフェアを立ち上げましたが、いずれも成功を収めました。日本のマーケットは、本来のあるべき姿から遅れており、それが課題であると同時にチャンスでもあります。繰り返しになりますが、ハイレベルなアートフェアが現代アートの観客と市場を拡大する触媒として機能すると私たちは信じていますし、日本でこれを実現できると確信しています。日本は、世界で最も洗練されたギャラリーシーンの一つだと思います。

上坂　日本の企業とはどのような関係を構築していますか？　東京現代の開催に際して、期待通りの支援を得ることができたのでしょうか。準備のために数え切れないほどの日本企業と会ってきたと思いますが、プロジェクトを進める上で、海外企業との違いや苦労はありましたか？

レンフリュー　現在、いくつかの企業スポンサーと協議を進めており、近日中に発表する予定です。日本では私たちの優秀なチームが仕事をしていて、多くの企業と面談し、協業について議論してきました。日本企業とのやり取りで、他の国の企業と比べて特に苦労したことはありません。

上坂　アートにおける資金援助について、外国人と日本人の間に違いを感じますか？

レンフリュー　日本企業の文化芸術への関わりは、今後ますます増える可能性があると思います。日本の素晴らしい伝統と創造的な成果を考えると、芸術と文化は日本の最強の輸出品となる可能性があります。私たちは、企業とのコラボレーションを「パートナーシップ」と考えていて、コラボレーションのパートナーが達成したいことを実現するための手助けをしたいと考えているのです。

上坂　アートビジネスに関して、日本企業は他の国際企業のように成長すると思いますか？

レンフリュー　日本企業は自分たちの道を見つけるでしょう。私たちはパートナーとなった企業と素晴らしい議論を交わしています。彼らには芸術や文化にもっともっと関わっていきたいという純粋な興味があるように思います。

上坂　アートフェアの集客に関して質問させてください。これまで開催してきたアートフェアでは、企業との連携はどのように行ってきたのでしょうか。また、東京現代についてはいかがですか。

レンフリュー　私たちはさまざまな形で企業と連携しています。オフィシャルなメインスポンサーとして関わりたいという企業もありますが、スポンサー企業だけでなく、ターゲットとする顧客層が類似している企業とも幅広く連携したいと考えています。企業はファッション、金融サービス、高級品、ハイテクなど、あらゆる市場分野にわたっています。この連携によって、彼らの優良顧客を東京現代に招待することができます。

上坂　日本のアートマーケットが今なお限定的であるのはなぜだと思いますか？　また、この状況が改善される可能性はありますか？

レンフリュー　私たちは、日本のアートマーケットに大きな可能性を感じています。日本のマーケットはあるべき姿から遅れていますが、これはお伝えしているように日本で国際的なアートフェアが何十年も開催されていないことが一因です。信頼性を高めるためには、クオリティを担保することが非常に重要です。東京現代では、著名なギャラリストによる選考委員会が出展作品を評価し、最高のアーティストを紹介するギャラリーを選んでいます。これは、「アートコレクションの旅」の最初の一歩を踏み出す人たちに自信を与えるものです。

上坂　教育、流通、税制、等々、日本ではアートにまつわるさまざまな問題を耳にします。美術館で作品を「見る」ことから、アートフェアやギャラリーで「買う」ことへ、日本のアート愛好家の意識の流れを変えることは可能だと思いますか？　その流れを生み出すのは、政府ではなく、企業だと私は考えています。その点についてご意見をお聞かせください。

レンフリュー　アートフェアは、現代アートのマーケットを開拓する上で重要な役割を果たすことができます。国際的なアートフェアは、アートと日本にスポットライトを当てることができるイベントです。アーティストやギャラリー、コレクター、キュレーター、企業、政府機関など、日本のアートシーンが持つ優れた可能性に共感してくださる方々を中心に、アートシーンのあらゆる要素で支援の輪を広げていくことが私たちの願いです。アートの世界は敷居が高いものですが、新しいバイヤーが歓迎され、心地良くアートに触れ、質問をしていただけるような環境を作りたいと考えています。また、アートは文化的なエコシステムを維持するための重要な要素であり、全く新しい経験、ネットワーク、友情の世界を切り開くことができるのです。

上坂　２０２４年以降も「東京現代」を継続するとしたら、どのような指標が必要ですか？

レンフリュー　東京現代は毎年開催されるイベントとなります。成功の指標は、ギャラリーがフェアに参加したいと思うかどうか。ギャラリーは、新しいコレクターとの出会い、キュレーターとの出会い、アーティストの作品の認知度向上、そしてもちろん重要なのは然るべき売上を望んでいるのです。

＊＊＊

私がこの原稿を書いている時点では、まだ東京現代は開かれていません。ですので、従来の日本のアートフェアとは異なる、スタイリッシュなフェアが実現することを期待するのみです。いくつかのアートプロジェクトで、新しいアートファンの集客の試みをしてきた私としては、そう簡単ではないと思いますし、パシフィコ横浜という会場も、東京から訪れるのには少々エネルギーが必要です。でも、時代の風がフォローしてくれるでしょう。「友達を連れていきたくなるような会場とディスプレイ」であることに期待しています。そして、国際的な主催者だからこそ、「アートを語り、アーティストの考えを聞き、アーティストを育てる」事業まで手掛けていただきたい。それが、東京現代が私たちのアートフェアとして定着する近道だと思います。

＊63 台北當代（Taipei Dangdai）　「The Art Assembly」が２０１９年に設立した台湾・台北市で開催されるアートフェア。ガゴシアンやハウザー＆ワース、ペロタンなどのメガギャラリーをはじめ、90を超えるギャラリーが出展。来場者は2万人を超える。

＊64 インディアアートフェア（India Art Fair）　２００８年からインド・デリーで開催され、インド国内を中心に世界各地のギャラリー、民間財団等およそ90団体が出展する。フェア期間中は、各種大型アート関連イベントや屋外展示プロジェクト等も行われる。また、アート教育と専門家支援にも注力をしており、年間を通じてイベントプログラムが実施され、インド国内の芸術鑑賞者の増加を目指している。

＊65 シドニーコンテンポラリー（Sydney Contemporary）　２０１３年からオーストラリア・シドニーで開催され、オーストラリア、ニュージーランド、東南アジアのギャラリーを中心に、環太平洋地域から90を超えるギャラリーが出展する。売上はおよそ２５００万ドル、オーストラリアエリアで最もアートセールスが集中するフェアである。

＊66 アート・アセンブリー（The Art Assembly）　アジア太平洋地域に特化した主要な国際アートフェアの主催団体。「台北當代」「India Art Fair」「Sydney Contemporary」「PHOTOFAIRS Shanghai」「ART SG」「TOKYO GENDAI」を開催している。サンディ・アンガス、ティム・エッチェルズ、マグナス・レンフリューが率いる世界有数のアートフェア主催者3社が共同で立ち上げた。

＊67 MCHグループ　スイス・バーゼルを拠点とする、国際的なライブマーケティング事業会社。主な事業内容は、自社主催および共同事業の展示会の開催、イベント用施設の第三者への提供、イベント企画とサービス提供等。アートビジネス領域では、世界最大のアートフェア「アートバーゼル」を展開している。

第4章

企業が変え始めた、日本におけるアートの価値

本章では、日本の人々がアートを「語り」「買う」流れ、そして企業がアートを「理解し」事業に「活用する」流れを作るにあたっての課題をあげた上で、動き始めた日本の企業群を、実例をあげて紹介します。

実際のところ、企業に先んじてアートを「次なるトレンド」に感じ始めたのは消費者でした。ファッションやグルメではない何か。ちょっとかっこいい何か。それがアートだったようです。企業が試験的にアートを「考え」「買う」施策を投げると、常に予想以上の人数が集まります。そしてそれに敏感に気づいた企業が、少しずつ対応し始めました。

私は２００９年から企業にアート事業を提案していますが、２０１７年頃までは、面談を申し込んでも「アートは関係ない」と日本企業は最初から会ってもくれませんでした。しかし今では取材する企業は尽きることがなく、皆さん喜んで会ってくださいます。代表的なのは金融機関です。世界の金融機関では、アートは必須科目どころか経営の一翼を担う要素ですが、日本のほとんどの金融機関は４年前まで「どうして私たちがアートと関係あるのですか」と言っていたのです。隔世の感を抱きます。ただ、話を聞いてみると三つの問題に気づきました。

①　アートをシンプルな表現物だと考えており、社会や歴史を映す表現物であるという世界の常識に気づいていない

②　世界から圧倒的に遅れているゆえに、世界にたくさんのヒントがあることに気づいていない

③　私がそんなお話をして「ともかく一度海外に行ってみてください」「まずは海外の同業他社の例を見てください」と言っても、動かない

こうした実態はまさに「江戸時代」です。しかしながら、実際に世界のアートシーンを見に行き、動き始めた企業人も現れています。後ほど取り上げますが、そうした企業のプランは机上の空論とはちょっと違います。

４・１　「買う」という言葉を避ける業界人と行政機関

ここ数年、日本でもアートイベントが増えています。ギャラリストの多くが「売れ行きはいい」と言いますが、私は単純には喜んではいません。アート作品は国際的な商品の象徴ですが、日本では世界のアートを見据えた言動が少ないという現実に反して、買う人が増えているからです。

２０２２年３月に開催されたアートフェア東京の売上は33・6億円で前年の30・8億円を超えて過去最高を記録しました。[1] しかし、アートニュースペーパー、**アート・レヴュー（＊68）**等、

私たちのチームがチェックした20以上の国際的なアート関係メディアの中で、アートフェア東京を扱ったメディアは三つしかありませんでした。当然ながら、11月にソウルで開催されたフリーズソウルは世界の全てのメディアで大きく報道されています。

アート専門誌ではない日本のメディアや新聞でもアートに関する記事が増えていますが、あまりに表面的で数字だけの話が多く、世界のアートシーンを知った上での発言は極めて少ない。そして相変わらず「買う」という行為や言葉を避けている傾向が如実に感じられます。これは、美術館に行く人が世界一多く、アートを買う人は少ない日本の現状と地続きです。ファッションやグルメに飽きた今、次なる〝ちょっとかっこいいテーマ〟として「アートを買う」ことがフィーチャーされてきたのですが、インテリア程度の意識であり、作品の意味を知って友と語り合うことはないように感じられるのです。

国際的なアートの動向を知る**オークショニア**（＊69）は私に「購入者は確かに増えているが、1年後に残るのは20％程度。そして、国際的な作品を購入する人はあまり増えていない」と語りました。国際的な作品とは、アート・ヒストリーの文脈から登場し、アカデミックな評価も備え、世界のアートマーケットの中で相応の評価を得ている作品を指します。すなわち、日本国内だけのガラパゴス的な人気作家の作品ではなく、世界のアートマーケットで売買されている作品のことです。

「アートを買う」ことにフィーチャーしたテレビ番組も出てきました。私がたまたま見たのは、明石家さんまが「画商」となりアーティストを発掘・プロデュースして販売した作品が爆売れする、というものです。「ええい、これ50万円！」というさんまの掛け声に、出演者が大笑いで拍手喝采を送る……。私は明石家さんまというタレントが大好きなのですが、この番組はアートを買う楽しさを伝えることからかけ離れているように感じられました。

また、２０２０年から文化庁によるアートをテーマにした連続ウェビナーやシンポジウム、ワークショップが開催されています。これは**「文化庁アートプラットフォーム事業」**（＊70）の一環で、若手作家を含めた日本の現代美術作家の国際発信を後押しする目的も含まれています。[2]

その一部をご紹介すると「『コロナ以降』の現代アートとそのエコロジー」（２０２０年）、「グローバル化する美術界と『日本』：現代アート振興の地平線」（２０２１年）、また同時通訳なしの英語によるワークショップ「Translating Art Writing」（２０２２年）など見事なほどの専門的な内容で、国内だけでなく海外のさまざまなアート有識者が論じています。ここ10年にわたって海外のアートシーンを見てきた私が聞いても、あまりに専門的すぎるセミナーが多いと思います。文化庁が想定する受講者ターゲットとは異なるのかもしれませんが、私が一番重要と考える、アートに関心を持ち始めた人々に世界レベルのアートの魅力を伝える役割を果たすものではなく、ＰＲもアート関係者にしか至っていないようです。行政の役目として、幅を広げる工夫が必要です。

4・2 数字、学習機会、住宅面積の不足とメディアの不在

業種によって事情は異なるものの、各社に共通している課題があります。事業の新分野としてアートを意識しなくてはならないが、企業がアートに取り組む場合、作品を「買う」「売る」以外の企業活動が考えられないことです。現業やファッション、グルメ、さらに宇宙やバイオやDX（デジタル・トランスフォーメーション）などには例がたくさんあるが、アートにはないわけです。

また「アートは富裕層のためのもの」という認識が、アートに関連するビジネスの拡大を妨げている場合もあります。「住宅の狭さ」を理由にあげる人も多いのですが、「毎年カレンダーはかけていますよね。机の上に小さな作品を置くという飾り方もあります。住まいを飾りにくいのなら、オフィスには膨大な壁がありますよね」と答えます。「若いアーティストを育てる楽しみもあるのですよ」などと言えるレベルにはまだ遠いです。「税金問題」も常に障壁としてあがります。確かに富裕層にはとても重要な問題ですが、正直なところ今はその前の段階です。そういう方々に「現代アートは株式や不動産よりも価格が上昇する可能性もあるのです

よ」と伝えると驚く。すなわち、アートの資産性を現実問題として考えたことがなかった人が少なからずいるのです。

議論をさらに進めると、教育の問題になります。この点は第5章で詳しく書きますが、普通の人々でも小学生の頃から「アートを語る」ことに慣れ、アーティストは「創作における動機を表明し、自身の作品について、しっかりと文脈を語る」ことが求められる、世界の現状を知らせることが重要です。私たちはそのような教育を受けてこなかったので仕方ないことですが、それを変える時こそ行政の出番だと思います。ただ、行政の変化を待っていられない気の短い私は、行政頼みではない、民間による変革を考えています。

メディア出身の私が最も残念なのが、メディアの失墜です。常に「新しい知識と世界」を伝えるのがメディアの役割ですが、日本の現在のメディアがこの精神を喪失してしまったと考えるのは私だけでしょうか。メディアの人間は、他の人よりも常に先に進んで、いい意味で「遊んで」いましたが、それもなくなった現在、メディアにこのミッションを期待することはできません。新聞社の文化担当だけでなく経済関連の担当記者からアートについての問い合わせが舞い込み始めたのは嬉しいことです。しかし、私は既存メディアではなく、企業が顔の見える自分たちの顧客や社員に向けて、自分たちの独自の視点で発信する企業メディアや企業からの提案に期待を持っています。

4・3　日本企業の新しい動き

第3章でご紹介したアウディジャパン、パナソニック、セイコー以外にも、さまざまな企業が事業としてのアートへの試みを始めています。私がアートに関わり始めた12年前を考えると、信じられない状況です。10年前、企業に「アートのことでご提案したい」とアポイントメントをお願いすると、「CSRセクションを紹介しましょうか」と言われた時代もありました。しかしその流れは、あっという間に変わりました。そして、一度アート事業へのチャレンジを始めた企業ではおおよそ継続されていることも心強いことです。ここからは、ビジネスパーソンとしての読者の参考になるような、各企業の姿をご紹介します。

世界のアートシーンを引っ張っているのは金融機関だと第1章で書きましたが、2010年頃、日本の金融機関にその意識はほとんどありませんでした。その中でも2017年に富裕層の「アートを買う」ことへの関心を感じて動き始めた三井住友銀行、2019年に海外戦略として企画した野村ホールディングスの試みがその出だしでした。

『ミイラにダンスを踊らせて　メトロポリタン美術館の内幕』（白水社）という560ページにおよぶ書籍があります。トマス・ホーヴィングという1960年代にメトロポリタン美術館の館長だった人物の奇想天外でたいへん面白い（間違いなく大げさに書かれているであろう）著作なのですが、大企業、特に金融機関の上層部が膨大な金額を美術館に投じているだけではなく、アートについての素養を持っていることが描かれています。１９６０年代での時点でそこまで進んでおり、今日までこのような流れを継承する世界の金融機関——彼らに日本の金融機関が渡り合うには、次のトップがたまたま幼い頃からアートのある環境で育ち、たまたま海外駐在中に海外金融機関のアートへの取り組みを学び、たまたま絶対の信頼を受けて着任する時を待つしかないのでしょうか。

●東海東京証券

そんな中、先進的な金融機関が現れました。２０２１年に初めて日本橋高島屋三井ビルディングの最上階にある東海東京証券の会員制サロンに足を踏み入れた時の驚きは忘れられません。東京の都心のビル最上階の２フロア、５７５坪のスペースには、絵画やインスタレーションなど国内外の作家による現代アートを中心とした作品29点が配され、美術館のような空間が広がっていました。私の知り合いの若きアートフォトグラファーの作品も入り口に飾られていましたが、作家や作品の選択も幅広く、素敵なのです。このスペースは「アートコレクターの自宅にお招きする」をコンセプトに設計された東海東京証券の富裕層向けブランド「オルクドール」の東京サロン（２０１９年にオープン）で、会員は社交やネットワーク拡充の場として、現

東海東京証券の富裕層向けメンバーシップ「Orque d'or（オルクドール）」のメンバー専用サロン、「オルクドール・サロン TOKYO」。約4メートルという高い天井の広々とした空間に、著名作家の現代アート作品が点在する
Courtesy of Orque d'or Salon TOKYO

代アートに彩られたラウンジやバー、レストランや会議室を利用し、この非日常空間を存分に堪能できるそうです。この空間が「現代アートを好きな人が多い」といわれる若手起業家の心を掴みました。かつて証券会社の接待といえば「ゴルフ」でしたが、今や「現代アート」がビジネスシーンでは有効だという一例です。

　それに続くかのように、昨年あたりから、ほとんど全ての金融機関やカード会社がアートマーケットに注目し、「何かをしよう」と思う段階から、アートフェア協賛や、社員教育、顧客へのアート関連サービスの実施へと移行しました。しかし、世界の金融機関が毎年作成する３００ページにもなる資料にはまだ遠く、地道な研究が欠如しています。

しかし、ここにきてユニークな例も出始めています。ある銀行では、アートを必須科目としてビジネスを考え始めたのではなく、新規事業を追いかけていたらアートに行きついたというチームが登場しました。ここは既存の動きとは大きく異なり、海外金融機関の研究もしています。もしかしたら受け手の顧客にとっても、自然な施策になるのかもしれません。残念ながらまだ詳細の公表は控えるようにいわれていますが、この逆発想からの事業化には期待しています。

第１章でご紹介したアート＆ファイナンスレポートを発行しているデロイトトーマツグループで新規事業推進を担当するディレクターの永井希依彦さんによると、３、４年前までは既にアートに知見や経験のあるビジネスパーソンがさらなる事業拡大・伸長を図るためにコンタクトしてきたということです。その目的を大きく分けると、アートを起点に事業を強くすること、そしてアート取引で事業を創り出すことです。その中には富裕層事業、企業ブランディング、エリア開発、アート思考などが含まれています。それがここ１年は大きく変わり、海外マーケットレポートで初めてアートとビジネスの親和性を知ることになったアート未経験者からの相談が増えたというのです。また、アートシーンを牽引するのも、美術館から何かを発信する手法よりも、アーティスト個人や社会問題と絡めた動きに移行していて、優れたアーティストとどうコラボレーションをするのか、企業のＥＳＧ（Environment Social Governance 環境・社会・ガバナンス）文脈でアートで何ができるのか、直近の社会的ムーブメントとどう絡ませるのか、という切り口が重要になっているそうです。

●三井住友トラストクラブ（ダイナースクラブカード）

なかなか行動に至らない金融機関も多い中、ダイナースクラブカードを発行する三井住友トラストクラブ株式会社の思い切りのいい活動には注目しています。同社のウェブサイトには、あるギャラリーの案内によるアート市場の最新情報、アートでの節税ガイド、経費で購入するのにおすすめアート作品が既に提案されています。カードで作品を購入した後の保険、保管サービス案内、作品の査定に加え、クレジットカード会社初のオークションでのカード利用を開始しました。２０２２年には、若手アーティストとダイナースクラブ会員を結ぶ京都芸術大学との産学連携プログラム「ダイナースクラブ バーチャルアートラボ」をスタートし、若手アーティストの作品購入を誘導もしています。これだけオープンに、アート購入を具体的に提案している例はないでしょう。

　三井住友トラストクラブ株式会社の経営戦略部部長・辻啓一郎さんと、経営戦略部担当部長・清水雅寛さんは「試行錯誤の段階ですから、皆さまの声に耳を傾けて改善もしますし、新たな提案もします」と仰《おつしや》っていました。私はいくつもの企業に具体的な提案をしてきましたが、「試行錯誤」に踏み切る企業はほとんどありませんでした。

　同社のアート施策を推進してきたのは、経営戦略部アシスタントマネージャーの濱田祐歌さんです。ダイナースクラブカードは、親会社の三井住友信託銀行とともに、２０２３年から初めてアートフェア東京のスポンサーにもなりましたが、フェア期間中には同社のブースに立ち、新設されたＶＩＰラウンジ（SUMITOMO MITSUI TRUSTラウンジ）にゲストをアテンドする濱田さんの姿がありました。濱田さんは国内外のアートフェアやアートフェスティバルに赴き、自分の目で見て研究し、さまざまなアート関係者やその周辺の人々に会い、自分なりの考えを培われています。これまで私は各社の方々に「海外と差があります」「海外を見に行ってください」「事業案は自分で考えてください」とくどいほど言ってきましたが、濱田さんのような担当者によるプレゼンテーションは、社内でも説得力があると思います。今後も国内外でさまざまな人に会って人脈を広げ、さまざまな事例を見ることで、ダイナースクラブカードのアートサービスを発展させていかれることでしょう。

●クレディセゾン

　セゾンカードをはじめとした多様な金融サービスを提供する株式会社クレディセゾンでも、２０２２年春、富裕層会員を対象にオンラインのアートセミナーを開催しました。講師にギャラリストの小山登美夫さんを迎えて開催したアートセミナーは、主催側の予想を上回る１６０人もの応募があり、なんとその半数がアート作品の購入経験者だったということです。１００人以上が出席したセミナーではＮＦＴについての質問も出るなど、出席者のアートへの関心の高さをうかがわせるものだったといいます。この章の冒頭に書いたように、消費者の方が一歩進んでいるのです。

４・４　街づくりとアート

金融機関の次にアートをキーにして動き始めたのは、住宅・不動産デベロッパーです。これはたやすく想像していただけると思いますが、商業ビルのテナントとしてのギャラリーなどのアート施設の誘致、住宅購入者へのアート作品販売、もしくは仲介です。

●三菱地所

このところ都心の新ビルの発表に「ギャラリーが入る」というリリースがたいへん多くなりました。それに先立つ２０２０年には三菱地所有楽町ビルにＣＡＤＡＮが本部を移し、ギャラリーができました。そして今も、丸の内にはアートがあふれています。実は、私も三菱地所とはかなり前からお付き合いがありました。

現在、日比谷ミッドタウン等に入っている**イエローコーナー**（＊71）はフランスでは著名なチェーン店で、１万円台からフレーム入りで素敵なフォトを購入できるお店です。私がアマナでこの事業を担当し、現在はアップルストアが入っているスペースを三菱地所から半年ほどお借りしてテストマーケティングを実施したのは２０１６年でした。しかし、三菱地所がアートを街の要素として取り入れたのは、それよりもかなり遡ることが今回の取材でわかりました。

今回、お話を聞いたのは、三菱地所株式会社プロジェクト開発部長の吉村友宏さんと、有楽町街づくり推進室副室長の有光頼幸さんです。大手町、丸の内、有楽町（通称「大丸有」）地区のまちづくりを約１３０年にわたって手掛けている同社が、この地で展開するアートと連携した取り組みについて、次々と話があがりました。「アートアワードトーキョー丸の内」は２００７年に、「藝大アーツイン丸の内」は２００８年にスタートして回を重ね、最近ではアーティストの活動を街に呼び込む実証実験的な「有楽町アートアーバニズムＹＡＵ」等の新しい試みも始まっています。各セクションがそれぞれにアートの活動を行っていましたが、これらをベースにしながら現在の有楽町の活動につながっており、三菱地所は有楽町の再構築において「アート」を重要なテーマとして考えているそうです。今のところはブランディング的な意味合いが強いようですが、私が訪れるアート関係事業所では「三菱地所さんがお話を聞きにいらっしゃいましたよ」とよく耳にします。私が親しくさせていただいている同社の協創推進営業部長の平瀬豪宏さんは、時間さえあれば、私とアート関係者とのミーティングに同席し、現場の様子をしっかりとメモしています。さまざまなアートイベントをサポートし、アート業界出身者も採用し始めたようですから、この路線で日本をリードしていくのでしょう。

　そして、私は三菱地所が世界とつながっていくことを切に希望します。三菱地所の物件に入る大企業のビジネスパーソンに「国際的視点でアート作品を購入してアーティストを育て、作品を飾る」スタイルを提案し、その結果、「丸の内の企業各社のオフィスには、価値あると推測できるアートが飾ってある」ことが評判になると、世界のビジネスパーソンが、世界のＭＩＴＳＵＢＩＳＨＩと言い始めるようになります。

●三井不動産

　三菱の拠点である丸の内に**三菱一号館美術館**（＊72）と**静嘉堂@丸の内**（**静嘉堂文庫美術館**）（＊73）があるように、三井グループの創業の地である日本橋の三井本館には、三井家が江戸時代から収集した素晴らしい美術品の数々を誇る**三井記念美術館**（＊74）があります。三菱地所に比べるとアート関連事業のイメージが薄い印象もある三井不動産ですが、淡々と進んでいます。

　例えば、障がいのあるアーティストの作品で街全体を美術館にするというユニークなコンセプトの「アートパラ深川」を２０２０年の開催初年度からスポンサードしています。三井不動産株式会社開発企画部の吉山太朗さんによると、「アーティストのためにも一般と同様の流通に乗せるべき」と主催者に相談し、開催2回目からは作品の販売がスタートしたそうです。そして、吉山さんご自身も気に入った作品を購入されたそうです。

２０２０年に竣工した渋谷のミヤシタパーク（MIYASHITA PARK）にはアートプラットフォームとしての新しいコンセプトを持ったギャラリーを誘致し、２０２２年5月には本拠地日本橋で、リアルとデジタルの場を活用したデジタルアートの展示と、一部の作品をＮＦＴ化して販売するプラットフォーム「クリエイター特区」を開設するなど、三井不動産においても着々とアートとの取り組みが進行しています。

「アートと街づくりの親和性を感じると同時に、最近の日本のアートブームに乗じることには危険な要素もあると感じています。デベロッパーとしては世界の事例や街づくりを現地で見ることが何よりも重要です。パリフォトを視察した際は、その会場の素晴らしさや、グローバルな大企業のアートフェアへの関わり方など、初めて知ることばかりでした。2回行きましたが、2回目でようやく見えてくることもありました」（吉山さん）。

今日のアートブームに先駆けて、早い時期から海外・国内のアートフェスティバルやアートの街をご自分で視察されている吉山さんとは、パリフォトを含めいくつかの海外アートフェア視察をご一緒しましたが、海外を見ている人の視点はどこか違います。おこがましい言い方ですが、みるみるうちにアートに詳しくなり、ますます熱く語られるようになられました。私にとっての、日本のビジネスパーソンのあるべき姿です。「〝次〟をゲットするには、インターネットや本の情報だけでは駄目。デベロッパーは現地で見てなんぼ、行ってなんぼです」と語り、それを実行する行動力は企業人のお手本だと思います。「三井不動産でも近年、アートに関する試みは少しずつ増えています。「地道に継続してアンテナを張りながら、今後の街づくりに反映させていきます」（吉山さん）。付け加えると、吉山さんは会社勤めの傍ら、某美大を卒業されたそうです。敬服です。

　三菱地所と三井不動産ではアートへの取り組み方が全く異なりますが、10年後のそれぞれの街づくりとそのテナント、オフィスの様相、そして両社への世界からの評価がどう変わっていくかが楽しみです。

●森ビル

　アートで街づくりといえば、六本木を現代アートの一大拠点にした森ビルです。六本木ヒルズの玄関口の一つ、66プラザでゲストを見下ろす**ルイーズ・ブルジョワ**（＊75）作の10メートルもの巨大なクモ《ママン》を含め、パブリックエリアに**森美術館**（＊76）の監修による世界的な六つの現代アート作品が日常風景に溶け込んでいますが、２００３年にできた時は、なんだこれは、と見上げたものでした。森ビルの2代目社長で森美術館創設者の森稔さん・佳子さん（森美術館理事長）ご夫妻の「アジアに誕生する六本木ヒルズという新しいコンセプトの超高層都市の中核ビルの最上階（53階）に巨大な現代美術館を創る」という構想は、準備段階では奇想天外なものだったといいます。[3]

２００３年の六本木ヒルズ誕生の４年後の２００７年には**国立新美術館**（＊77）、**サントリー美術館**（＊78）がともに開館し、続いて日本を代表する多くの現代アートギャラリーが集結した六本木は、すっかりアートの街になりました。森ビルが開発を手掛けて２０１７年に開業したGINZA SIXでも、オープン時には中央の吹き抜け空間に草間彌生を起用して商業空間を圧倒的なアートの力で彩りました。

現在の話題は２０２３年秋に開業の麻布台ヒルズですが、街の中心に広大な広場を据えオフィス、住宅、ホテル、インターナショナルスクール、商業施設、文化施設が融合するこの街には、お台場から「森ビル デジタルアート ミュージアム：チームラボ ボーダレス」の移転が決定していて、世界的なメガギャラリーが日本初出店するらしいという噂もささやかれています。都心に誕生する森ビルの新しい街にどのようなアートが実装されるのか楽しみです。

●東急

今、東京で最も大きく変貌を遂げつつある街といえば渋谷にほかなりません。東急の文化事業の拠点であるBunkamura（＊79）は、東急百貨店本店（2023年1月末に営業を終了）跡地の開発計画である渋谷アッパー・ウエスト・プロジェクト（Shibuya Upper West Project に伴い長期休館。オーチャードホールは営業。その他の施設の活動は東急グループ各施設などで継続中）として、2027年度にリテール、ホテル、レジデンスを有する複合施設に生まれ変わることが発表されています。ここで豊かな街づくりにつながるアート事業への取り組みを行っているのが、東急株式会社沿線生活創造事業部 エンターテインメント事業推進グループの寄本健さんです。寄本さんはエンタメ事業推進グループに所属すると同時に、渋谷における「アートによる街づくり」「アートエコシステムへの貢献」、そして渋谷アッパー・ウエスト・プロジェクトにおけるBunkamuraを含めた文化融合施策の立案・実施を担っています。

「Bunkamuraを含むアートや文化への取り組みの歴史、渋谷や沿線における影響力、長年培ってきた信頼性という東急の強みと、近年のアートの特性は親和性が高いと考えます。なぜ東急がアート事業を始めるのか。それは価値観が多様化する現代において、アートが時代に合ったコンテンツであり、投資効果が高く、さらにビギナーからコレクターである富裕層まで楽しめる裾野の広さにほかなりません」（寄本さん）。

渋谷という街の「エリアマネジメント」「エンタメ・文化施設」「ブランディング」をアートによって三位一体で豊かにするという、文化と商業が一体化したエコシステム作りに取り組む。そのために、アートの世界を知り尽くした寄本さんを中心にした東急のアート担当者は、海外を含めたさまざまな事例について、実際に足を運びながら学んでいます。アート事業を通して「見る」「買う」「売る」「学ぶ」「交流する」「育てる」ことの楽しさを広げ、さらに収益化する――渋谷で東急が目指すこの試みは、私が本書で繰り返してきた「企業戦略とアート」そのものです。

●戸田建設

丸の内、日本橋、六本木、渋谷……東京にアートを実装した街が続々と増えています。２０２２年11月に開催された「ART POWER KYOBASHI」の記者発表会に出席した私は、京橋もアートの街に変貌を遂げようとしていることを知りました。京橋でアートといえば、まず思い浮かぶのが２０２０年１月に開館した**アーティゾン美術館（＊80）**（旧ブリヂストン美術館）でしょうか。アーティゾン美術館のお隣に建設中の工事現場の仮囲に展示されたKYOBASHI ART WALLをご覧になった方もいらっしゃるかと思いますが、この地に２０２４年９月に竣工するのが戸田建設のTODA BUILDINGです。地上28階建の建物のうち、１階から６階までのほぼ全てが、ミュージアム、イベントホール、ギャラリーコンプレックス、アートショップやカフェなどの芸術文化エリアとして構成され、アーティゾン美術館の入るお隣のミュージアムタワー京橋と合わせて「京橋彩区」という街区名称のアートの拠点になるのです。

このプロジェクトの責任者である戸田建設株式会社戦略事業本部 京橋プロジェクト推進部部長の小林彩子さんは、戸田建設の生え抜き社員で、建設業の実務を担当されてきました。そして、７０００平米の面積要件であるこのプロジェクトが真っ白な状態だった２０１４年から担当となり、２０１８年にはアートバーゼル香港に赴き、ニューヨークではＭｏＭＡ、ホイットニー美術館、グッゲンハイム美術館などの著名美術館や現代アートギャラリーをめぐり、ブライアントパークでのエリアマネジメント、ハイラインといった公共空間におけるアートの取り組みを視察した経験をもとに試行錯誤を重ねたといいます。「現代アートへの支援と、戸田建設がこの地で長年育んできたものづくりを組み合わせた、『ART POWER KYOBASHI』の骨格がようやく出来上がったのは２０２０年です。一時的、暫定的な場所ではなく、アーティストが創作し、作品を発表し、それがきちんと評価・販売されていくエコシステムを作り、継続していきたいと考えています」（小林さん）。

誰でもアクセスできるエントランスやロビーにはパブリックアートが設置され、素敵なアートショップ・カフェがあるだけでなく、スクールプログラムも準備していることに私は感動さえ覚えました。東京駅八重洲口からもアクセスが良く、京橋駅、日本橋駅から至近距離にあるこのエリアは、戦前から古美術や工芸、絵画などの専門店が多数集積するアート拠点でもあるそうです。これらの古美術店やギャラリーに飲食店も合わせた「京橋・日本橋 骨董通りマップ」を作成されている小林さんのチームは、TODA BUILDING だけではなく、アートによるエリア全体の魅力アップを目指しています。

●寺田倉庫

週末になると近隣の品川の高層マンション群からだけでなく、感度が高くセンスのいい若い層であふれるのが、東京ベイサイドのアートエリアである天王洲です。天王洲に初めてアート関連のショップがオープンしたのは２０１５年、日本ブランドの希少な画材を取り揃えたショップ、ピグモントーキョーだったと記憶しています。ここは良質な素材を扱っているメーカーとアーティストをつなぎ、世界で通用する日本の若手作家の育成・サポートを行う拠点として寺田倉庫が立ち上げたものでした。

美術品をはじめとした貴重品の保管は、創業時から寺田倉庫の基幹事業でしたが、２０２０年にオープンした WHAT MUSEUM（＊81）は、寺田倉庫が作家やコレクターから預かる貴重なアート作品を公開する芸術文化発信施設であり、若手アーティストを支援するアートギャラリーWHAT CAFEもオープンしています。ギャラリーコンプレックスとしては都内最大級の寺田アートコンプレックスは、小山登美夫ギャラリーなど日本を代表する現代アートギャラリーが集積し、多数のアートコレクターが集い、語り合っています。新進アーティストの支援を目的とした「TERRADA ART AWARD」（＊82）を開催するなどの寺田倉庫の取り組みにより、アートタウンとしての天王洲の存在感は高まる一方です。10年以上前から天王洲に通っていた私としては、センスある若い人々がこんなに集まる街になるとは、信じられない思いです。

●大林組

第2章でもご紹介したように、アートニュースの世界のコレクター２００にランクインする株式会社大林組会長の大林剛郎さんは日本を代表するアートコレクターの一人ですが、大林さんが現代美術への関心を急速に高めた契機の一つが、１９９９年の大林組本社ビル移転に伴うアートプロジェクトだったといいます。これは建築空間と現代アートの融合を目指したもので、当時日本初と言われる本格的な企業のアートプロジェクトでした。大林さんの著書『都市は文化《アート》でよみがえる』（集英社新書）によると、建設会社で働く多くの設計者が日常的に現代美術に触れる機会を作ることで、アートに興味を持ち、設計者としての感性を磨くことにつなげてほしい、という大林さんの思いがあったと明かされています。

２０２３年１月に日本生命淀屋橋ビルに移転した、同社の大阪本店事務所も話題です。高層ビルの外構には巨大なパブリックアートが設置され、社員のみでなく来客も入館できる３階のカフェには日本の若手アーティストの作品が並び、さらに地下１階には、かつて「大阪大林ビル」の最上階にあったフレンチレストラン「ルポンドシエル」が移転しました。レストランの個室やワインセラー、オープンキッチンには、大阪を本拠地として活躍した**具体美術協会**（＊**83**）の作家らの作品が展示され、さらにレストランの中には企画展を行うギャラリースペースがあります。こんなレストランでアートが好きな方をおもてなししたら、きっと驚かれ、喜ばれるはずです。

前述の著書の中で、大林さんが書かれていた一節をご紹介します。「日本の経済人には、日本の建築家やデザイナー、アーティストといった優れた才能をもっと海外に紹介する義務があると思います。海外の美術館やアートピープルのコミュニティに積極的に参加し、今の日本の文化をアピールする。そうした活動にもっと多くの経済人が関心を持ってほしいと思います」

●東京建物

三菱地所や三井不動産グループの住宅部門のアートについての動きがそれほど目立たない中、東京建物株式会社はアートに積極的に取り組んでいました。Brillia Art というウェブサイトを見ると、質の高いアートプログラムが進行していることがわかります。しかし、住宅購入者の多くは、こうした素敵な東京建物の取り組みをご存知ないのかもしれません。

今回、あるきっかけで執行役員・住宅事業第一部長の大久保昌之さんと住宅事業企画部ＣＲＭ室長の鹿島康弘さんにお話を伺い、同社がアート事業を実に熱心に、そして大事に育てていることを初めて知りました。きちんと「アートを育む」ことを考えているのです。

同じ住宅事業本部の管轄下では、主に若手アーティスト等に活躍の場を提供する目的でBrillia ART AWARDを２０１８年から、Brillia Artのウェブサイトを２０２１年秋から、さらに同年には京橋にギャラリースペース Brillia Art Galleryを開設しています。同社がシンガポールの不動産会社 Hotel Properties Limitedと共同で開発を手掛け２０２４年に大阪・中之島に開業する「ONE DOJIMA」は、フォーシーズンズホテルとBrillia Tower 堂島が一体となった超高層複合タワーですが、ここでは「旅とアート」をコンセプトに、共用部分には**名和晃平**（＊84）の大型作品を含む50点もの作品が設置されるということです。

「事業の質を一層高めていきたいとの思いでアートと取り組んできましたが、アワードの実績が積み上がってきたことや、ギャラリーのオープン、その他イベント等の活動が増え始めて、少し手応えを感じてきました」と大久保さんは楽しそうに語ります。２０２３年から協賛を開始したアートフェア東京の会場では、エントランスにBrillia Artをセンス良くアピールするパネルが配置されていました。

ちなみに、企業のアートへの取り組みの本物度がわかる一つの指標が、オフィスにアートが存在しているかどうかです。アートを語り始めた企業でも、オフィスを訪れるとアートがないケースが多いのですが、東京建物のオフィスには、スペースにフィットしたアートがさりげなく存在していました。Brillia のＣＭを注意して見てください。「結構、悩んで作っているのですよ」と大久保さんが語ってくれたように、他社とは違って、価値がありそうなアートが背景に飾られています。

４・５　アートが街から住宅へ、オフィスへ、市民へ

住宅の世界にも新しい動きがあります。私は以前から「購入時にインテリアの家具や外構の庭木を提案する時にアート作品もおすすめすればいい。他の商品と異なり、買い増していくものだから、ずっと施主との関係が続きます」とお話ししてきましたが、現実は甘くないようです。住宅の営業担当がアートについて説明できない、選択できないというのです。その壁を見事に打破したのが、続いて紹介する積水ハウス株式会社です。

●積水ハウス

ハウスメーカーで家を建てることを検討する時、まず向かうのはモデルハウスというイメージを持っていましたが、東京・青山にある積水ハウスの「スムフム テラス（SUMUFUMU TERRACE）」は、たくさんのモデルハウスが立ち並ぶ郊外の住宅展示場とはちょっと違っていました。回廊型の空間はガラスと植物で仕切られ、マテリアルやアート作品が展示されているスタイリッシュな空間です。以前からお付き合いのあった積水ハウスの執行役員（コミュニケーションデザイン部長兼CXデザイン室長）の足立紀生さんには、何度もアート施策を提案してきた私ですが、しばらくお目にかからないうちに私の思考の一歩も二歩も先をゆく、住宅におけるアートプロジェクトを実現されていたのです。

それがスムフム テラス青山にも展示されている、アーティストを起用した「SEKISUI HOUSE meets ARTISTS」というプロジェクトです。設計士と一緒に家を作るように、アーティストとともにマイホームにふさわしいアートを作る。このプロジェクトはアート作品購入を単に提案するものではなく、マイホームのための特別なアート作品を活躍中のアーティストに創作依頼するという、まるでアートコレクターがアーティストにコミッションワークを依頼するかのような、とても贅沢な企画です。絵本作家の荒井良二さん、写真家の石川直樹さん、現代アートチームの目［mé］の3組の参加アーティストによるワークショップやトークショー、さらに東京藝術大学大学院の9人の藝大生たちによる住宅のためのアートピースの制作プロジェクトも、このスムフムテラスで開催されました。

2022年に実施して好評を博したこの企画は、青山だけでなく新宿、立川、池袋、錦糸町の五つの拠点に拡張し、作品や参加アーティストも更新されました。「アート作品を買っていただくのではなく、アートプロジェクトを購入する、アーティストとオーナー様が協働するという体験を提供できればと考えました。当初は戸惑いもあった営業チームも現在では手応えを掴み、自発的に勉強会を開いています」。コミュニケーションデザイン部CXデザイン室でこの事業を担うクリエイティブ・ディレクター河上聡さんと青木知華さんは語ります。〝「わが家」を世界一幸せな場所にする〟という積水ハウスのグローバルビジョンに見事に重なって動き始めた積水ハウスのアート施策に注目しています。

●コクヨ

オフィスやインテリア企業はアートと最も親和性の高い産業です。文房具、オフィス家具、オフィス空間デザインを手掛けるコクヨ株式会社は2021年、自社オフィスにアートを導入する取り組みを行いました。東京品川オフィスを全面リノベーションし、誰でも利用できるパブリックエリアとしても一部開放したTHE CAMPUS（ザ・キャンパス）です。「働く・学ぶ・

暮らす」実験場として位置づけられたこの場所で大きな存在感を放つのが、パブリックスペースからオフィスに至るさまざまな場所に点在する現代アート作品です。

THE CAMPUSのプロジェクトにコンセプト作りから携わり、アートの導入と活用全般も担当するコクヨ株式会社 経営企画本部クリエイティブ室の安永哲郎さんは、アートニュースジャパンのインタビューに対して「企業にとってアートの購入は、かつては投資的な意味合いが強かったと思うが、今は、企業の在り方や世の中に自分たちが伝えたいことを肩代わりするもの。アートは、社員同士の交流を促進し、社員の創造性を引き出すきっかけにもなっている[4]」と語っています。

現在、THE CAMPUSに展示されているアート作品は、純粋な現代アートと、街の人も触れられるパブリックアートの2種類あり、どこにどんな作品を置くかは、社員の創造性や対話を引き出すために社内のチームで考え抜いたといいます。「コクヨは、物や空間をデザインすることを長くやってきた会社です。人の創造性をどう刺激するか。それにはアートが有益だという一定の認識が、企業文化として共有されています。だから、有名作家のいくらの作品を入れようというレベルの話は最初からなかった。自分たちのコンセプトやアイデアを具現化するためにアートはどうあるべきか、自分たちがプライドを持って働くためのアートとは、自分たちがワクワクするオフィスとは……。そんなことを考えながら、この場にふさわしいアートを選んでいきました」（アートニュースジャパンより、安永さん談）。

企業でアートコレクションを所有することは珍しいことではありませんが、社員自らがギャラリーを回りアート作品を選び、オフィス空間やパブリックスペースで活用するケースは稀でしょう。この空間が社員の創造性を育てることに貢献することはもちろん、対外的にも素晴らしいショールームとなってビジネスチャンスや企業価値を高めていることは間違いないでしょう。

●カッシーナ・イクスシー

ハイエンドなインテリアブランドの顧客層においては、自宅に飾るアート作品は美意識や個性を表現する手段の一つです。イタリア・カッシーナ社の代理店で独自ブランド「イクスシー」を展開する株式会社カッシーナ・イクスシーは、２０１６年にインテリア業界で初めて店舗内にアートギャラリーをオープンしました。この青山本店２階のギャラリー「デラルテ（DELL'ARTE）」には常時２００点程度の作品がストックされ、提携のギャラリストと社内の担当者の企画によるさまざまなテーマの展覧会が開催されています。取り扱う作品の大前提は「モダンなインテリア空間に合うこと」。価格帯は数万円から数千万円で、店頭のストックからの購入だけでなく、作家にコミッションワークの依頼もできるそうです。

マーケティング室　広報・PR担当の南野浄香さんによると、コロナ禍を経てますますアートへの需要が高まり、2022年のアート作品の売上は過去最高を記録しました。全販路におけるアート全体の売上は、2014年と比較して2・3倍になり、特に以前から好評を得ていたコレクション「アルテ アネッロ（ARTE ANELLO）」の作品を額装して販売するECは好調を博しているようです。住宅だけではなく企業のオフィスや公共スペースへ、インテリアと合わせたアート提案という事業モデルの需要は、今後さらに高まるでしょう。

●アルフレックス

2017年にアート活動の一環として「LIFE with ART project」を立ち上げたのは、日本におけるハイエンドファニチャーの草分けであるアルフレックス・ジャパンです。同社マーケティング部 広報・PR高下菜摘さんは「アートの提案・販売を行っているのはそれ以前、創業当時から変わらないものです。心に響く作品と出会い、生活空間に取り入れることで、日々に小さな喜びが生まれる。弊社ではアートも家具同様、お客様の暮らしを豊かにする欠かせない要素の一つだと考えています」と語ります。

アートのキュレーション業務を行うノイエ キュレーション&クリエイション（noie.cc）とともに、直営店で展開している「LIFE with ART project」では、アートを飾る楽しみを身近に味わうためのイベントや個展が開催され、お客様と画家、写真家、彫刻家、陶芸家などさまざまなジャンルの作家や作品との出会いの場となっています。「インテリア空間の中に飾られた作品は、ギャラリーのホワイトキューブの中に飾られているものとは、また異なる見え方をすることがあります。個展やイベントを行っていない時も、リビングやダイニング、ベッドルームなどそれぞれのお部屋で、実際にそこに住まう方がアートを飾るよう設《しつら》えていますので、ご自宅にアートを飾ることをイメージしていただきやすいと思います」（高下さん）。

アルフレックスでは、アートや照明などを含む家具以外の売上は１割強とのことですが、アートに関心を持つ来店者は年々増えているということでした。「コロナ禍で一部見送られていた個展やイベントが再開されたこともあり、家具とともにアート作品への関心も順調に増えています」（高下さん）。

●三越伊勢丹

百貨店で「美術作品販売」といえば、草分けは「三越美術部」です。株式会社三越伊勢丹美術営業部長の上野憲一郎さんにお話を伺いました。上野さんは長年にわたり三越美術部に所属し、日本橋三越に加え、２０１９年の組織改正後は新宿伊勢丹も担当しています。三越美術部については、日本の富裕層をアートに呼び込んできた実績と同時に、取引条件の厳しさも指摘されていますが、企業として「美術作品販売」分野での草分け的道程と、上野さん個人の「思いと試行錯誤」を聞くと、その使命感に感動します。

お話は三越百貨店の創業以前に遡りました。欧米を視察した合名会社三井呉服店の理事である高橋義雄氏は、アメリカのデパートで欧米の芸術文化を紹介していることに感銘を受け、帰国後「芸術文化を紹介しよう」との方針を出したそうです。ここで上野さんが強調したのが、「デパートとして西洋文化を紹介するだけでなく、自国の文化を守り、その象徴でもある芸術作品を紹介し販売しよう」という高橋氏の方針でした。その後、その考えが１９０４年のデパートメントストア宣言や１９０７年の美術部に結実します。

高品質な紙で作られた２１０ページにもおよぶ「三越美術部１００年史」を見ると、「新美術部スタート」「美術界のリーダーを目指して」「戦後美術界の復興を担って」「美術のグローバル化」「成熟社会への情報発信」「これからの三越美術部」——といった章立てが並びます。

２０２０年３月、その三越美術部がコロナ禍のさなか、現代アートに進出しました。私もリアルタイムで目撃していますが、三越本店には確実に新しい顧客層が生まれました。２０２２年には、伊勢丹のメンズ館1階でもその試み（イベントのテーマとして現代アートを販売したことはある）がスタートしました。企画内容からＳＮＳ等の告知手法まで試行錯誤が続くそうですが、上野さんはまさに「挑戦」しています。

話題は宗教とアートとの関係にもおよびました。「キリスト教とアートが関係しているように、寺や神社だけが保有している日本の伝統作品を、相応の空間でパーマネントに保有すべきだ」（上野さん）。この本には直接関係ない話ですが、あまりに安易にアートへ参入する企業が多い中、とても新鮮なお話でした。また、私自身もう少し、日本美術についても考えねばならないと思いました。

「現代アートが後世に残るためには、批評や評論が必要です。そして、海外に目を向けなければなりません」と語る上野さんは、海外のアートフェアなど、もちろん世界を見ていらっしゃいます。耳にタコができるほど繰り返しますが、世界を見ているかどうか――これが前提です。

●大丸松坂屋

アートで新たなチャレンジをしているデパートは三越伊勢丹だけではありません。日経ＭＪの一面にも紹介されたように、百貨店＝日本美術の枠を破って、各社が現代アートで新しいチャレンジをしています。

そんな中、現代アートに特化したアートメディア「アートヴィラ（ARToVILLA）」をローンチしたのが株式会社大丸松坂屋百貨店です。アート作品をまだ購入したことのない新たな若い顧客の獲得を目指すこのウェブサイトの運営を担当するのは、既存の大丸松坂屋百貨店美術部ではなく、経営企画本部DX推進部 デジタル事業開発部の村田俊介さん、同・樋口悦子さんら4人の社員で、デザイン、企画、編集メンバーとして外部のスタッフが加わっています。「美術館でアートを見るだけでなく、アートと気軽に触れ合える場所を増やすためにこの事業を立ち上げました。アート購入層を富裕層から広げることが目的です」（村田さん）。

アートヴィラはオンラインコンテンツだけでなく、オフラインでもさまざまなイベントを展開しています。お気に入りの音楽を部屋で流すように、日々好きなものに触れるようにアートと暮らす生活を提案するビギナー向けのイベントや、アメリカのアートコレクターの夫婦が主人公の映画『ハーブ&ドロシー』の鑑賞会など、アートを「買う」だけではなく、そこから始まる豊かな生活の提案があります。「他社とは違った大丸松坂屋百貨店独自のアプローチでアート施策を展開していきます」（村田さん）。等身大のアートコミュニティがここから芽吹きつつあります。

●ファーストリテイリング

ファッションという産業がアートと隣り合わせであることは、膨大なコストをアートにつぎ込んでいる海外のブランド企業をご紹介した第2章で触れた通りです。多くの日本企業には参考になりにくいので触れるつもりはなかったのですが、ファッション関連で他にもいくつかご

図表４-１：ユニクロがパートナーシップを結ぶ世界の美術館

2013年５月〜	ニューヨーク近代美術館（アメリカ、ニューヨーク）
2016年３月〜	テート・モダン（イギリス、ロンドン）
2017年９月〜	ボストン美術館（アメリカ、ボストン）
2018年３月〜	バルセロナ現代美術館（スペイン、バルセロナ）
2021年２月〜	ルーヴル美術館（フランス、パリ）

紹介しておきたい企業があります。

株式会社ファーストリテイリング代表取締役会長兼社長の柳井正さんが日本を代表するアートコレクターであることは既に述べましたが、ユニクロが世界的な美術館とパートナーシップを結んで入館無料プログラムやイベントを企画していることはご存知でしょうか。２０２２年２月時点で、世界的な五つの美術館と提携しています（図表４-１）。

これは、より多くの人がアートに触れ、理解を深める機会の提供を目的にしたプロジェクトですが、ユニクロの店頭でアーティストや美術館所蔵作品とのコラボレーション商品が販売されているのをご覧になった（購入した）方もいるでしょう。ユニクロは２０１３年から約10年にわたって締結していたＭｏＭＡとのパートナーシップも更新しました。発表されたリリースによると、過去10年のパートナーシップにより、ユニクロが提供する入館無料プログラムを通じて約３００万人もの人がＭｏＭＡを訪れたということです。この取り組みはさらに強化され、ニューヨーク市居住者を対象にした毎月１回ＭｏＭＡの入館料が無料になるプログラム「UNIQLO NYC ナイト」が開催されています。ＭｏＭＡのロゴがプリントされたゴッホの〈星降る夜に（1889）〉やモネの〈睡蓮（1914-26）〉のＴシャツをユニクロで買った人はいませんか？　それがＭｏＭＡとのパートナーシップで実現したユニクロの「MoMA Art Icons」です。

ファーストリテイリングプレジデントオブグローバルクリエイティブのジョン・ジェイ氏のコメントを紹介しましょう。「今回のパートナーシップの更新によって、ユニクロとＭｏＭＡは引き続き、心を動かすアートの力を人々に届けていきます。ＭｏＭＡは私たちの長年のパートナーであり、ともに成し遂げてきた成果を誇りに思います。アーティストとその作品がもたらすインスピレーションが、日々の生活や人間性、社会の成長において、これほどまでに重要となった時代はありませんでした。偏見のない心と互いへの思いやりが、社会全体にとって最優先課題となった今日、私たちが世界をより大きな視点で捉え、感じる上で、ＭｏＭＡが果たす役割は特に重要となってきています[5]」

●ＴＳＩホールディングス

世界のラグジュアリーブランドやユニクロほどの規模感はないものの、日本のファッション企業でもアートへのチャレンジが始まっています。アパレル大手のＴＳＩホールディングスが展開するブランド「ヒューエルミュージアム（hueLe Museum）」は、ファッション、フラワー、アートをコンセプトにしたファッションキュレーションECサイトですが、GINZA SIXに展開する店舗では、若手作家のアート作品やアートにまつわる書籍などを展示し、ファッションアイテムと同程度の求めやすい価格で販売する他、アーティストがショップに立つという試みもされています。

●千《ち》總《そう》

日本各地で開催されるアートフェアでもファッション企業のアートへのチャレンジを目にする機会が増えてきました。２０２２年のアーティストフェア京都にサテライト会場として参加していたのが、この年からオープンした千總ギャラリーのギャラリー２でした（２０２３年も参加）。ここでは現代作家の作品が、千總のキュレーションによって展示されています。千總は京友禅の老舗ですが、その背景には京都で長年にわたり芸術家のパトロンとして芸術を支え、生み出してきた歴史があります。千總の伝統的な所蔵品を展示するギャラリー１と、現代の作家の作品を扱うギャラリー２では、同一のコンセプトをもとにした展覧会が企画開催され、ギャラリー２の現代作品は販売もされています。

●ビームス

２０２３年２月に東京・科学技術館で開催されたアートフェア「EASTEAST_TOKYO 2023」で知ったのが、ビームスのアート&カルチャープロジェクト「ビームス カルチャート(BEAMS CULTUART)」でした。株式会社ビームスクリエイティブ ビジネスプロデュース部のプロデューサー佐藤尊彦さんによると、ビームス カルチャートは２０２２年12月にスタートしたプロジェクトで、これまでビームスが発信してきたファッションはもとより、音楽、インテリア、アートなどの文化領域のリソースを活用して新たなアートの新規事業を開拓していくということです。

●ＪＩＮＳ

ファッションの流れで紹介したいのが、アイウエアブランドのＪＩＮＳです。ジンズホールディングスの田中仁代表取締役ＣＥＯは、美術館だけではなくアートフェアなどの世界のアートシーンを見ていて、出身地である前橋をアートの力で蘇らせようとしています。２０２２年にスタートしたオウンドメディア「JINS PARK」の連載には、「美術館の中で働く」をコンセプトに掲げる新オフィス計画の紆余曲折についても掲載されていました。ＪＩＮＳにはこれまでにも建築家、デザイナー、アーティストとコラボレーションしたメガネが登場していましたが、ここからアートへの傾斜が増えると推察しています。ＪＩＮＳについては、第6章でもう少し詳しくご紹介します。

●メルセデス・ベンツ

　続いては自動車です。アウディの取り組みは第3章でご紹介しました。また、既にお伝えしたように世界の主要アートフェアを積極的にサポートしているＢＭＷは、アートコレクターを照準に入れた方針が明白です。日本のＢＭＷもアート関連のイベントによく出展していますが、コレクターというよりは「イメージとしてのアート」重視という印象を私は持っています。

　さて、１９７７年に設立された「メルセデス・ベンツ アート コレクション（Mercedes-Benz Art Collection）」はヨーロッパで最も重要な企業コレクションの一つとして国際的な評価を得ています。日本におけるアートへの取り組みについて、メルセデス・ベンツ日本代表取締役社長兼ＣＥＯの上野金太郎さんにお話を伺いました。

「１９９１年に日本のアーティストを支援するための『メルセデス・ベンツ日本／ガスコーニュ・ジャパニーズ・アート・スカラシップ』を創設しました。アーティスト・イン・レジデンス、および派遣先での展覧会の機会を提供し、帰国後には東京でその成果を発表する展覧会を実施するというものです。これが現在の『メルセデス・ベンツ アート・スコープ』の始まりとなり、30年以上にわたり継続しています。メルセデス・ベンツにおけるアートの支援は、本国では文化と教育に対するメルセデス・ベンツの幅広い社会的取り組みの一環として、日本では若手アーティストの育成と日欧文化の交流を目的とした取り組みとして実施しています」（上野さん）。

原美術館をパートナーに17年間続く「メルセデス・ベンツアート・スコープ」は、新たなフェーズを迎えています。「２０２２年に始まった新プログラムでは、日独間でアーティストを相互に派遣・招聘し、異文化での生活体験、創作活動をするアーティスト・イン・レジデンスプログラムを主軸に、次世代アーティストの育成にいっそう寄与したいと考えています。多摩美術大学と提携し、プログラムに参加するアーティストの経験をワークショップで学生に伝え、相互交流により生み出された作品をウェブで発信します」。

２００１年に企業広報の責任者としてメルセデス・ベンツ アート・スコープ プログラムに関わったことが、上野さんご自身がアートに興味を持つきっかけとなったそうです。「金銭的な支援をするということだけではなく、実際に現地を訪れ、アーティストがどのような活動をしているのかをこの目で見て、聞いて、体験することで、プログラムをより良いものにするためにいっそう思考を巡らせるきっかけになりました」。上野さんがアーティストにインタビューするたいへん興味深い動画「メルセデス・ベンツアート・スコープ」[6]も公開されています。

メルセデス・ベンツ　アート・スコープの企画やレジデンスプログラムの協力先である**ＮＰＯ法人アーツイニシアティヴトウキョウ**（**ＡＩＴ**）（＊85）を通じて、最前線の情報を取り入れながらアーティストにとって最良のプログラムになることに注力されている上野さんが、何よりも大切にしているのは「継続」と語ります。地道なアーティスト支援の継続は、ブランドイメージを高めることに貢献していると思います。

４・６　広がるアートへのチャレンジ

●ＤＮＰアートコミュニケーションズ

２０１１年、私が属していたアマナでは「アートをビジネスに」との命題のもと、雑誌ＩＭＡをキーにして世界を視野に入れたアートフォトコレクション、アーティスト育成、イベントを始めました。その当時、日本企業がほとんど会ってくれない中で、認識を共有してよくお会いしていたのが、大日本印刷グループでアート事業を推進するべく２００８年に設立された株式会社ＤＮＰアートコミュニケーションズです。

同社のウェブサイトを開くと、「アートとビジネスがつながれば、世界はもっとわくわくできる。」というキャッチコピーが飛び込んできます。同社では、国内外の膨大な美術作品の画像をデータベース化して貸し出すイメージアーカイブ事業（ルーヴル美術館、オルセー美術館、大英博物館、テート美術館、東京国立博物館などの名だたる美術館が含まれます）、企業や美術館への美術作品を用いた企画コーディネートなどのアートプランニング事業、さらにデジタルコンテンツの制作事業などを展開しています。

今回、改めて取締役執行役員コンサルティング営業部部長の篠田秀美さんにお話を伺い、ＤＮＰグループがどこよりも先駆けてアート事業に取り組んできたことに驚きました。１９８６年、銀座に「ギンザ・グラフィック・ギャラリー」を設立し、１９９５年には美術館、博物館、ギャラリーの展覧会情報を紹介するウェブマガジン「アートスケープ（artscape）」を創刊（もちろんアートスケープの存在は以前から知っていましたが、こんなに早いとは）するなどしています。

また現在は、「見る」「考える」「話す」ことで美術鑑賞の楽しさを深める、内省的思考による美術鑑賞「Art Reflection method ワークショップ」の普及に取り組んでおり、既に着実な開催実績を重ねているそうです。自社が醸成した豊かなリソースを使用する事業展開は、アートビジネスを検討し始めた企業への確かなヒントになると思います。

●カルチュア・コンビニエンス・クラブ

ブランディングや社会貢献といった目的ではなく、初期段階からアート＝ビジネスとして取り組んできた企業がカルチュア・コンビニエンス・クラブ株式会社です。ＣＣＣアートラボ事業本部の責任者で、株式会社美術出版社代表取締役社長の山下和樹さんは、２０１５年に創業者の増田宗昭さんが「２０１７年にオープンする銀座 蔦屋書店のテーマは『アート』だ」と宣言したことを受け、その責任者を務めることになりました。するとそれまでの本や映画、音楽が中心の生活から見事にアートに魅せられ、プライベートでも自宅に飾ったアート作品を眺めては刺激を受けることが日常になったと語る山下さんは、アートを日本人のライフスタイルの中に普及することに本気で邁進する意欲にあふれています。今では素晴らしいアート販売空間に見える銀座の蔦屋書店も、試行錯誤の連続だったのです。「本による提案」から「作品を売る」へ、「個展」中心から「コンセプト中心の展示販売」へ、そして今はアジアでの展開の再開も考えています。

少し遡ると、ＣＣＣは２０１５年に『美術手帖』を出版する美術出版社、京都の出版社光村推古書院、美術館などでミュージアムショップを展開するナディッフ（NADiff）をグループ会社化し、２０１７年にはウェブ版「美術手帖」をスタート。ＣＣＣグループのアートへの取り組みは「情報」から「販売」、全国津々浦々に存在する拠点まで、他とは異なる総合性を備えています。

２０２３年秋には、京都・四条河原町の「京都髙島屋Ｓ．Ｃ．」内に髙島屋、東神開発株式会社とCCCが設立したTTC LIFESTYLE株式会社による「京都 蔦屋書店」がオープンします。ここではアートと消費者を結びつける新しい展開を見ることができるでしょう。「歴史に裏打ちされた伝統とカッティングエッジなカルチャーが共振し、その価値をさらに高め合うような場を目指します」。山下さんはこの会社の代表取締役社長に就任しました。

「私自身がアートに接することで、人生がより楽しくなりました。子どもたちが、アートに関わる仕事につきたいと言い出す社会にしたいですね」。そんな夢を締めに語る山下さんは、本気です。

●ソニー・ミュージックエンタテインメント

エンタテイメント企業が、個性ある形でアートシーンに参入するという新しい動きもあります。進行中の案件が多いようですが、さすが音楽の世界だけあって、「気楽に」「楽しく」「国境を越えた」動きを感じます。例えば、株式会社ソニー・ミュージックエンタテインメント。京セラ美術館の「アンディ・ウォーホル」展では、企画発案者として単なる展示にとどまらない複合的な仕掛けを展開することで、ビジネスの領域を広げることに取り組みました。そして、既に発表されている戸田建設の京橋のアートプロジェクトでは身近なポップカルチャーまでテーマとして取り上げるという趣旨のもと、アートミュージアム部門を担うなど、今後もさまざまな動きがあります。また、多くの企業との連携を常に模索し、クリエイターの支援にも力を入れていくようです。注目すべきは、「アンディ・ウォーホル」展からもわかるように、正統派の現代アートも守備範囲にしているところです。

●エイベックス

ここ数年アート事業に取り組んでいるエイベックスは、その展開をさらに加速しています。エイベックス・クリエイター・エージェンシー株式会社とエイベックス・エンタテインメント株式会社は、２０２３年３月に天王洲の寺田倉庫で、『ミート・ユア・アートフェア２０２３リ・ファクトリー』を共同開催しました。これは前年に恵比寿で開催したアートフェス形式のスタイルから完全に方向転換した、音楽とアートの領域を横断するアートフェアです。会場には、他のアートフェアとはちょっと雰囲気の違う、センスある若者たちが集っていました。一方でＡＣＡが企画・運営するアート事業「MEET YOUR ART」は、現代アート専門チャンネルとして日本最大級のチャンネル登録者数を持つユーチューブ番組も運営していて、この番組ではインタビュー形式で寺田倉庫や積水ハウスといった企業におけるアート事業も紹介されています。

●吉本興業

同じエンタメ企業では、吉本興業が先んじてアートにリスクをかけて取り組んでいます。アート事業部を立ち上げていて、その中核となるWEB上のアートプラットフォームのタイトルは「ラフ&ピースアート(LAUGH & PEACE ART)」。沖縄や北海道で開催される地方のアートイベントに本格的に関与し、アーティストの作品、グッズをECで販売するほか、芸人アーティストを独自の道で育成しています。しかし、強烈な企業イメージのせいか、まだ独自の道を脱し切れないのが現状のようです。吉本興業という名前を活用してこの路線をひた走るのか、あるいは別ブランドを作ってでも、アートマーケットに近づくのか。まもなく次の活動に移ることでしょう。いずれにしても、隣接する親しみやすい文化の世界にいる企業が全く異なる手法でアートの世界に近づいていることを、たいへん楽しみに思います。

●ザ・チェーンミュージアム

アートを扱うテレビ番組は美術館巡りや美術展の紹介のようにアートを「見る」ものばかりで、アートを「買う」視点に近い番組はテレビ東京の『開運!なんでも鑑定団』くらいしかありませんでした。それがこのところ、BSや地上波でも「買う」視点に根ざす番組を時々見るようになりました。ただ、先にお伝えした明石家さんまの番組と同様、「世界視点」「憧れのライフスタイル」とは無縁なのが気になります。

そんな中、ＴＢＳで『ＬＩＦＥ×ＡＲＴ～アートのある人生を～』という小さな番組が始まりました。そのＴＢＳの関連会社が、アート事業会社に出資しているのをご存知でしょうか。

アートに少しでも関心のある方であれば、「アートスティッカー（ArtSticker）」というアートプラットフォームを目にする機会が増えてきたかと思います。こちらを運営する株式会社ザ・チェーンミュージアム（The Chain Museum）は、スープストック東京の創業でも知られる遠山正道さんが２０１８年に設立された、ビジネスパーソンでありアートコレクターであり、アーティストでもある遠山さんの思いが込められた事業です。株式会社パーティー、住友商事株式会社、凸版印刷株式会社、ＫＤＤＩオープンイノベーションファンド（KDDI Open Innovation Fund）各社が株主として出資し、２０２２年にＴＢＳイノベーションパートナーズが参加。資本金は合計５億５０００万円になりました。アートスティッカーは２０２４年秋までに都内エリアに３つのアートギャラリーを発表しており、目が離せません。

●ＫＤＤＩ

ザ・チェーンミュージアムの出資企業の一つであるＫＤＤＩは、かなり前からアートに注目していました。それも、事業創造本部Ｗｅｂ３推進部、サービス統括本部教育事業推進部、Ｋ

ＤＤＩ総合研究所シンクタンク部門三つのセクションがそれぞれ自由にアート施策に取り組んでいます。

ＫＤＤＩに関してさらに驚いたのは、その早さです。２００９年には草間彌生の携帯電話を発売、２０１０年には、当時まだブレイク前夜だった名和晃平コンセプトモデルを発表。２０２０年２月には既にau Design project「アーツ＆カルチャー プログラム（ARTS & CULTURE PROGRAM）」を開始し、５ＧやＡＲを使った文化芸術体験をアップデートしています。ザ・チェーンミュージアムには２０２０年11月にＫＤＤＩオープンイノベーションファンドから出資することになったそうです。Ｗｅｂ３推進部の砂原哲さんの言葉を借りると、「ＫＤＤＩとしてご一緒させていただくことで、アートの世界に新しい風を吹かせることができるのではないか」ということでした。

今回お会いしたＫＤＤＩ総合研究所の沖賢太郎さんは同社のウェブサイトで「なぜ金沢21世紀美術館は国内トップクラスの集客力があるのか～美術館の定石の逆を攻めて大成功」「アートとＡＩ～ＡＩはアーティストにとって脅威にはならない」など、さまざまな興味深いレポートを発表しています。[78] 競争が激しいゆえではあるものの、こうした「決定し実行できる余裕」のある企業は、今の日本にとってはたいへん貴重だと思います。沖さん自身のレポートもとても貴重であり、私は今後も、このサイトをチェックしようと思っています。

●東京エレクトロン

語りつくすには紙幅が足りませんが、生産財企業でもアートに取り組んでいる企業があります。日本を代表する半導体製造装置メーカー、東京エレクトロン株式会社です。同社は売上２兆円の世界を股にかける企業としてビジネスの世界では有名ですが、やはり世界を視野に入れるにはアートが必要なのではないでしょうか。本社社員食堂で若手アーティストに作品発表の場を提供するプロジェクトは、アートとテクノロジーが融合する作品やその作家支援を目的としたものです。海外拠点においてもロビーをギャラリー化するなどの試みがありました。[9] アートをビジネスに生かして成功することは世界における必須科目だと考えたのかもしれません。

このように、さまざまな企業がさまざまな形で、アートをビジネスのカードとして捉え、アートマーケットに参入しています。各企業が、何を目指して出資しているのかはそれぞれですが、いずれにしてもアートが残された魅力的なマーケットであると認識されている象徴だと考えます。

この原稿を書いている今も、次々に新しい情報が入ってきています。３月には川崎重工業株式会社が東京・上野の国立西洋美術館とオフィシャルパートナー契約を締結したという発表もありました。国立西洋美術館は、１９５９年にフランス政府から寄贈返還された印象派の絵画やロダンの彫刻を含む「松方コレクション」の保存・公開を目的に設立された美術館ですが、この「松方コレクション」を収集した人物が川崎造船所（現・川崎重工）の初代社長・松方幸次郎です。今回のオフィシャルパートナーシップは包括的なもので、毎月第２日曜日の所蔵作品の無料観覧日の実施も含まれます。

一方、今回は取り上げられませんでしたが、従来からアートに可能性を求めて活動している企業もあります。例えばブリヂストン、出光、資生堂、ポーラ、ベネッセ、マネックス証券、ＳＭＢＣ信託銀行、日産自動車、トヨタ自動車、ＤＩＣ、リクルート、全日空、日本空港ビルデングなどなど、アートへの取り組みの事例はいくつもあります。そこから気づくことは、「アート事業に失敗し、撤退した企業はない」ということです。そして、やはり私がひっかかるのは、世界性を意識した企業が少ないことです。

近年の日本のアートマーケットについて「そう悲観的ではない」と語るのは、株式会社サザビーズジャパン代表取締役会長兼社長の石坂泰章さんです。世界で最も歴史のあるオークション会社であり約50の分野のオークションを持つサザビーズですが、サザビーズジャパンはそのうち印象派・近代美術、コンテンポラリーアート、中国美術、日本美術、ジュエリー、時計を主に取り扱っており、世界中のオークションやプライベートセールに作品を出品（販売）、あるいは落札（購入）する顧客に向けたサービスを展開しています。

石坂さんによると、２０２２年４月にサザビーズ香港で開催されたモダンイブニングセールではピカソの《ドラ・マール》が２１６０万ドル（約28億円）で、同年５月のサザビーズ ニューヨークで開催された**マックロウ・コレクションセール**（＊86）ではウォーホルの《セルフポートレート》が１８７０万ドル（約24億円）で、日本人コレクターに落札されました。ここ数年は購入だけでなく出品も含め、日本でも大きな取引が増えているといいます。

サザビーズジャパンの約6割が落札、4～5割が入札のお客様で、企業のオーナー、医師などさまざまな方々から、個人として売買の相談を受けるケースが多いとのことです。日本企業のアートの事業化についてアドバイスをお願いしたところ、石坂さんは次のように語りました。

「継続性が重要です。社長が交代しても、事業として継続すること。そのためには目的意識を明確にすることが求められます。そして企業である以上、一番大事なことは経済性。会社にどのようなリターンがあるのか、それを皆で認識し共有することです。ただ、リターンは必ずしも金銭的なものでなくてもいいのではないでしょうか。コーポレートアイデンティティとして取り組むという価値観もあると思います。まずは、目標をはっきりさせることです。社会への貢献のためなのか、宣伝のためなのか。方法もさまざまで、展覧会に協賛することや、ユニクロのように特定の曜日の美術館の入場料を負担するという方法もあります」。

企業コレクションについては、「例えば老舗企業が、これから新しいことにチャレンジするメッセージとして、現代アートをコレクションするのも企業の姿勢を示すアピールになりますね。いずれにしてもトップがアートの本質をわからないと、ただの装飾になってしまいます」とのことでした。

今回、石坂さんからお話を伺った中で最も印象に残ったのは、企業の中の人材を育てるよりも、外からプロフェッショナルを入れた方が良い場合もある、ということでした。「アートもビジネスも両方ともわかる人がいなければ、海外から連れてくることもできます。アートがわかる、というのは必ずしも大学の先生のようにアカデミックな知識を持ち、学芸員のように作品の展示・収集に長《た》けているという意味ではありません。企業の目的によって人材が異なるので、その目的に合った専門家に入ってもらう。担当者が専門家になる必要はなく、必要な専門家を入れる。目的を持って企業のトップがプロに依頼し、ふさわしいアドバイザーを選ぶことです。例えば、ＭｏＭＡのような組織にアドバイザーを依頼することもできるのではないでしょうか。企業人にすすめることは、正しい人を雇うための判断基準を持つこと、そして雇った専門家を使いこなすことです」。

兼ねてから私は「外から専門家を連れてくるのではなく、社内で人材を育てる」ことを主張してきました。石坂さんに伺ったお話はそれと矛盾するようですが、それは違います。石坂さんの締めの言葉「雇った専門家を使いこなす」人材は、今の日本においては「社員」または「社の事業に責任を持つ人」でなければならないと思います。そして残念ながら現在ほとんどの日本の企業に、アート事業について「外部の話を判断し決定する」力はありません。

本章では日本企業の新しい動きとチャレンジをご紹介してきました。これだけたくさんの動きと、世界の動きに気づき始めた人々を結びつける決定的なメディアの不在。これは、メディア出身の私のミッションです。まずはこの書籍がその役割の一端を担うことを願っています。

＊68 アート・レヴュー（Art Review）　１９４９年イギリスで創刊された、国際的な現代美術雑誌。専門家と一般読者を対象とし、現代アートと文化全般の相互作用の在り方を探っている。年次特集の「Power100」と「FutureGreat」を含む、年10回刊行。２０１３年には姉妹誌「ArtReview Asia」が創刊された。

＊69 オークショニア　オークションを開催し進行を務める仕事、日本語では競売人と呼ばれる。オークションにふさわしい物品の収集、正確な評価と落札予想価格の決定や入札者の募集等、高度な専門的知識だけでなく、相場予想と広いコネクション能力が必要とされる。

＊70 文化庁アートプラットフォーム事業　日本の現代アートのグローバルな発信力強化と理解促進を目標に、２０１８年から5カ年計画で推進される、国際的な情報発信とネットワーク構築のための文化庁による基盤整備事業。

＊71　イエローコーナー（YELLOWKORNER）　２００６年パリで創業したアートフォト専門店。世界１００カ所にギャラリーを持ち、日本では株式会社イエローコーナージャパンが東京を中心に直営店を運営。１００ユーロ以下という手ごろな価格でアートフォトが買えるというコンセプトのもと、若手から著名写真家まで幅広いラインアップ、さまざまなサイズや額装等を備えた豊富な作品展開によって、アートを身近な存在にしている。

＊72　三菱一号館美術館　２０１０年に東京・丸の内に開館した美術館で、運営は三菱地所株式会社が行う。赤煉瓦作りの建物は、イギリス人建築家ジョサイア・コンドルによって設計され、１８９４年に三菱が建設した旧三菱一号館を２００９年に復元したもの。建物と同時代の19世紀末西洋美術を中心に、アンリ・ド・トゥールーズ＝ロートレック、オディロン・ルドン、フェリックス・ヴァロットンの作品等を収蔵する。

＊73　静嘉堂@丸の内（静嘉堂文庫美術館）　静嘉堂文庫は、１８９２年に岩崎彌太郎の弟で三菱第二代社長の岩崎彌之助によって創設された後にその息子小彌太によって拡張された、父子二代による国宝や重要文化財を含むプライベートコレクション。創設１３０周年の２０２２年、岩崎彌之助が美術館建設を願っていた東京丸の内にある重要文化財・明治生命館１階にて新たな展示活動を開始した。

＊74　三井記念美術館　約３５０年の歴史を持つ三井家が江戸時代から収集した、日本と東洋の美術工芸品約４０００点等の収蔵作品を中心に展示する美術館。東京都中野区にあった「三井文庫別館」を日本橋に移転し、「三井記念美術館」と改称して、２００５年に開館した。昭和初期の日本を代表する洋風建築として知られ、国の重要文化財に指定されている三井本館内に所在する。

＊75　ルイーズ・ブルジョワ　１９１１年フランス・パリ出身。１９３８年にアメリカ人の美術史家との結婚に

よりニューヨークに移住し、生涯現役で創作活動を展開。１９８２年、72歳の時にニューヨーク近代美術館での個展が再評価の契機となった。《ママン》にはバージョンがあり、ニューヨークのグッゲンハイム美術館、ロンドンのテート・モダン、東京の六本木ヒルズ森タワーなどに展示されている。２０１０年没。

＊76 森美術館　２００３年に六本木ヒルズ森タワー53階に開館した、現代美術を中心とした展示を行う美術館。「六本木を文化都心にしたい」という六本木ヒルズの開発を手掛けた故・森ビル社長の森稔氏の理念により、その象徴として「経済（オフィス）の上に文化（アート）を置く」をコンセプトに、タワー最上部に美術館が設置された。アートや建築、デザイン、ファッション、マンガ・アニメ等独自の視点による多彩な企画展示と並行して、世界における新しい表現動向を多角的に体験することができる。

＊77 国立新美術館　２００７年六本木に開館。１９７７年以来30年ぶりに新設された、日本で5番目の国立美術館である。東京大学生産技術研究所跡地に建設され、国内最大級の展示スペース（１万４０００平米）を有する。開館以来、コレクションの収蔵は行わず、人々がさまざまな芸術表現を体験し、学びができるアートセンターとして活動している。

＊78 サントリー美術館　１９６１年東京・丸の内に開館、その後、２００７年に六本木にある東京ミッドタウン内に移転した、主に日本の古美術を専門とする美術館。サントリー二代目社長佐治敬三が、日本が高度成長期の最中に心の豊かさの重要性を認識し、文化活動を推進したことがその始まりとされる。開館当初より、「生活の中の美」を基本理念として、企画展示や作品収集を進めている。

＊79 Bunkamura　１９８９年に東京都・渋谷に開業した、コンサートホール、劇場、美術館、映画館、レストランなどのある大型複合文化施設。東急百貨店本店（２０２３年１月末に営業を終了）に隣接する場所に所

在し、東急グループである株式会社東急文化村が運営している。同施設内の美術館、「Bunkamura ザ・ミュージアム」では、近代美術の流れに焦点を当てた展覧会が開催されてきた。東急グループの「文化戦略」の中核を担う場所であったが渋谷地区の開発計画に伴い２０２３年４月10日よりオーチャードホールを除き、長期休館。

＊80 アーティゾン美術館（旧ブリヂストン美術館） 公益財団法人石橋財団が運営する、東京・京橋にある美術館。１９５２年開館のブリヂストン美術館から改称、場所も旧美術館の約2倍の面積に拡張し、２０２０年に新しくオープンした。黒田清輝、藤田嗣治、青木繁等の日本近代美術の作品をはじめ、ルノワール、モネ、セザンヌ、ゴーガン、ピカソ、マティス等印象派の主要画家の作品を収蔵。近年は、国内外の20世紀美術そして現代美術までコレクションの裾野を広げている。

＊81 WHAT MUSEUM ２０２０年に東京都天王洲に開館した、寺田倉庫株式会社が運営する現代アートのコレクターズミュージアム。同社がアーティストやコレクターから預かる作品の価値と魅力の紹介を目的とする。「倉庫を開放、普段見られないアートを覗き見する」という倉庫会社ならではのコンセプトのもと、コレクターのこだわりやアーティストの思いとともに活躍する現代美術家たちの作品を展示。

＊82 TERRADA ART AWARD 寺田倉庫が開催する、若手アーティストの支援を目的とした現代美術賞。世界を舞台に活躍するアーティストの輩出を念頭に、国際的な視点と現代アートに関する深い見識を持つ審査員を迎えて実施している。受賞者には制作費の支援としての賞金、および同社施設における展示機会を提供している。

＊83 具体美術協会 １９５４年、画家・吉原治良が中核となり彼に作品の批評を受けていた若い作家たちとともに、兵庫県芦屋市で結成された前衛美術家集団。絵画をはじめとするさまざまな造形実践を行った。関西で

別にグループを結成していた白髪一雄、村上三郎、金山明、田中敦子らの合流によって先鋭化が進み、身体を用いたパフォーマンス、屋外展、機関誌の刊行等といった活発な活動を展開した。１９７２年吉原の死去により解散。80年代中頃に国内外で回顧展が開催され再評価の機運が高まった。現在ではもの派と並び戦後日本の現代美術を代表する国際的動向として位置づけられている。

＊84 名和晃平　１９７５年大阪府生まれの現代美術家、京都芸術大学教授。「ものの表皮」への意識から発して、Pixel（画素）とCell（細胞・器）が融合した「PixCell」という概念をもとに、発泡ポリウレタン、ガラスビーズ、プリズムシートといった多彩な素材が持つ特性と最先端技術をかけ合わせた彫刻制作、空間表現を行う。近年の主な個展に、「生成する表皮」十和田市現代美術館（青森、２０２２年）、「Aether」ペースギャラリー・ニューヨーク（アメリカ）等。

＊85 NPO法人アーツイニシアティヴトウキョウ（AIT）　２００１年東京において、現代アートに興味がある誰もが学び、対話し、思考するプラットフォーム作りを目指して、6人のキュレーターとアート・マネジャーが設立した非営利団体。主な活動として、「現代美術を通じた教育プログラム」「海外芸術家・研究者招聘プログラム、国内芸術家派遣プログラム」「現代美術の展覧会、シンポジウム、関連プログラムの企画・運営」「芸術と医療福祉に関するリサーチ活動の実施、情報提供」「文化芸術に関連したアートコンサルティング、その他個別の社会的要望に応じた企画づくり」等を行っている。

＊86 マックロウ・コレクションセール　２０２１年11月と２０２２年5月にニューヨーク・サザビーズで開催されたシングルオーナーセール（単独オーナーによるコレクション競売）。史上最高のコレクションの一つとして知られる「マックロウ・コレクション（Macklowe Collection）」から出品された65点全点が落札され、その

落札総額は同社で開催された競売における過去最高の売上高約9億2200万ドルとなった。当コレクションは、著名なアートコレクターでもあるニューヨークの不動産デベロッパーのマックロウ元夫妻によって収集されたもので、その中にはマーク・ロスコ、ジャクソン・ポロック、アンディ・ウォーホル、ゲルハルト・リヒター等、戦後現代美術において重要とされる作家による多数の作品が含まれていた。

「経済指標としてのアート指数」が実現する日本のアートマーケットの未来

石井陽子氏・武井昭仁氏（株式会社ＱＵＩＣＫ）×上坂真人鼎談《ていだん》

日本経済新聞社グループの金融・経済情報サービス会社として、証券・金融市場に関連する総合的なソリューションを提供する株式会社ＱＵＩＣＫは、研究開発の一環として２０１７年からアートに関するデータ分析に取り組んでいます。株式同様に経済指標としてアートを指数化する例は世界にはありますが、日本のビジネスパーソンのほとんどが気づいていないと同時に、各企業で上司説得に困っている読者への参考資料にもなるのではないでしょうか。「経済指標としてのアート指数が変える日本のアート市場の未来[10]」（２０２３年３月発表）を執筆した、同社新規事業企画担当の石井陽子氏と武井昭仁氏にお話を聞きました。

石井陽子（いしい・ようこ）　２０１２年株式会社ＱＵＩＣＫ入社。アプリケーション開発部門を経験後、システム運用やデータ管理を経験。現在は新規事業企画を担当武井昭仁（たけい・あきひと）　２００６年株式会社ＱＵＩＣＫ入社。データ管理部門を経験後、システム開発、マーケティング、企画部門を経験。現在は新規事業企画を担当

会社の賛同を得るために真っ先にやったのは、上司を直島に連れていったことと、映画『ハーブ＆ドロシー』のＤＶＤを観てもらったこと

上坂　今回お話を伺う「経済指標としてのアート指数」に関する石井さんのご苦労を数年前からお聞きしていましたが、改めて簡単に概要を教えてください。

石井　もともとは、アートにも指数があれば便利だと考え、プロジェクトを始めました。金融データを普段扱っているので、指数を作ればアートに詳しくない人がもっと買いやすくなるのではないかという発想です。今回、一つの成果として指数の仕様が出来上がったので、その説明や指数を使ったアートのファンドの可能性についてレポートにまとめています。アートのファンドは、新しいアートの所有、購入方法の提案として取り上げました。

上坂　石井さんがこのプロジェクトを提案したのは何年前ですか。世界では株とアートが同じ

2023年２月、兜町 KABUTO ONE の QUICK 本社で実施の座談会より。左から著者上坂真人、株式会社 QUICK 新規事業企画担当の石井陽子さん、同、武井昭仁さん。
Photo：Mari Hamada

ように資産として扱われていることをどのように知ったのですか。

石井　最初に会社に提案をしたのは２０１７年なので、６年前ですね。世界ではアートが資産として扱われていることを知ったきっかけは、アート指数を調べ始めた時に、メイ・モーゼス指数（The Sotheby's Mei Moses Indices）を見つけたことです。この指数をきっかけに、海外では金融資産のように、数値データを重視してアートを取引している人たちがいると知りました。

上坂　もともとご自分でもアートを売買されていたのですか。

石井　あくまで趣味として鑑賞したり、本当に安価な作品を買ってみるとか、それくらいのレベルでした。会社としては富裕層向けのサービス展開を視野に入れていたので、そういった意味で興味を持ってもらえましたが、２０１７年時点はまだそこに力を入れる段階ではなかったですね。ビジネスモデルや収益性について計算していないアイデアベースのものだったので、「面白いね」で終わってしまいました。

上坂　武井さんは当時の石井さんの企画をご存知でしたか？　その時には興味がありましたか。

武井　はい。同じ部署の同僚で、彼女から話は聞いていたので知っていました。僕はアート自体に昔から興味があって。直島に行ったりしていたんです。

上坂　武井さんは賛同されたんでしょうけれども、会社の賛同は得られなかった。武井さんは石井さんを応援していたんですか？

武井　応援しました。でも、多分、当時はまだ会社内での理解は浸透しないままだったと思います。何もわかっていなかった。

上坂　わかっていないんですよね、多くの場合。私はさまざまな企業にお話をしているけれど、まさにこれです。

武井　ただ、私たちには転機があったんです。石井さんがそのアイデアを出した後に、私が別の部門に異動になったんです。そこで新規事業の担当になったので、石井さんのアートのプロジェクトを巻き取った。巻き取ったというか、おもちゃを横取り、みたいな感じで（笑）。僕が真っ先にやったのは、本部長と自分の部署の部長を、説明という説明もせず、直島にまず連れていったんです。

上坂　素敵なアートを見ることは本当に「百聞は一見にしかず」。私が一生懸命やろうとしているのも、まさにそれです。国内ではなく、海外に行ってほしいと思っているんです。そうすると日本がいかに江戸時代であるかがわかるから、一番早い。なかなか皆さん行かないんですけれど。アートの場合は先入観がありますが、直島に行ったというのはすごいな。そこまで動けたのは当時の上司の方々の個性なのか、あなたたちの説得力ですか？

武井　僕がまず考えたのは「現代アートそのものの説明をするのはナンセンスだな」ということでした。知ってほしかったのは、「洋の東西問わず感度の高い人、ビジネスパーソンがなぜ現代アートに魅了されるのか？」だったんです。現代アートそのものじゃなくて、「現代アートというシーンに存在する人」と「なぜ現代アートなの？」という点です。そこで一計を案じて、上坂さんがプロデュースした映画『ハーブ＆ドロシー』のＤＶＤを渡しました。まずこれを観てくださいと。観たらすぐに理解してくれたようで、面白いと言ってくれて、「わかった、直島に現物とどんな人がいるのかを見に行こう」と。２０１９年ですね。

上坂　今回の新書で想定している読者層は、アートで何かやりたいというビジネスパーソンたちで、参考となるデータや数字が何もなく、上司を説得することに困っている人たちなので、武井さんの取った手法はヒントになりますね。でも武井さんの工夫の成果なのか勢いなのか、ぶっちゃけ他の会社より恵まれていますよね。

武井　はい。そこはものすごく恵まれていると思います。他の会社でよく聞く「新規事業なのに数字のエビデンス出せ」ということはないですね。そういう理不尽な場面に遭遇したことはないです（笑）。

上坂　事例がないから新規事業、なのにね。でも現実に多くの会社が、「新しいことをやる」と言いつつ、最終的には「成功例を出せ」と言う。

武井　この世にないものを作れと言われる一方で、真顔で数字を出せと言われた新規事業の担当の方を何人も知っています。それ新規事業じゃないですよね。不在情報に気づいて、潜在的ニーズに気づいてそこから仮説を作って、プロトタイピングしていく中でようやくおぼろげな数字が出てくるわけです。最初から数字なんてないです。アートは企業にとって、この「不在情報への気づき」が大きなバリューだと思っています。特に新規事業をやる人たちにとっては、アートに触れるメリットはそこにあるんじゃないかと。

上坂　そうですね。いくつかのヒントが今のお話の中にありますね。当時の上司の方は、アートはお好きだったんですか。

武井　本部長と部長が応援してくれたんですが、部長は一切アートはわからないというスタンスで、本部長は、現代アートを少しわかっていて、何となくイメージはあったみたいです。

データさえあれば「アートファンド」を作ることができる。「アートの価値って何ですか」と問われたら、「この数式です」と言える数理モデルを目指した

上坂　ところで、御社は金融情報のさまざまな分析や事業をされていますが、その中でアート指数を発表して事業化することで、収益化するのでしょうか。

石井　まずは、富裕層向けのサービスをやらなければいけない方針がありました。また、現在は弊社のサービスは金融機関向けのサービスが大半なので、そこから広げる必要もありました。アートのデータも可能性があることを会社が認めてくれましたが、収益性だけを見ると、やはりいろいろと難しいところが多いです。だから単にデータを集めて提供するのではなく、指数にしたり、「アートファンド」といった新しいアートの買い方を提案するところから始めて、サービス化しようと議論しています。

武井　長期的に、短期的に、どうやってアートのデータで儲けるかでいうと、金融商品を作る時にいろいろなデータがあるだけでは駄目で、データを分析する**オプティマイザー**（＊87）で収益性とリスクの**シミュレート**（＊88）をする。金融に特化したエクセルのようなものですが、

それのアート版ができるんじゃないかなと。アートファンドを作るためのオプティマイザーができれば、誰かがアートファンドを作りたいとか既に所有するアートの時価評価を適正に行いたいといったニーズに将来応えられるんじゃないかと考えています。

石井　ＱＵＩＣＫの技術力を生かせば、オプティマイザーはそれほど難しくなく作れます。オプティマイザーとデータがあれば、誰かがファンドを作りたいと思った時に、すぐに「アートファンド」を作ることができる。そういうものです。

武井　長期的にはアート以外にも、全体像を俯瞰することができない漠然とした市場にも応用可能です。例えば、ワインとか、時計とか、クラシックなジュエリーとかの二次流通市場です。レストランの価値とかも指標化できると思うんです。そういう非市場性商品をアナライズするようなツールとして汎用的なものに仕上げていくアプローチです。今回作成した基準に当てはめていけば大体のものはできると考えて、別分野も少し手掛け始めました。

上坂　それにしても、一番難しいアートから入ったんですね。

武井　実は、アートは簡単だったんです。

上坂　それはなぜですか。

武井　なぜなら、データが既にネットに全部公開されていたからです。

上坂　えっ、全部？

武井　はい。正確には、統計分析する上で問題にならない量のデータが確保できたんですね。そこから統計的に満足いく数理モデルを生成できたので、まずは実証実験としてはいいんじゃないかと思いました。

上坂　時計やワインよりもアートの方が、闇に潜った情報ばかりのイメージですが。

武井　いえ、**トランザクション数**（＊89）といいヒストリカルデータの量といい、アートは圧倒的にデータが多いです。具体的にはアートオークションの売買データです。金額のデータですね。

上坂　金額が全て？

石井　金額のほかに、日本のオークションだと、状態や作家名、作品名とかですね。後は下限の価格や上限の価格があります。作品の年代もわかったりするので、これを使ってまず数理モデルを作りました。数理モデルとは何かというと例えば、リトグラフの30号サイズの《かぼちゃ》が３００万円で売れているというデータがあるとします。その数理モデルに30号、かぼちゃ、草間彌生と入れた時に、ちゃんと３００万円と出てくるか。この再現率がどれくらいかというイメージです。この精度を上げるための実証研究を繰り返しました。

上坂　日本のアートマーケットの数字ということですか。

武井　はい。そこまで精度を上げたのは国内のものですが、海外の方も最近やりました。

石井　ただ日本の方がデータは揃っていて、きちんと入力されているので日本の数理モデルの方が綺麗な結果が出ます。ただ日本の場合は海外と比較して母数が少なかったり、取引の内容に偏りがあったりするので、そういった意味でやはり海外のデータが向いていますね。

上坂　日本は、オークション会社のデータを用いていますか？

武井　はい。日本も海外もオークション会社のデータしか使っていないです。

石井　オークション会社は基本的にインターネット上にデータを公開しているので、それを使っている状態です。当然、会社によっては会員じゃないと見られないものもあるので、閲覧できるデータを使っています。

上坂　考えてみれば、ＵＢＳなどの膨大なアートマーケットレポートも確かにオークションの価格が中心で作成されていますね。ところで以前、２０１９年頃にお話を伺った時は国内の数字だけで、まだ海外の数字までは手が及んでなかった気がします。

武井　さすがの記憶力ですね（笑）。

上坂　これを初めて見せられた時、アートのレポートとは思いませんでしたよ。

武井　「アートの価格（経済的価値）を構成する要素って何ですか？」と言われたら、「この数式です」というものですね。

上坂　こんな数字が出ているということを、現在の日本のギャラリーは知っていますか？

武井　多分知らないんじゃないですか。２０２０年からはアートフェア東京の発表に合わせて発表するアートマーケットレポートの第２章をＱＵＩＣＫで書いているんですけど……。

上坂　その時は何か反響はありましたか。

武井　２件だけ。パチンコの遊戯台の業界団体を作っている業界誌に記事を書いている方から「このレポートを引用したいんですけど」と言われて、「どうぞ」みたいな（笑）。もう１件は税理士さんから、遺産相続の相談のヒントにしたいというお話がありました。アート業界内からはなかったです。

アート指数を見たら買えるということではなくて、金融のことがある程度わかった上でアートに関連する教養やリテラシーがないと使いこなせない

上坂　そうはいっても、アートってやっぱり数値だけじゃ駄目ですよね。

武井　はい。あくまでも我々はアートのバリューメジャー（経済的価値尺度）に焦点を当てて研究しているので、もちろん、アートの非金銭的価値尺度は別次元の話として整理しておきたい

ですね。あ、僕が「はい」と言っては駄目ですかね。でも、もしかすると将来、アートの価値が全部因数分解できてしまって「アートは全部数値だ！」って時代がくるかも（笑）。

上坂　そうそう、私と武井さんは対立しないといけない。でも、お二人はちゃんといろいろなことを理解して、勉強して世界を見ていることがわかるんです。この指数が発表されると、日本のビジネスパーソンたちも少しは動き始めるかなと思います。お二人がいかに高い志を持って世界を見ていてもそんなの関係なく、数値偏重になっておかしな投資を始めるとか、独り歩きしてしまうリスクがあるのかなと思うんですけど、どうでしょう。

武井　アートに対する企業の投資計画のスタンスは多様で、金銭的リターンを直にアートに求める企業は本当に極々《ごくごく》少数だと思います。どちらかというと定性的な非金銭的リターンを得るためにアートを事業に取り組む方がメジャーになると思います。なので、いくらデータがあっても数値偏重で計画を立てるということは、現実的にないと思います。

もう一つ、データ解析が終わって思うのは、アート市場そのものはグローバルで上昇しており、また株式債券や金といった伝統的資産と全く違う値動きをしますが、増殖性も備えます。とはいえ、短期間ですごく儲かるようなものじゃないということはお伝えしておきます。ただ、資産としての頑健性はここ20年前後のデータではあるように見えます。国内外のデータをたくさん見てとても面白いのが、アートマーケットにおいてはリーマンショックもなかったし、コロナショックもなかった、と言えるぐらいデータがぶれない。一方で、バブルの頃みたいに幻想を抱かせるような形で、「アートは資産として儲かるからやるんだ」という風にはならないかなと思います。儲かるといっても、数字が上がるといっても、10年が最小単位だと思ってください。アートって企業の寿命より長いものだと思っているので、まだまだ我々が知っているアートの経済的価値は断面なのだと思います。

上坂　今も私たちのところにも多くの企業が相談に来る。なぜかというと、ファッションでもグルメでも「次」が探せなくなって「何かアート」と来るわけです、何のアイデアもなく。その人たちのトップが、何もないからアート、ちょっとでも上がっているからアート、だってかっこいいし、文化に貢献できるし。そういう意味で相談に来る可能性はあります。３年前は私たちを相手にしてくれなかった金融機関までが、みんな相談に来る。

石井　そうなんですね。

上坂　大手デベロッパーも新しい開発物件にアートギャラリーを入れるなど、見事にそちらへ向いているわけで、その中で、他にもう上がるものがないから、アートはかっこいいし、という企業が出てきてしまって、こんなデータが独り歩きしたらまた変な風になる可能性も秘めていると思うんですよ。そこの責任はどうするの？

武井　ＱＵＩＣＫのプロジェクトを、この座談会の中で画期的なものとして紹介していただけるのかなと思ったら、最後は責任ときましたか（笑）。

上坂　そうそう。例えば企業向けの教育とか、御社もそういうものをセットで提案しなきゃ駄目なんじゃないかなあ。

武井　実は、「教育も一緒にやらないとね」みたいな話は出ています。

石井　そうですね。現実問題として企業がアートを扱うには、乗り越えないといけない課題があります。例えば、「アートの経済的価値／非経済的価値をどう簿価に反映させるのか？」「株主にはどう説明するのか？」などはすぐに思い浮かびますね。非経済的価値のリターンをどう測定するのか、ルールを決める必要もあります。でも、世の中的な共有認識がなくて誰も教えてくれない。そういう意味でアートに関する企業向けの教育プログラムは必要だと思います。先ほど申し上げたように、今回のアート指数にしても、単に数値を見たら買えるということではなくて、金融・財務のことをある程度わかって、アートのこともわかっている必要があると思います。例えばクリスティーズのエデュケーション部門はオンラインで高度な教育をやっていますので、そういうものの日本語版があるといいとか。そういうことは考えています。

上坂　そうですか。実は本書の中でも紹介しましたが、サザビーズやクリスティーズは見事な教育プログラムを展開していますよね。

武井　欧米では、何か事業を起こすのにはエコシステムで展開しますからね。日本みたいに自社だけとか業界内だけとか、そういう部分最適な取り組みはすぐに淘汰される傾向があるように思います。

上坂　意見が一致しますね。明らかなことなのですが、皆、意外と見ていないんです。全然勉強しないでやろうとするから困るんですよ。

武井　そうですね。勉強の仕方も部分最適。

上坂　ＮＦＴだって、向こうはちゃんと勉強して、いろいろなことをした上で手段としてＮＦＴを使っているわけですよ。

武井　そうですね。あれはアートの新たな形態として考えられていますよね。それはなぜなのか。そういうところを見た方が良いと思います。

上坂　意見が一致してしまって面白くないですね（笑）。全部同じ意見で答えが返ってきちゃうもの。逆に言えば、世界を見るとそうなるということですよね。

なぜアートファンドなのかというと、一流のアートに接することができる裾野を金融の手段を使うことによって広くできるということです

上坂　今回「経済指標としてのアート指数」のレポートを発表されましたが、それを商品化して売るのは御社ではないんですよね。

武井　それを使えばプレイヤーは誰でもできるので、別にアート界の人がやったっていいと思いますし、金融機関がやってもいいと思います。

上坂　そうすると、金融機関がやっていくことを期待しているのですね。それが売れたら、御社にはどんな利益が入ってくるんですか。

武井　インデックスの提供とそのフィー収入を得るというのはあると思います。

上坂　繰り返しますけど、そういう企業が登場するのを期待しつつ、しかしそうするとますます、いろいろなプレイヤーが出てきてしまうのではないかと危惧しませんか。

武井　逆だと思いますね。上坂さんがおっしゃるような、「いろいろ」は出てきにくくなると思います。一気にレベルを上げてしまうので。金融業界の厳しい水準でファンド運営しないと

アートファンドなんて作ってはいけない、という基準になると思うのです。これは全くの個人的な持論ですが、アートファンドにおいて「私の目利きでやります」というようなやり方は、公募方式からは一掃されるべきだと思っています。もちろん私募方式で事情を知る玄人が玄人に売るような場合は構わないと思いますが、それ以外はトラブルになるのが目に見えています。あと、ファンドにして小口化することは流動化することを意味するので、当然、関連法規からの規制も入ってくると思いますよ。

上坂　でも、銀行でも、多分なかなかブレイクはしないだろうな。

武井　私も時間はかなり掛かると思いますが、長い目で見ています。

上坂　そうですね。

武井　ただ、やる・やらないは横置きしても、アートファンドの可能性というのは知っておいてほしいんです。アートファンドは質の高いアートを小口化することなので、多くの人にアートを「見る」「買う」以外に「所有する」という選択肢を提供できることが社会的価値だと考えています。今まで何億という作品は一般的に「見る」に限られ、本当にアートが好きな人、特にそういう作品は富裕層の中のさらにトップ層の関心の強い層が本格的な作品を「買う」、という流れだったと思います。こういう何億もする作品を買えるスーパーリッチ層は日本でも相当限られる。

上坂　資産50億円以上のウルトラハイネットワースでも、日本には２０００世帯程度ですね。

武井　その中でも実際に素晴らしいアートコレクションを持っている一番上の層は数百人しかいない。そもそも市場規模自体がものすごく小さい。我々はそこにアートファンドという価値を提供して一流のアートに接することができる裾野を、金融という手段を援用することによって広くできるのではないかという仮説を持っています。バスキアを買うことはできないけど、バスキアが入っているファンドを１００万円分買うことによって、非金銭的なリターンとして、1年に1回、それをどこかのクローズドなギャラリーに見に行くことができますと。もちろん資産として機能する作品群なので10年以上の超長期投資で見ると、金銭的リターンもそこそこある。

上坂　そうですね。

武井　アートに「展覧会に見に行く」「購入する」以外の「所有する」選択肢を、一気に裾野を広げられるかもしれないんです。一番大切なことは、いろいろな選択肢があって、それぞれが自分のアートの接し方を選べることです。そうじゃないと、市場が広がらないし商売にならない。世の中のアートの価値を高めるところと一致しているし、われわれの利益とも一致している。今、アートを「見に行く」と「買う」の間にすごく大きなギャップがある気がしていて、それを埋めるものは何なのかと考えて、アートファンドの組成方法を作った。そういう意識でやっています。

アートフェア東京のトークイベントで、資産としてアートを持つことを提案し、アーティスト別の指数を紹介しました

上坂　上は上でいいのですが、下も広げるというのは私たちの役割ですね。アマナ時代に６年間、若手の日本人写真家をパリとアムステルダムに連れていって、ギャラリーで展覧会を開いて販売するイベントを企画したんですが、現地の普通の市民たちが、日本から来た無名の写真家の作品を１点10万円以上で買っていったんです。そういう風に裾野を広げることも主張しようとしています。アート作品をアーティストと語って、その作品を買ってあげることで、若いアーティストは成長していく。

武井　日本はアートに対してのリテール、つまり小売りの選択肢が少なすぎるんですよね。結果、ブロックバスター展を観に行くことが主な選択肢になっていますよね。

上坂　そうなんですよ。

武井　3月のアートフェア東京で開催したSBIアートオークションのトークイベントでは、資産としてアートを持つということを提案し、アーティスト別の指数を紹介しました。

石井　SBIアートオークションのデータを使って、「アンディ・ウォーホルってこうなっていますね」みたいなのをグラフで表して、ちょっと買いたくなるようなプレゼンテーションを開催したんです。

上坂　一部の人は買いたくなったでしょうね。

武井　一定金額以上のSBIアートオークションの売買データで平均値のデータをつくっていくと、他の資産とは全然違う動きをするんだけど、一方で、それを組成している個々の作家、草間彌生とか、アンディ・ウォーホルと見てみると、また全然違う動きをしている。上がっている作家はグングン上がっている。

上坂　それは株と一緒ですよね。

石井　そうですね。2013年を起点としてS&P500と比較してみると（図表4-2）、一定金額以上の価格帯をつけたもので作った指数（黒色の線）は、一定のライン線から下に割れないことになっています。グレーの線はS&P500で、これはどんどん上がっているので、比べると「ああ、やっぱりS&P500に関係するのを買った方が資産としていいよね」となるんですが、一方で、こちらの黒色の線は安定しています。S&P500とこの指数は相関係

図表4-2：QUICK-SBI現代アート資産性指数とS&P500の比較

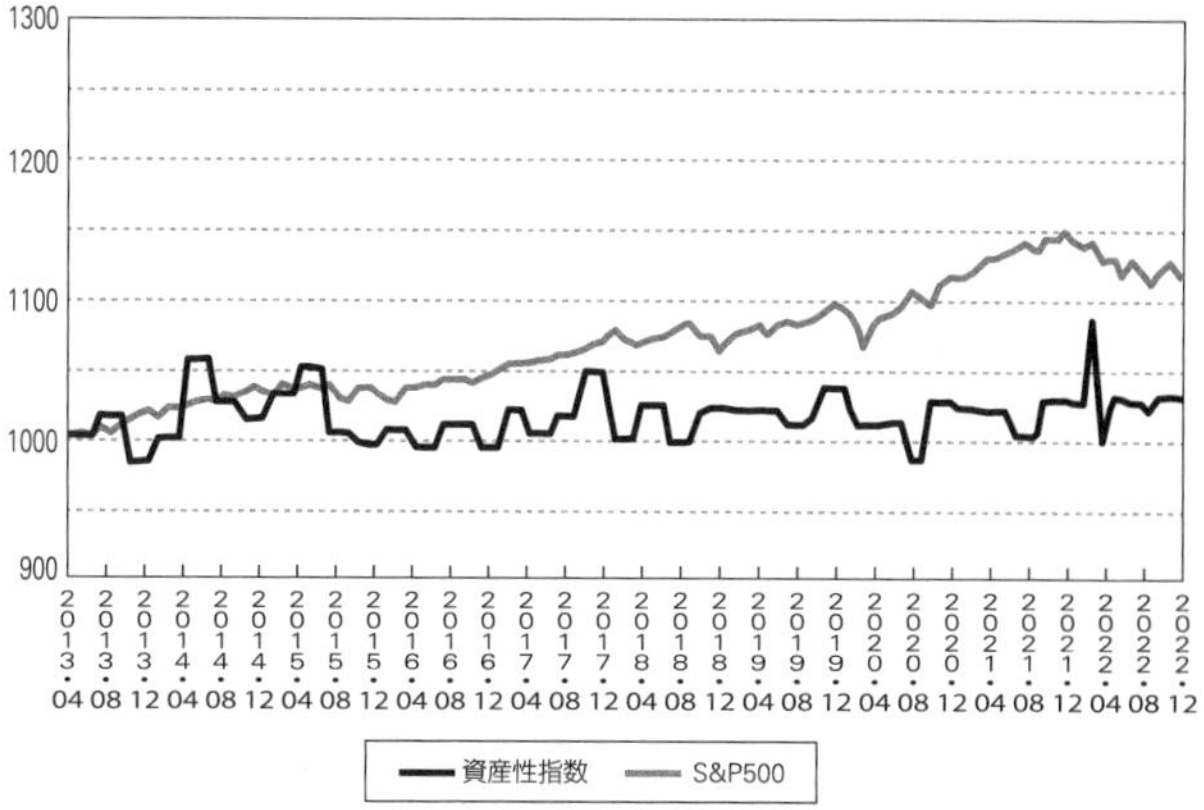

出所：QUICK調査データより

数も低く、指数はＳ＆Ｐ５００とは違う値動きをする資産としての特徴が見られるので、資産防衛としては一定金額以上の作品を選ぶと良さそうであることが、ここから読み取れます。そんなお話をしました。アートというと、人によっては投機的に考えて、短期的に売買されることもあるのですが、それは危険だと思っています。

上坂　どんな方が対象だったんですか。希望した方は誰でも出席できた？

石井　はい、定員に達するまではどなたでも。ユーチューブでも配信されました。ＳＢＩアートオークションさんのチャンネルにアップロードされています。

上坂　そういうセミナーは初めてだったんですか？

石井　2022年もアートフェア東京のマネージング・ディレクターである北島輝一さんが「アートと金融」というテーマでトークショーをされました。2023年はそこに一歩踏み込んで「資産性のあるアート」というテーマで、武井と私が話しました。

上坂　ところで、日本のアート市場が大きくなると、どのような状況が生まれるんでしょうか。日本のアーティストが世界に出ていくのか、それとも海外のものを買っていくのか。日本のアートマーケットはこれからどうなっていくと思いますか。

武井　全然予測はつかないので、完全に個人的な希望ですが、日本のマーケットは企業が購買の主役に移行していくのが一番良い結果になるんじゃないかと思いますね。企業が買手として台頭する時代が来るのかなと。いや、来たら良いな、か。

上坂　へえ。

武井　アートファンドをやり始めたら、一気に何百点とはいかなくても点数が増えますよね。でも、ファンドは供給側も購買側もどこかでイグジットしないといけない。企業が購入する方がいい理由は他にもあります。素晴らしいアート作品が気まぐれな個人に買われることほど不幸な出来事はないと思っているんです。保存や、他の人にきちんと作品を展示して見せていくアカウンタビリティというか、アートに対する社会的な責任じゃないですけど、そういったものを個人で果たすのは時に難しい場合がある。資力のある人だったらできると思いますけど。

若手作家の育成や、のちに名品となるようなものを長期的に育てていくとか、価値づけしていくとなると、主役は企業になっていった方がいいというのが僕の持論ですね。

上坂　そうか。それはアートを事業化するということではなく、資産として企業が所有するということですね。

武井　ええ。いろいろな選択肢はあっていいと思います。「うちはブランディングの一つとして持っている」でも構わないと思いますし、企業コレクションとして所有するのでも、もちろんアートファンドで所有するのもいいと思うんですけど。企業で所有して、資産が管理されると、大きな資産になるので監査が入るし、ちゃんと管理をしていく流れができますよね。しかも、誰が持っているかわかるから消息不明にならない。じゃあ個人が買えないじゃないかと思うかもしれないですけど、企業が買うような高額なアートを個人は買わないし、今も買っていないですから。

上坂　それは希望と予測とが一緒になっているかと思いますが、私も企業がアートを買い始めるだろうなとは思います。ハードルが高い気はしますが。

武井　新しい買い方とかが出てくるのかもしれないですけどね。共同で美術館を運営するとか。

アートは価値観を先取りできるし、自分が気づいていない盲点に気がつけるという意味でビジネスパーソンに役立つと思います

上坂　ところで参考にしているメディアやレポートはありますか。

武井　アメリカのCNBC（＊90）が定期的にアートに関する記事を出しているので、それは見ていますね。後は一般的なものですね、アートネットとか。

石井　そうですね。アートネットは必ずチェックします。日本のメディアでは『美術手帖』は見ています。

武井　アートネットにはデータサイエンティストがちゃんといて、アートの価格をちゃんと分析しているんですよね。しかも企業単位で指数を作っている。アートネットのデータサイエンティストって、元金利取引のトレーダーですからね。やっぱり金融なんですよ。

上坂　そうでしょうね。

武井　海外のアートシーンでは金融の人たちが主役な場合も多いですよね。サザビーズもアートローン会社を別に作っていますし。

上坂　ところで、日本のビジネスパーソンに対して望むことってありますか。

武井　個人として関心を持つということではなくて、ビジネスパーソンとしてアートに関心を払った方がいいということです。そう思い始めたのは、「アーティストというのは10年後の世の中で社会定着する価値観を10年以上前から私たちに提示してくれている。ビジネスパーソンとしてこれが1億で買えるなら安いじゃないか」という、ある大企業創業家の方の言葉を聞いたことがきっかけです。どこかのコンサルティング会社に何千万も払って相談するよりも、アーティストの作品を買った方がビジネスに効くじゃないかという話を聞いて、ビジネスパーソンにとってアートの最大価値とは不在情報に気づくものだとわかりました。しかも業務レベルではなくて、経営レベルの目線で。将来世の中はこういう価値観になるだろうなという選択肢を10年前から知ることができたら、風景が変わって見えるだろうなと。

石井　経営戦略のフレームワークが左脳に必要だとしたら、多分ビジネスパーソンの右脳にはアートがあった方がいいんだと思います。アートは「関心を持った方がいい」というよりは、必須に近いというか。欧米ではそうですよね。

上坂　そうですよね、当たり前に。

武井　だから何でアメリカのビジネスパーソンは忙しいのに美術館に行くのかといったら、そういうことなんでしょうね。世の中の本質的な課題そのものを見つけるために、美術館へ行っているのかもしれません。

石井　アートは価値観を先取りできると武井が言っていたように、武井のアートへの期待は大きいと思います。アートを見ると自分の盲点に気がつけるという意味でも、ビジネスパーソンには役立つかなと思います。理論的に考えるところから外れた部分が、実は今の世の中では大事だと思います。理屈でもできるとは思いますが、いろいろ鑑賞している中で、そういう発想が生まれてくるのかなと思います。

上坂　ありがとうございます。対決するつもりがあまりできずに残念です。ここまで知識の土壌が似ているお二人とは、同意する部分が多かったですが、ＱＵＩＣＫという日本の企業群に影響力のある企業の発表が、企業経営者や美術業界にすんなり受け入れられるのではなく、激論を醸し出すことに私は期待しています。

（２０２３年１月30日　ＫＡＢＵＴＯ　ＯＮＥ　ＱＵＩＣＫ本社にて）

＊87　オプティマイザー　損失関数の値を可能な限り小さくする等目標を最大化するためのパラメータの最適値を見つける手法、またはソフトウェア。

＊88　シミュレート　現実の事象や対象から特徴的な要素を抽出・モデル化し、システムや計算によって模擬的に実践・再現すること。

＊89　トランザクション数　一連の商取引、売買数のこと。

＊90　ＣＮＢＣ　アメリカ４大ネットワークＮＢＣとニュース通信社ダウ・ジョーンズが共同設立した、ビジネスニュースやリアルタイムの金融市場報道を中心とするニュース専門局。

第5章

全ての原点、教育

ここまででも何回か論じてきましたが、アートにおける最大のハードルは「教育」です。さまざまな人と議論しても、だいたいここに行きつき、ふーっとため息をつくに至ります。まずは、世界と日本の教育の違いを知ってください。それも、子どもの教育と、アーティストを目指す大学教育の違い、両方をお伝えしたいと思います。

アート教育に関心がない頃から、海外の美術館で子どもたちが作品の前で座って楽しそうに話を聞いている光景を見てきました。アーティストを目指す若者向けの教育も、徹底した議論とプレゼンテーションのカリキュラムで構成されている事実を私が知ったのはつい最近のことです。作ることで終わることなく、その作品について語ることを徹底的に学んだアーティスト、アートを見て何かを感じ、自分なりに考え、それについて質問ができる消費者……基本が違うのです。

社会が変わることを信じる私は、民間の力でこの二つの流れを変える方策を考えてみました。もちろん、文科省や文化庁は不要です。成長と変革には、民間のスピードとマーケティング感覚が必須なのです。

5・1 「描かせる」日本、「語る」世界

これまで企業に対して、アートについてのさまざまな資料を提供し、具体的な事業を提案してきました。そう簡単には動かないものの、近年、私たちの熱意が伝わり始めたことを実感しています。「アートの生かし方は音楽やスポーツ、ファッションと同じです」とお伝えしてきましたが、もちろん、各分野に少しずつ違いはあります。アートが他の分野と特に異なるのは、教育を伴わないと定着しない、ということです。

ともかく「描く・作る」。日本のアート教育においては、その印象しかありません。しかし、世界は異なります（図表5‐1）。まず、「アートを見ながら語り合う」のです。国によって異なるとは思いますが、そこにかなりの比重をかけているようです。「現代アートは子どもには難しすぎる。大人の私たちだってわからないのだから……」と思う方が多いのではないでしょうか。私もそう思っていました。でも、子どもにとっては、アートだけではなく目の前にある全てが新しく、日々、出合うものはわからないことだらけなのです。初めて目にする昆虫や、初めて耳にする民謡だって同じようなもので、そこに一つ現代アートが加わったとしても自然に受け入れ、「なぜ？」という素朴な疑問を口にするわけです。だから、海外の美術館に行くと子どもたちがアート作品の前に陣取って座り、作品に指をさして語り合い、先生の言うことに

図表5-1：世界と日本のアート教育ギャップ

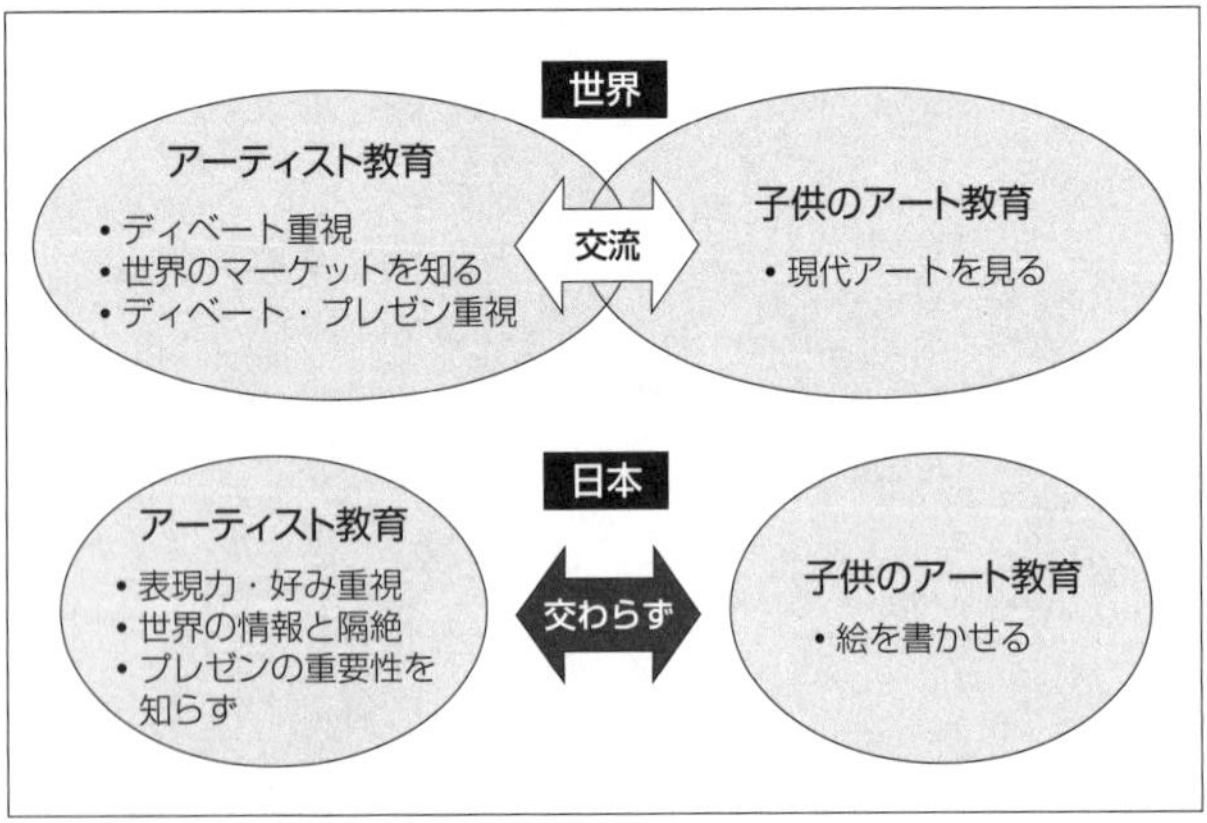

出所：著者作成

真剣に耳を傾けています。

現在では、日本の美術の教科書にも現代アートが掲載され始めています。素晴らしい第一歩だと思います。でも心配もあります。日本では「写実性（いわゆる上手い絵）＝好成績」とされていることです。日本の芸術教育に自由な発想を評価する判断基準がないことが問題なのだと思いますが、図工や美術の先生が、現代アートをどのように教えているのかとても気になります。

他の国ではアートの解釈に重要な周辺の文化教育も、日本よりかなり進んでいます。例えば、フランスでは小学生から哲学を学ぶわけです。初めて聞いた時は驚きましたが、バカロレアと呼ばれる大学入試で出される問題を知って、もっと驚きました。２０２１年のバカロレアの一般科目である哲学では、アリストテレスの『形而上学』をもとにした次のような三つの問題から1問を選んで論文形式で回答することが課せられています。[1] 制限時間は4時間です。

① 言葉は思考を裏切るのか
② 過去を忘れなければ、未来はないのか
③ 社会生活は私たちの自由を脅かすか

このような問題を解くための学習をベースに、アートについて語り合う日々を過ごしてきた人間がアーティストになれば、一般論でいえば、作品のコンテクストを訴えるための圧倒的に有利な表現手段を持つのではないでしょうか。また、アートからその背景にある問題を論じる素地にもなります。

5・2　正反対な日本と海外の美術課程のカリキュラム

世界と日本を比較すると、大学の美術課程の教育も対照的だとわかります。海外の大学で美術課程専攻をした卒業生と何気なく会話をしていて驚きました。大学の美術課程のカリキュラムが、日本とあまりに異なるのです。海外の大学でアートを学ぶ在学生や卒業生らの誰に聞いても同じでした。それを議題に勉強会を開いてわかったことは、海外のカリキュラムでは、アートについての歴史や理論を学び（もちろん、日本でも学びます。しかし、その規模と時間と内容と深さが違うのです）、毎月の論文提出が義務づけられ、日々を多くの議論に費やして、自分の作品について自分の言葉で説明することを非常に重視しているということです。

ここで、思い出すことがありました。一つは、第3章でご紹介したパナソニックの「BEYOND 2020」で訪れたオランダの大学で見た学生たちが議論する授業シーン。教授が「議論に大きな時間を割いています」と語っていました。これが特別なことではなく、どこの美大でも同様であることが、今回取材を重ねてわかりました。もう一つは、現代アート作家でギャラリー**カイカイキキ**（＊91）を主催する**村上隆**（＊92）さんの著書**『芸術闘争論』**（＊93）（幻冬舎）の一節です。ここにも日本と海外の美大教育の違いが延々と書かれていました。曰く、海外では「作品制作においてはコンテキスト（制作背景）、コンセプトが重視され、技術面はそこまで重視されない」「海外の美術教育のほとんどが批評というもので、生徒十数名が4時間ぐらい他の学生の2〜3作品をネタにディベートする」「ぼくが教えたＵＣＬＡの大学院では、ほとんどの人が絵を学んでいない。美術を学んでいるのは2割くらい。ほとんど絵を描いたことのない人たちが、自分は芸術家になりたいということで勉強を始める」。そして日本では、作品制作において「技術面が重視され（＝受験予備校の充実）、作品のコンテキストまで考えられない」「作品の方向性を徹底されず、自由にやりなさいという無責任主義教育」。結果として、「日本の大学はスキルアップは見込めるが、アカデミック・スキルを学ぶ機会が少ない」ということなのです。

実際に有名大学のカリキュラムを見てみましょう。ここで紹介するのはスタンフォード大学の美術史ＢＡ（Bachelor of Arts）、同じスタンフォード大学でもより創作に重点を置いたアートスタジオ学科の２コースです。スタンフォード大学で美術史を専攻した学部生は、次のような授業を選択できます。[2] しっかりとした理論ベースの美術史学科ではディベートも豊富で、歴史・現代哲学、アートと社会の関連を学ぶ授業も入っています。

・芸術と権力（**Art and Power**）

芸術と権力は、前近代から現代までの幅広い芸術作品を探求し、芸術がいかに不平等構造によって形成されてきたか、逆に、芸術によって権力関係がいかに表象され強化されてきたかを考察する。多視点的な視点を養うために二人の教授が共同で教えるこのコースは、美と暴力の関係や、資本主義、植民地主義、エリート主義における美術史の位置づけを問う。

・危険な思想（Dangerous Ideas）

思想は重要である。平等、伝統、地獄などの概念は、社会運動を鼓舞し、政治体制を形成し、個人の生活に劇的な影響を及ぼしてきた。また、人種、ジェンダー、テクノロジーといった概念も、現代のアメリカにおける議論において重要な役割を担っている。毎週、人文科学と芸術の異なる学部の教員が、時間と空間を越えて人間の経験を形成してきた概念を探求する。

・スーパーヒーロー理論（Superhero Theory）

幻想的な力、変幻自在の身体、複数のアイデンティティ、複雑な歴史、視覚的なダイナミズムを持つアメリカのスーパーヒーローは、コミック、映画、アニメ、テレビ、ゲーム、おもちゃ、アパレルなど、さまざまなメディアにおいて80年以上にわたってファンタジーの豊かな手段となってきた。このコースでは、人種、クィアネス、混血、セクシュアリティ、ジェンダーのステレオタイプ／流動性、政治、自警、男性性、怪物性などのアレゴリーを体現するスーパーヒーローの身体を中心に学ぶことができる。

・AIアクティビズムアート（A.I.-Activism-Art）

芸術と人文科学に関する研究と実践を探求する講義とスタジオのコースで、新しいテクノロジーや指数関数的なテクノロジーと関わり、それによって生み出されるものを研究する。社会的影響と人種的正義に重点を置きながら、芸術と人工知能の交わりを探求する。

次にご紹介するのは、同じスタンフォード大学のアートスタジオ学科の授業内容です。[3] こちらは日本の美術大学により近い実践的な位置づけの学部となりますが、実技一辺倒ではありません。

・ドローイングとクリエイティブ・ライティング（Drawing and Creative Writing）

実践的なドローイングスタジオとガイド付きのライティング課題を組み合わせたダイナミックなコースで、ほとんどの芸術作品の根底にあるドローイングとライティングを同時に体験する。

・インタラクティブアート（Interactive Art: Making it with Arduino）

電子工学とソフトウェアを使用して、アートワークの中にキネティックでインタラクティブな要素を作る。光、動き、音、タッチなどのさまざまなセンサーを接続し、それらを使ってソフトウェアを制御する方法を学ぶ。（中略）電子芸術の社会的側面を探求する。

・プリントメイキングとアクティビズム（Printmaking and Activism）

さまざまな版画のテクニックを紹介しながら、歴史や現在の出来事における印刷物の活動的な役割について探求する、実践的なスタジオコース。社会変革に向けた対話の道具として、学生がどのように印刷することができるかを探る。

・ビジュアルアーツ インターンシップ（Visual Arts Internship）

6週間から10週間、ビジュアルアーツに関連する分野で専門的な経験を積む。インターンシップには、ギャラリー、美術館、アートセンター、美術出版社での仕事が含まれることがある。インターンシップを補足するために、学生は日誌をつけ、インターンシップ終了時には、学生および監督者からの評価と日誌が提出される。

アメリカの大学の美術過程のカリキュラムをご紹介しましたが、日本はどうでしょうか。例えば東京藝術大学美術学部美術学科では他の専門学科に比べて理論や学術的な側面が重視されていますが、歴史や理論を現代社会に結びつけるような実践科目や、論文作成に向けた学術基礎科目は見当たりません[4]。多摩美術大学では、芸術学科を除く学科では実技と演習が中心であり、作家と総合的な理論を学ぶ者は区別されています[5]。

２０２３年３月まで私が客員教授を務めた武蔵野美術大学では、芸術文化学科を除く学科は実技と技法に関する講座が中心となっており、理論は技術と比べて重視されていません。[6]多摩美術大学と同様、理論と実践が互いに独立した講義形態で、作家と総合的な理論を学ぶ者が区別されていることがわかります。芸術文化学科では理論と実践科目が開講されていますが、理論的なアウトプットの場は卒業制作に限られるようです。

しかし、日本の大学にも明るい兆しはあります。武蔵野美術大学では２０１９年、特別な準備の必要な実技試験が入学試験に含まれず、文系でも理系でも受験できるクリエイティブイノベーション学科が開設されました。

カリキュラムを見ると、基礎課程（１・２年次）では、「造形実習・演習を中心に美術・デザインの基礎を学び、『創造的思考力』の基盤となる造形言語リテラシーを身に付ける。また、教養文化、言語文化、身体文化、造形文化といった各分野の広範な科目群から自由に選択履修するとともに、現代社会や産業に対する理解を深める必修科目を履修する」とされています。専門課程（３・４年次）では、「基礎教育としての造形経験が問題解決プロセスとして有効であることを演習によって学ぶ。市ヶ谷キャンパスにおける産業界との共同プロジェクト科目を必修として、『クリエイティブビジネス』『クリエイティブテクノロジー』『クリエイティブヒューマンバリュー』の３分野について実践的に学修・研究し、現代社会と未来の要請に応える創造的思考力の応用発揮を体得する」ということです。[7]

ここでは、私がオランダで見たのと同様の「アートを学ぶ学生が議論を重ねる」授業が繰り広げられているのでしょうか。これまでは、絵が描けないと入学できなかった日本の美大の新しい取り組みを歓迎しますが、圧倒的多数の美大のカリキュラムはまだ旧態依然たるものでしょう。

全ての基本である教育における、日本と海外の違いは大きいのです。行政に期待しない私は私なりの解決策を考えていますが、やらねばなりません。

5・3　オランダの教育に見る、アートからの学び

次に海外の教育事例として、貝谷若菜さんによるオランダのアート教育についてのレポートをご紹介します。ライデン大学で美術史：美術、メディア、社会（Art History: Arts, Media and Society）を専攻し、現在もアムステルダムを拠点にアート・文化に関わる活動をする彼女の考察には説得力があります。

＊＊＊

アート・文化教育に対するオランダのアプローチ

貝谷若菜

アート・文化教育に力を入れるオランダでは、単発的な制作活動や鑑賞ではなく歴史的・文化的な文脈の中での体系的な学びを重要視しています。同時代を生きる個人が社会の価値観の中で表現したアートは、哲学や歴史とは切っても切れない関係にあり、思考の形態の一つです。

では、「体系的な学び」とは具体的にどのような学びなのか。アムステルダム芸術大学（Amsterdam University of the Arts）は、学校でのアート教育の理想的な形式とは、以下の3要素をバランスよく取り入れたものだと述べています。[8]

まず、一つ目は「活動的（Active）」＝芸術的分野における実践です。これは映画制作、執筆、演劇などで、日本の図画工作や美術の授業もこの分類になります。二つ目は「感受的（Receptive）」＝資料読解や美術館訪問、演劇鑑賞などです。関連資料の読解を通じて概念や用語、背景を理解した上で鑑賞を行い、文脈の理解を深めます。三つ目は「考察的（Reflective）」＝自身の芸術体験や、他者の作品や解釈などをプレゼンテーションや議論の場で批判的に考察することです。日本には、特に三つ目の「考察的（Reflective）」な学びが圧倒的に欠けていると感じますが、これは非常に重要な要素です。なぜなら、制作や鑑賞などのアート体験を通じて個人が感じたことを振り返り、他人と共有することで初めて、自分だけの視点や他者のユニークな視点に関する発見や学びがあるからです。

オランダの教育機関は自由度が高く、学校や教員のスキル・個性によって自由にプログラムを構成することが可能です。そのため、学校のプログラムを詳しく見てみると、教育機関と文化事業者が連携したものが豊富にあり、各学校がユニークなプログラムを実施しています。その中には芸術と文化の分野に特化した学校もあります。

実際にどのようなプログラムがあるのかを調査するため、２０２１年、オランダの教育機関で義務教育を受けた40人の大学生を対象に独自調査を実施しました。その中の「アート・文化教育の中でどのような課題やプロジェクトを受けた経験があるか」という質問の回答から、「アートと自分の関係性についての発表」「ロマン派の教会を巡る校外学習」「美術史におけるカノン（各時代を代表する規範的作品）の形成と問題点に関する議論」など、多様なプログラムがあることがわかりました。多様なプログラムが提供されることで、生徒たちは自らの好みに合わせた選択をし、自分の好きな手段でアートとその周辺文化や歴史に関して学ぶことができるのです。この背景を見ると、オランダの日常生活にアートが広く浸透していることは、ある種必然的にも感じられます。

＊＊＊

５・４　美術館のアート・エデュケーション

近年、日本でも教育普及担当の学芸員が在籍している美術館が増えています。海外の美術館でも教育普及には力を入れていますが、担当者はキュレーターとは限らず、美術館の組織に教育部門があることが多く、教育ディレクターやマネージャーなど教育のヘッドがいます。日本の教育プログラムは鑑賞が多く、知識を教えるいわゆる「教育」が多い一方、海外は観るだけでなく交流的な要素が強いのが特徴です。

イギリス・ロンドンのヴィクトリア＆アルバート博物館では、デザイン史におけるＶ＆Ａ／ＲＣＡ修士課程を提供しています。このＶ＆Ａ／ＲＣＡプログラム（ＭＡ、ＭＰｈｉｌ、ＰｈＤ）は、デザインと物質文化の歴史における大学院研究の中心的存在として、国際的に認められているものです。Ｖ＆Ａではファッション、デジタルデザイン、パフォーマンス、建築に興味のある若者に向けたイベントプログラムとしてワークショップやキャリアに焦点を当てたイベント、無料のフェスティバルなどを実施しているほか、現代のアーティスト、デザイナー、メーカーを支援するレジデンシープログラム（アーティストが一定期間滞在してリサーチや制作を行うプログラム）も実施しています。[9]

同じくイギリスのテートもラーニングプログラムが豊富です。学校と教師に向けたプログラムでは、学生や教師がアートを通して自分自身や他者について学ぶことを支援するため、新しいアイデアやプロセスを試したり、教室でそれらを発展させる方法を紹介したオプションを、ギャラリーやウェブサイトで提供しています。[10] 特別な教育的ニーズや障害を持つ生徒を含め、あらゆる年齢層や背景の生徒に適したアクティビティも用意されていて、15～25歳の若者向け、幼児と家族向け、また一般向けに公開イベントを開催しており、アート、アーティスト、アイデアといったテーマに加えて、社会的、文化的な時事問題について対話するものもあります。さらに地域社会や聴覚障害者、視覚障害者など、アクセスに特別なニーズを持つ来館者のための短いセッションや、パートナーグループとの長期的なプロジェクトも用意されています。ギャラリーに行くのが初めてのコミュニティや、高齢者団体、メンタルヘルスサービスの利用者なども対象とされています。

フランク・ゲーリーのユニークな建築でも知られるスペインの**ビルバオ・グッゲンハイム美術館（＊94）**は、アメリカのソロモン・R・グッゲンハイム財団が設立したグッゲンハイム美術館の分館の一つで、近現代美術を専門としています。ここでは誰もが参加できる教育プロジェクトとして、学校向け、家庭向けのプログラム、社会貢献プログラムがあり、舞台芸術、生活芸術のテーマも含む教育普及活動を展開しています[11]（図表5-2）。

教育普及プログラムに力を入れて取り組んでいる美術館は、もちろん日本にもあります。アーティゾン美術館が開催している「土曜講座」[12]は、１９５２年１月に開館したブリヂストン美術館としての開館以来続くもので、美術を中心に芸術、文化の各分野の専門家が登場する講演会です。開催中の展覧会に紐づいた企画も多く、例えば２０２３年３月には、当時開催中だった第59回ヴェネチア・ビエンナーレ国際美術展日本館展示帰国展「ダムタイプ｜2022: remap」について、**ダムタイプ**（＊95）の**高谷史郎**（＊96）を迎え、哲学者の**柄《から》谷《たに》行人《こうじん》**（＊97）と作家の**近藤康太郎**（＊98）の鼎談によるアーティスト・トークが開催されました。

この「土曜講座」以外にも、学芸員が展覧会やコレクションの作品を解説する「ギャラリートーク」、小学生を含む家族が作品を楽しく鑑賞するための工夫をこらした「ファミリープログラム」、未就学児（保育園・幼稚園）から大学院生までを対象にした「スクールデー／スクールプログラム」（オンライン実施も可能）、小学校から大学までの教員を対象にした「ティーチャーズプログラム」、企業や団体の職員のためのレクチャーと鑑賞を組み合わせた「企業・法人向けプログラム」（希望に合わせて内容をカスタマイズ）、学校や教育機関での出張講座やワークシ

図表5-2：グッゲンハイム美術館ビルバオの教育普及プログラム

プログラム名	内容
芸術と芸術家	• 芸術と芸術家に対する尊敬と共感を促す • 芸術と教育の実践を、知識を構築し生産する有用なツールとして理解 • 来館者が芸術について意見を交換し、自分なりの判断基準を持つよう促す
個人学習と協同学習	• 個人的な批判的思考とともに、共有・協力的な学習を促進 • 創造性や想像力、感情や喜びが水平的な学習ツールとして重要であることを強調
教育エージェント	• 学習プロセスにおける教師、美術館の教育者、アーティストの役割を強化 • 美術館を学習の場として、また有用な学習ツールとして活用
協力と交流	バスク地方の文化機関やエージェントとの交流を促進し、複数の分野での活動プログラムを生み出すとともに、私たちの地域で展開されているプロジェクトやイニシアティブの豊かさと多様性を伝える
教育的コミュニティと社会的価値	既存のさまざまなコミュニティを可視化し、美術館のミーティングポイント、ナレッジハブ、周辺環境との対話の場としての役割を強化することで、多様な社会的背景の理解に貢献
多様性、アクセシビリティ、インクルージョン	さまざまな教育体験や学習形態を促進すると同時に、美術館の来館者と美術館にアクセスできない人々の両方を含む、あらゆる種類の聴衆を対象とした教育プログラム
国際的なトレーニング	グッゲンハイムコンステレーションに属するビルバオ美術館の利点を生かし、アーティストや美大生を対象とした国際的なトレーニングプログラムを企画
ホスピタリティとウェルビーイング	ウェルビーイングと積極的なコミュニケーションを重視し、長期的なミュージアム体験を提供する活動を通じて、ホスピタリティの重要性を強調

出所：グッゲンハイム美術館ビルバオのHPより著者作成

ョップなどを実施する「アウトリーチ」など、多彩なラーニングプログラムが用意されています。

美術館の教育普及プログラムのトレンドが、レクチャー主体の「エデュケーション」型から、ワークショップのように学ぶ側の意思を尊重しながら可能性を開いていく「ラーニング」型へと変化していることを指摘するのは、私がかねてからお付き合いのある**横浜美術館**（＊99）ソーシャルリレーション担当の襟川文恵さんです。

例えば「横山大観は明治から昭和にかけて活躍した、横浜ともゆかりのある日本画家で……」という情報から先に教えるのではなく、「この絵を見てどう思う？　何か発見はある？」という問いかけから始まる、対話型の鑑賞教育などもその一例です。まずは一人ひとりが自分の考えを持ち、それを伝え合い、思考の多様性をお互いに理解しあう。それはまさしく、学ぶ側が主体となったアートの楽しみ方、学び方にほかなりません。「どうしてそう感じたかを、根拠を明らかにしながら説明する言葉や行動、さらには相対する意見ともフェアに向き合える情緒を育くむことが大事です。基本的な情操教育を学校だけに託すのではなく、美術館や博物館、図書館などが連携して子どもを育てる。そういう地域コミュニティがこれまで以上に重要になるのではないでしょうか。それは子どもの教育に限ったことではなく、企業研修などにも応用され始めています」（襟川さん）。

１９８９年の横浜美術館開館当初からスタートした「子どものアトリエ」は、未就学児から12歳までの幼児・児童を対象に「自分の目で見て、自分の手で触れ、自分でやってみる」ことを基本としたプログラムを継続的に実施してきたそうです。[13]「子どもたちがアートに触れる原体験となりました。現在は施設の大規模改修のため長期休館しており、多くのプログラムが休止状態になっていますが、リニューアルオープン（２０２４年3月予定）とともに、時代の変化に合わせた形でリスタートすることになります」（襟川さん）。

他にも、横浜美術館には12歳～大人を対象にした「市民のアトリエ」があり、市民の創造活動を推進しています。コレクション展や企画展の内容に合わせたギャラリートーク、鑑賞ワークショップなどと併せて、多彩なプログラムを展開してきた横浜美術館がリニューアルを機にどのようなリスタートを切るのか、大いに期待したいと思います。

余談となりますが、襟川さんは積極的に企業を回り、展覧会等への協賛を提案するなど、横浜美術館の活動を外へと広げていらっしゃいます。このようなポジションや動きは、日本の美術館では珍しいのではないかと思います。襟川さんのお仕事はメトロポリタン美術館など海外の主要美術館で開発（development）担当と呼ばれる仕事に近いもので、既に本書でお伝えした組織的に新しい提携先を求めて活動しているセクションでは、襟川さんのような方が何人も活発な活動を展開していることになります。

５・５　教育に踏み込む世界のオークションハウスとギャラリー

学校で、会社で、自宅で、美術館で、ギャラリーで、アートの好き嫌いを日常的に話し、購入し、楽しむ。海外では音楽同様、アートは日常の一部です。アート教育においても日常的にさまざまな扉が開かれていて、それは購入することを意識した内容になっています。日本でもアート関連のセミナーがたいへん増えましたが、「買う」「日常生活に取り入れる」を前提としたテーマは、極めて少ないように思います。

オークションハウスのクリスティーズやサザビーズに開放的なアート空間があることを第１章で紹介しましたが、これらのオークションハウスでは日常的にアートスクールが開催されています。これも私たちのインターンとして仕事をし、実際にサザビーズのプログラムを受講した小石原あまなさんから聞いて驚いたことです。以下にレポートを紹介します。

＊　＊　＊

英国の「アートを学ぶこと」への身近さについて

小石原あまな

サザビーズ・インスティテュート（＊100）のカリキュラムは、仕事をしながら気軽に受けることができるコースから長期間の本格的なコースまで対象の幅が広く、それぞれのターゲットに向けた内容とプログラムが設定されています（図表5－3）。また、学位取得も可能なことがサザビーズの特徴です。「大学準備」「大学」「マスター」「プロフェッショナル」といった、アートで仕事をするために専門的に学びたい人向けのプログラムがとても充実しています。一方でアートの基礎知識やアートとその他の分野との関係性、アートの活用に関して学ぶことができる一般向けのプログラムまであり、オンラインのコースも用意されています。

クリスティーズでも多様なプログラムが用意されています。アートビジネス、アートオークション、アート界での広告・宣伝の仕組みや裏側について学び、これからのアート業界で重要なアートビジネスの人脈を築くことを目標とする「アートビジネス マスタークラス」や、ＮＦＴ作品の制作やＮＦＴを売る、買う、集めることに興味を持つ人に向けて、

図表5-3：Sotheby's INSTITUTE OF ARTのカリキュラム

大学準備プログラム	期間	内容
夏休み £5,325~	2週間	主に大学入学前の高校生に向けた夏期講習のような短期コース　集中コース：アートビジネス、美術犯罪、美術法、現代美術館の役割、アートキュレーションなど　探求コース：美術史、アートの今、美術保全、鑑定、アートとファッションなど 実践コース：描画など
	6週間または12週間	ロンドンやアートの世界に興味がある、進路に悩んでいる学生たちに向けた短期コース　アートビジネスや美術館、アートとその他の関係、多様なクラスを受講し　アート関連の知識習得の他、コミュニケーション能力や決断力、自己評価能力などのスキル向上国内外の美術館/ギャラリー訪問などのトリップも魅力
大学プログラム	**期間**	**内容**
分野別コース £4,500~	6～12週	様々なアート分野のコースから自ら選んで申し込む為、興味がある分野に集中して学ぶことができるまた、年齢の制限がない為、多様な背景をもつ方々とのコミュニティが築くことができる　アートビジネス、アートと社会的責任、アートファイナンスとアート思考、現代美術、アートキュレーション
一般アートコース 18歳以上	1年	美術学生だけでなく、人文科学、美術、経済などの幅広い分野を勉強する現役大学生なども対象細かい分野に分かれていない為、アートの基礎知識やアートとその他の分野との関係性、アートの活用に関して学ぶ
マスター	**期間**	**内容**
LONDONかNYか選択	1年～ 1年半	アートの専門知識、スキル、芸術的判断を身につけ、自身のビジネスに活用したいと考える人に向け アートビジネス、富裕層ビジネス、現代美術、ファインアートと装飾美術とデザイン
プロフェッショナル	**期間**	**内容**
オンラインコース (選択)	2～6週	コロナ禍以降さらに豊富になった、全てオンラインで修了可能なプログラム　グローバルビジネスとしてのアート、美術犯罪、ファイナンス、美術史、テクノロジー、現代美術、オークション、美術法
LONDONコース (選択)	2～6週	アートフェアやアートオークションなどへのフィールドトリップに参加、グローバルビジネスとしてのアート（アートの価値）、美術犯罪、アートとファイナンス、美術史、アートとテクノロジー、現代美術、アートオークション、美術法

分野別 コース £4,500~	6～12週	様々なアート分野のコースから自ら選んで申し込む為、興味がある分野に集中して学ぶことができる。また、年齢の制限がない為、多様な背景をもつ人々とのコミュニティを築くことができる。コース内容例：　アートビジネス、アートと社会的責任、アートファイナンスとアート思考、現代美術、アートキュレーション
カスタム		法人向け会社と直接プログラムを企画し、アートやビジネスについての講義で社員の教育・スキル向上を目指す
大学 プログラム	**期間**	**トピック例**
現代美術 £4,500	6週間	現在と未来のアートの世界を深く理解し、アート業界の様々な職業に活かし、将来の可能性を広げることを目的とする。要英語能力試験証明書（外国籍）　年齢証明書 •パーフォーマンス・アートの起源　•ミニマリズム •1968-1979の現代美術　•1980年代の現代美術　•ポップデザインからポストモダニズム　•1990年代の現代美術 •現代写真・映像美術　•新世紀の世界的芸術　•アーティストのスタジオ訪問　•現代のアート　•ギャラリービジネス
キュレー ティング £4,500	6週間	現役のキュレーターや専門家が実際に活用する知識、過程、手順、実践的スキルを講義、セミナー、ワークショップ、野外授業を用いて専門的、集中的に学ぶ。美術館やギャラリーのアートコレクションの歴史や保護、美術館やアートフェア、商業施設の働きについて、内と外の両方の視点から議論し、理解と発想をの向上を目指す
マスター プログラム	**期間**	**内　容**
現代美術 £34,500 1年間	3学期 180単位 週4日	1968年から現在までの美術について、美術史、学芸員研究、批判理論などを用いて学ぶ
アート ビジネス £10,050 1年間	3学期制 180単位 週3～4日	アートの世界の専門家や経営者にとって重要なファイナンス、経営、法律、論理学などの実践的な学問知識を学ぶ •未来芸術：　アートの未来とテクノロジー、サステナビリティー、政治についてを学び、研究 •専門的実践要素：　現代美術にはどのような職業、スキル、調査手順が必要とされ、活用されているか •論文：　洗練された教養のある学問と職業のスキルと知識を習得することを目的に論文を提出

大学準備コース	期間	トピック例
美術史 $5,325~	2週間	メジャーなアーティスト、団体、活動、文化、思想や歴史を調査・研究し、講義や美術館の通常は入ることができない裏側を体験するツアーなどによって集中的に学ぶ ・古代ローマ時代のデンドゥール神殿が展示されているメトロポリタン美術館を訪れる授業 ・古代ギリシア、ローマ～ビザンティン、中世ヨーロッパ～現代美術までの主要スタイルの書物・陶器・宝飾・織物などのコレクションを様々な美術館・博物館・ギャラリーで閲覧、 ・博物館学芸員、美術史家、美術批評家、アーティスト、建築家などからの説明で多様な様式や思想を理解
美術館/ギャラリー/オークション $5,325~	2週間	・専門家を呼んでの講義、フィールドトリップなどで学ぶ ・アートとそれらが売買される場の繋がりについての理解を進める ・授業では、討論、批評、観察したり、3つの組織がどのように新しいテクノロジーを使い、現在需要性の高まっている仮想世界へ発展しているのか研究

出所：Sotheby's INSTITUTE OF ART のHPより著者作成

アートでのＮＦＴについて知っておくべきことを全て学ぶ「ＮＦＴとは」といったクラスまで、興味深いカリキュラムが用意されています。

私は２０１８年にサザビーズで、「美術史：ルネッサンスからバロックまで」と「美術史：1970-2000」という二つのコースを受講しました。これは週１回２時間、美術史家でアートコンサルタントでもある講師の授業を約２カ月間受講する短期のコースでした。対面、もしくはオンラインで、資料を用いたレクチャーを主とした授業形式で、さらに美術館やギャラリーなどに講師とともに訪れ、レクチャーで学んだアーティストや作品を実際に鑑賞し、現代美術作品との共通点などを鑑賞しながら確認・発見し、美術史を知ることでわかる新しい作品鑑賞の楽しみ方を体感しました。

私が受講したコースは、授業の時間が平日昼間だったこともあり比較的小さめなクラスでしたが、アート関連企業ではなく、銀行などの会社に勤める会社員や、主婦、定年退職された方などさまざまな背景を持つ方々が10名ほど受講生として集まっていました。先生や他の受講者によるとコースによっても多少の差はあるようですが、例えば、短期の夜間コースは１クラス20人ほどで、アート関連企業ではない企業に勤務するビジネスパーソンが受講生の大半を占めていたそうです。

受講当時の私は学生で、普段の生活では出会うことがない年齢や職業、背景を持つ方々と一緒に学び、美術館を訪れたり、カフェや公園で仕事やアートについて語り合うことで、彼らの学ぶことに積極的な姿勢がとても刺激になり、将来について意識するきっかけになりました。

＊＊＊

サザビーズとクリスティーズのスクールは、日本からではアートについて学びたい人がリサーチしてようやく見つけられる存在だと思いますが、とにかく興味深い内容です。小石原さんが通ったサザビーズ・インスティテュートロンドン校はマンチェスター大学付属機関であり、マスターを含む全てのコースがマンチェスター大学により認証されています。一流の講師とアートの世界のネットワーク……これを日本で開催したいと思うのは私だけではないでしょう。

教育プログラムがあるのはオークションハウスだけではありません。１９９２年にスイス・チューリッヒで設立された「ハウザー&ワース」は、第２章でもご紹介したように香港、ロンドン、ニューヨーク、サウサンプトン、ロサンゼルス、サマセットなど世界に10カ所の展示スペースを持つメガギャラリーですが、教育への取り組みも有名です。ハウザー&ワースでは、開催する全ての展覧会で、講義シリーズ、セミナー、ワークショップなど、さまざまな年齢層

2019年、ハウザー＆ワース ロンドンで開催されたマーク・ブラッドフォードの展覧会「Cerberus」を受けて催された、サウス・ロンドン・ギャラリーとのコラボレーションの一環、ハリス女子アカデミーの生徒のための教育ワークショップより。
Courtesy of Hauser & Wirth

や対象視聴者向けの教育的なイベントを開催し、サマセットでは地元の学校、大学、慈善団体と提携して、子どもだけではなく社会人やグループ向けのコースも提供しています[14]。このコースには毎年約100の学校や団体が参加するそうです。このようなエデュケーション・プログラムを用意しているギャラリーが日本にあるでしょうか。美術館でさえ、私は知りません。

5・6 民間企業がアート教育をリードする未来図

さて、「まえがき」で触れたように、私は2011年にパリフォトで衝撃と感動を受けて日本に戻り、早速アート事業の提案のために日本企業にアポイントを入れようとしましたが、全く取れません。加えて、とても困ったことがありました。企業とアートの関係をもっと勉強したいと思っても、そんな書籍も、話を聞くことができる人も、教えてくれる学校も何もないのです。今のご時世、アート関係書籍やセミナーは山ほどありますが、当時私の求めていたものはほとんどありませんでした。

　そんな時にインターネットで検索して見つけたのが、前章でご紹介したメルセデス・ベンツ日本でのアート施策のアドバイザリーであるＮＰＯ法人アーツイニシアティヴトウキョウ（ＡＩＴ）でした。理事長の塩見有子さんを含む6人のキュレーターによって２００１年に設立されたＡＩＴで開催されていたセミナーは、私にとっては発見の連続でとてもためになり、数少ない同じ思いの方にお会いする機会を得ました。私が何度も聴講した教育プログラム（ワークショップや公開講座）と、海外の芸術家、研究者の招聘や国内の芸術家の派遣プログラムであるアーティスト・イン・レジデンスの二つの柱に加え、現代アートの展覧会やシンポジウムの企画・運営、そしてアートコンサルティングなどの活動をされています。

　現在は方向性が少し変わり、２０２１年からはオンデマンドのビデオレクチャーシリーズが配信されていて、２０２３年4月現在は「崩壊の時代の芸術体験 - Art Experience in the Age of Collapse」コースと「芸術から眺めるこども、こころ、せかい - Art and Children, Mental

Health and Experimental Learning」コースの2シリーズが開講しています。[15] このオンデマンドのビデオレクチャーシリーズは購入後90～１２０日間何度でもアクセスできます。

教育を変えていくにはたいへんな時間を要しますが、私はこれも民間企業の力でできないかと考えています。日本で初めての本格的なアートスクールをこれから企業に提案していくつもりです。「教育」には企業の資金を拠出しやすく、利益を求めにくい。そして何より、「アート」は企業イメージとしてたいへん魅力的だからです。収支も黒字・赤字どちらになったとしても大きなものではないでしょう。

例えば、全国展開するスーパーや、金融機関、通信系企業等々の企業の店舗や支店での、世界を意識した本格的、かつ継続的な教育プログラムです。現在、地方でもアート系のセミナーは山ほど開催されています。私は埼玉県新座市に住んでいますが、県だより、市報等々、いずれにも、たくさんのアート系セミナーやワークショップがあります。それはそれとして、私が考えているのは例えば、イオンや良品計画、三菱ＵＦＪ銀行、スターバックスなどの全国展開をしている各店舗で、以下のようなセミナーを実施するというものです。

① アートを「見て」「学び」「購入し」「家に飾る」ための毎月1回の年間シリーズセミナー

を実施

② 世界を見ている講師が教え、

③ 世界を経験したアーティストと地元のアーティストの交流があり、

④ 家にアートを飾るセミナーがあり、

⑤ そういうことを学んだ上で地元の美術館に行くツアーがあり、

⑥ 全国店舗共同での世界のアートシーンを見に行くツアーまであり、

⑦ 派生して地元の伝統工芸を学ぶ

これを実施すれば、社会は確実に成長すると思います。各地方の店舗で、当地のスタッフとともに成長できるといいですね。考えるだけで楽しく、きっとアーティストも世界を知る機会となり、セミナーで知り会ったアーティストの手ごろな価格の作品を買う方も出てくるはずです。実行可能です。民間企業の自由な発想と運営による、日本で初めての、オンリーワンのアートスクール。その事業化、私がお手伝いします。

大学教育は難しくないでしょう。講師は半分以上海外からになると思いますが、定員30人の美大レベルの教育機関を作る。年間３００万円程度の授業料をとってもいいと思います。そして、一つの企業が冠を買う。これも、東京エレクトロンが、ＫＤＤＩが、東急が、日本生命が実現したら……。企業にとっても、間違いなくとても効率的なブランディングになります。そして、この先この学校から羽ばたき、著名になった世界的アーティストは言うことでしょう。

「東京エレクトロンのおかげで私の今があるのです」と。

＊91 カイカイキキ（KaikaiKiki） 村上隆が主宰する、アート作品制作、出版、アーティスト・マネジメントを行う企業。１９９６年設立のヒロポンファクトリーを前身とし、２００１年に法人化された。東京・元麻布の本社のほか、国内に制作スタジオ、ギャラリー、CGアニメーションスタジオ等複数の拠点があり、ニューヨークにもオフィス・スタジオを設置する。アーティストやサポートスタッフを雇用し、それら国内外の拠点で計２５０人以上が従事している。

＊92 村上隆 １９６２年東京生まれ。日本を代表する現代アーティスト。キュレーター、映画監督、有限会社カイカイキキ代表取締役、カリフォルニア大学ロサンゼルス校客員教授等、多様な活動を展開。日本美術の平面性とアニメーションなどの現代文化を接続させた「スーパーフラット」セオリーの発案者であり、その代表作家。過去の日本人アーティストのオークションにおける最高落札価格記録を保持し、２００８年には立体作品が当時16億円で落札された。

＊93 芸術闘争論 ２０１０年に幻冬舎から刊行された、村上隆による著作。前作『芸術起業論』（２００６年）に続き、アートをビジネスとして、世界で生き抜くための具体的方略を授業形式にまとめた一冊。

＊94 ビルバオ・グッゲンハイム美術館 １９９７年にスペイン・バスク州ビルバオに開館した、近現代美術を

専門とする美術館。１９８０年代以降産業が衰退したビルバオの都市再生を目的に、ニューヨークのグッゲンハイム美術館とバスク州政府のパートナーシップにより設立された。建物は、アメリカの建築家フランク・Ｏ・ゲーリーによって設計され、現代建築の傑作と評されている。開館直後から人気観光地となり経済的効果とバスク地方全体のイメージが向上したことから、「ビルバオ効果」と呼ばれ、文化施設・資産を活用した世界の都市再開発プロジェクトの成功事例の一つとして注目された。

＊95 ダムタイプ　ビジュアル・アート、映像、コンピューター・プログラム、音楽、ダンス、デザインなど、さまざまな分野の複数のアーティストによって構成されるグループ。１９８４年京都での活動開始以来、集団による共同制作の可能性を探る独自の活動を続けている。特定のディレクターを置かず、プロジェクトごとに参加メンバーが変化するなど、フラットで緩やかな協働的な制作活動は、美術、演劇、ダンスといった既成の領域にとらわれない、あらゆる表現の形態を横断するマルチメディア・アートとして国内外で紹介されている。２０２２年ヴェネチア・ビエンナーレ国際美術展において、日本代表作家として日本館で展示が行われた。

＊96 高谷史郎　１９６３年奈良県生まれの現代美術家。京都市立芸術大学美術学部環境デザイン専攻卒業。大学在学中の１９８４年よりアーティストグループ「ダムタイプ」の活動に参加。１９９８年から「ダムタイプ」の活動と並行して個人の制作活動を開始。マルセイユ・フェスティバル（フランス）、東京・新国立劇場、台北・國家兩廳院（台湾）での公演や、ポンピドゥーセンター・メッス（フランス）、シャルジャ・ビエンナーレ（ＵＡＥ）等での作品展示、東京都写真美術館での個展等がある。

＊97 柄谷行人　１９４１年兵庫県生まれ、戦後日本を代表する思想家・文芸批評家。著作活動のみならず、雑誌「批評空間」の発行や社会運動「ニュー・アソシエーショニスト・ムーブメント」等の活動も展開し、国内

外に多くの読者を持つ。それらの活動が評され、アメリカのシンクタンクによって「哲学のノーベル賞」を目指して創設された「バーグルエン哲学・文化賞」を２０２２年に受賞。

＊98　近藤康太郎　１９６３年東京都生まれ、作家、評論家、猟師。朝日新聞社川崎支局、学芸部、ＡＥＲＡ編集部、ニューヨーク支局を経て、２０２１年から朝日新聞天草支局長兼編集委員。主な著書に、『百冊で耕す〈自由に、なる〉ための読書術』、『三行で撃つ〈善く、生きる〉ための文章塾』（以上、ＣＣＣメディアハウス）、『アロハで猟師、はじめました』『アロハで田植え、はじめました』（以上、河出書房新社）など。

＊99　横浜美術館　１９８９年に開館した、神奈川県横浜市にある美術館。２０１１年より「横浜トリエンナーレ」のメイン会場の一つとしても活用されている。七つの展示室のほか、11万冊を超える蔵書がある美術情報センター、多彩なワークショップを行うアトリエなども揃う、国内でも有数の規模を誇る。横浜が日本の写真発祥の地として知られることから写真部門を設けており、写真の収集・展示に注力している。現在は改修工事のため休館中で２０２４年3月にリニューアルオープン予定。

＊100　サザビーズ・インスティテュート　ロンドンとニューヨークにあるキャンパスとオンラインにて、美術史研究からアートビジネス関連等の多様なプログラムを、美術専門家から学生まで幅広い立場を対象に提供している。１９６９年の設立以来、毎年２５００人以上の学生が在籍しており、修士号を持つ８０００人以上の強力な卒業生ネットワークが構築されている。

第6章

日本におけるアートと地方の関係

本章では、地方とアートの関係について、自身の経験をもとに提言をしたいと思います。自治体との交渉から始まり、町長との海外視察同行を経て実現した「浅間国際フォトフェスティバル」の開催に至るまでの苦楽を重ねた経験。35年の試行錯誤を経て、アートフォトを通じて類を見ない素敵な街になった北海道東川町《ひがしかわちょう》との出会い。そうした経験ゆえに、町興《おこ》しとして開催されている各地の地方フェスについては、理解されにくい現代アートを、なぜ、地方の税金を使って実施しているのかという疑問を以前から持っていました。誰のためのアートフェスティバルなのか、街の人口は回復しているのか。私は地方フェスに行くと必ず地元のタクシー運転手やレストランの方と話しますが、まず無関心で、その存在さえほとんど知られていない現実があります。今回はその考えを正直にお伝えします。

6・1　アートが「過疎の町」を「住みたい町」に変えた東川町

私自身が２０２０年までの10年間、アートフォトを中心に活動してきたので、まずはアートフォト中心のお話になりますが、アート全体にも充分応用できる事例をご紹介します。

北海道上川郡《かみかわぐん》東川町。きっとご存知ない方が多いと思います。旭川空港から車で15分、大雪山国立公園の一部も有する人口約８５００人の風光明媚な東川は、35年以上前から「写真の町」を謳い、毎年8月に「東川町国際写真フェスティバル」を開催し、世界と日本のアートフォトグラファーに「写真の町東川賞」を授与しています。現在では数千点におよぶ国内外の世界的なアートフォトコレクションを所有するという、少しレベルの違う町です。

景観ルールが設けられているこの町では、移住して家を建てる場合には、景観のための樹木が贈られ、ルールに賛同し基準を満たした住宅や付属建築物には補助金が交付されます。そんな施策が功を奏し、若い人を中心に緩やかに人口が増加した東川町は、税収も9億円にまで増加し、２０２２年の一般会計予算は歴代最高額の１３６億円となりました。[1] このところテレビでも取り上げられるようになり、企業や自治体からの視察者も増えています。一見しただけではよくわからないけれど、何かがちょっと他の町とは違うのです。

私はご縁があって、２０１３年から仕事で東川町を頻繁に訪れるようになり、見事に惚れ込みました。住みたくなりました。東京育ちで運転免許も持ってない私が移住するのは、現実的ではないのかもしれません。しかし実際、仕事をともにした私の若い同僚も知り合いの編集者も、この町に移住してしまいました。さらに、建築家の隈研吾さんの事務所もサテライトオフィスを開設しました。説明を受けないとわからないかもしれませんが、「写真の町」東川町に移住者が増えている理由は、最近よく耳にする、集客に直結するような単純な「地方とアートの関係」ではありません。

東川町の株主証。2008年から町を応援しようとする人が町への寄附をして「株主」となり、まちづくりに参加する「ひがしかわ株主制度」が実施されている。

東川町役場の方の説明とともに町を回ると（東川町の視察受け入れは有料）、いろいろなことがわかります。分譲住宅の宅地を仕切る塀がない。中心市街地には木彫の突き出し看板がある。廊下の長さが２７０ｍにおよぶ小学校の校舎は、廊下と教室を隔てる壁がないオープンスタイル。小学校のグラウンドには公園が隣接していて、周囲と一体化した風景は日本離れしています。今では全国の自治体が取り組んでいるふるさと納税ですが、東川町では２００８年から町を応援しようとする人が町へ寄附をして「株主」となり、まちづくりに参加する「ひがしかわ株主制度」として実施されており、株主証も発行されます。東川町への寄附を投資といい、宿泊施設の利用など東川町を訪れる契機となる返礼品やサービスが提供されます。かくいう私も株主です。

他の町でも同じようなことができそう、と思いますか？しかし、東川町がここに至るまでには実に35年以上の歴史があるのです。

1985年、東川町は、札幌の企画会社の提案で「アートフォトの町にする」ビジョンを採用しました。全国一村一品運動（1980年に大分県の全市町村から始められた地域振興プロジェクトが起源）が推進されていたこの時期、東川町は文化で町づくりを選択。アートを提案する企画会社と、それを採用した町長には当時、町民から疑問の声がたくさん出たそうです。1985年に「写真の町」の宣言、「写真の町東川賞」創設、東川町国際写真フェスティバル開催。1989年、写真の常設展示を行う文化ギャラリー建設。1994年、写真甲子園開催。このようにさまざまな写真、アートに関わる取り組みを実践していました。

しかし2005年、提案をしてきた企画会社が倒産します。ここからが正念場でした。普通はこれを機に写真の町を目指すことを辞めるか、他の企画会社に振り替えるところを、東川町は町役場が独自で運営することを選択したのです。地方でアートを掲げた町興しといえば、企画している人、運営している人、さらに話題にしている人に至るまで東京の人が多いものですが、東川町は都会の人（札幌の企画会社）がいなくなった時、自分たちで背負ったのです。その後、写真の町を条例化したことも特筆すべきことです。

東川町で開催される「写真甲子園」は、日本中の高校生を対象に、東川町や近隣の町を被写体にした写真の全国大会です。三人一組になった高校生が3日間町を歩き回り、人、畑、山、草、花、石、土、建物などを被写体に写真を撮ります。当然、3日間の撮影期間には雨が降ることもあります。写真を撮らせてくださいと頭を下げる必要もあれば、動きまわる動物を相手に悪戦苦闘することもあります。まさに汗をかきつつ3日連続で撮影した写真を組み写真として発表すると、審査員が目の前で、ユーモアにあふれながらも、時には的確で厳しい言葉で批評します。そして高校生たちは批評に対してうなずき、首を傾《かし》げ、笑い……。そうやって優勝者が決まるのですが、私が見学した時、受賞した子どもたちは泣いていました。力を振り絞り、街の人々に励まされながら撮影した時間を思い出すのですね。日本全国の高校写真部にとって有意義な大会であり、町民にとっても楽しい恒例行事になりました。この大会が継続し、今に至っているのは町役場の人々自身の創造力の賜物なのです。

また国内外のアートフォトグラファーに贈られる「写真の町東川賞」というアワードも続いており、受賞作家は東川町へ受賞作品を寄贈します。東川町のウェブサイトには歴代の受賞作家の収蔵作品データベース[2]がありますが、この一覧を見れば、アートフォトに詳しい方なら「すごい」と思うでしょう。毎年の表彰式は、地元の人と東川賞審査会委員、写真関係のゲストの方々と小規模に開催します。名実ともに備わったフォトグラファーが国内外から選ばれるので、カルチャー系メディアや全国紙を招待してもいいのですが、自分たちのためにやっているのだから国内外に知らせる必要がないという考えで、ほんの少人数で、拍手もささやかなものです。しかし、心がこもっています。おもてなしが温かいのです。自分たちの町のためなのだと割り切った、徹底した考え方と方法ですが、長年の苦労からの自然の結論です。無理をしていません。

ただ特筆すべきなのは、こうした大会やアワードといった有形のものではありません。この10年以上のプロセスの間に、町役場や町民の考え方が自然に変わっていったことです。町長は既に4人目です。私は、東川町のここまでの道のりに惚れ込み、この道のりこそがアートだと感銘して、これまで50冊以上の「東川スタイル」という本をさまざまな企業に配ってきました。そのうちの何人かが実際に町を訪れて、説明をきちんと聞いて、感動して帰ってきました。とあるラグジュアリーブランドの元マーケティングマネージャーからも、「表彰式はちょっともったいない気がしたけど、東川町の発想と行動は素敵すぎる。感動した」という電話を、訪問した夜にもらったことがあります。この時は私も嬉しくてしょうがなかったです。時々「東川町の観光大使みたいですね」と言われていますが、まだ東川町からは公認されていません（笑）。

ちなみに東川町の著名アートフォトグラファーの作品保有数は半端ではなく、２００６年には東京都写真美術館で「写真の町東川賞海外作家コレクション展―20年の軌跡―」という展覧会も開催されました。東川町のアートフォト文化ギャラリーはますます充実していますが、これは、日本全体にもう少し共有したいところです。

東川町役場職員は、現在も引き続き勉強のために走り回っています。雑誌「ＢＲＵＴＵＳ」で関連の特集が組まれそうだと聞いた担当者は東京の編集部まで説明に出掛け、アートフォトフェスティバルでは先進的な欧州の町に職員自らが視察に行き、そこで学んだアートフォトの屋外での展示方法を、すぐ翌年に実践しました。それが、次に紹介する、フランスの人口２２００人の小さな街ラ・ガシィ（La Gacilly）の「フェスティバル フォトラ・ガシィ」です。

6・2 フランスで出合った素敵なアートフォトの町

２０１３年、当時私が所属していたアマナが、「イマ（ＩＭＡ）」というアートプロジェクトを進めていました。そして、その一環として、パリで開催されている国際的かつ世界で最も権威あるアートフォトのトレードフェアであるパリフォトに出展しました。すると、世界のアートフォト関係者の間では、日本のアートフォトについてはアマナという企業に聞けばいいという流れが、あっという間にできました。

ちなみに、アート全般における日本の存在価値の低さとは対象的に、「建築」と「アートフォト」の世界での日本の評価はたいへん高いのです。カメラの90%が日本ブランドであるせいなのか、荒木経惟、森山大道をはじめとする日本のアートフォトグラファーがとてもユニークなせいなのか……これはこれできちんと解明したいものです。事実、スイスの老舗プライベートバンクであるピクテ銀行は、国際的なアートフォトアワードである「プリピクテ」の中に、２０１５年に日本の写真家のみを対象にした「プリピクテジャパンアワード」を設立しています。

そんな背景のもと、フランスのラ・ガシィという村の村長からアマナに連絡がありました。ラ・ガシィはフランス西北にある、人口２２００人の小さな村です。フランスのアートフォトフェスティバルといえば、アルルの**「国際写真フェスティバル」**（＊101）が知られていますが、このラ・ガシィで２００４年から開催されている「フェスティバルフォトラ・ガシィ」には、パリからＴＧＶ（高速鉄道）で約２時間かかる小さな村だというのに年間40万人もの観光客が訪れます。

当時の村長兼フェスティバル創設者がわざわざ東京のアマナに来社したのが、２０１５年の秋でした。そして「２０１６年のラ・ガシィ写真フェスティバルの展示テーマを『ＪＡＰＯＮ（日本）』にしたい。ついては、日本人アートフォトの作品貸し出し、および活用を手伝ってほしい」と私たちに依頼したのです。ここで、二つのことがわかりました。一つは、日本人アートフォトグラファーの人気と評価の高さ。そしてもう一つは、興行会社に依頼せず、村長自らが遠路はるばるやってくる当事者意識。ともに日本では考えられません。

２０１６年、私たちは初めてラ・ガシィのフォトフェスを訪ねました。ここで驚いたのは、その展示方法でした（巻頭「Gallery4.」）。複製可能という写真の利点をフルに生かして、小さな村のあらゆる場所の屋外に、大きく引き伸ばされたアートフォトが飾られ、その前で人々が語り合い、子どもたちは写真に触れ、走り回っていました。フランスの小さな村のアートフェスで、10年も前からやっている野外でのユニークで革新的な展示は、日本では前例がないのではないか……こんな自由なアートの楽しみ方があるのか。私にとって、さまざまな意味で衝撃でした。

この時の経験が、長野県の浅間山麓の地域を舞台に２０１８年から始まった、世界に日本の写真文化を発信するフォトフェスティバル**「浅間国際フォトフェスティバル」**（＊102）につながるのですが、話はこれで終わりません。

日本人の若手アートフォトグラファーの貸し出し要請が、次はスイスのヴヴェイ（Vevey）からありました。ヴヴェイはレマン湖北岸に位置し、ネスレの本社や、国立西洋美術館の建築で有名なル・コルビュジエが両親のために作った小さな家がある町です。ここでは、濱田祐史、ネルホル、西野壮平といった（アートフォトのメディアを運営している私たちにはなじみ深いアーティストですが、日本人はほとんど知らない）フォトグラファーが、既に活躍しているアートフォトフェスティバルが開催されました。２年に一度開催されるこの**「フェスティバル イマージュ ヴヴ**

「フェスティバル イマージュ ヴヴェイ（Festival Images Vevey）2020」の屋外展示風景。米国人写真家ジェフ・マーメルスタイン（Jeff Mermelstein）の作品《Sidewalk》
Photo : Laetitia Gessler, Courtesy of Festival Images Vevey

エイ」（＊103）に行って、再び大きなショックを受けました。ここ数年、ようやく東京でも屋外型国際フォトフェスティバルが開催されるようになりましたが、レベルが段違いです。私はいまだにこのヴヴェイやラ・ガシィを超える素敵な展示を日本では見たことがありません。「浅間国際フォトフェスティバル」では、この展示方法を取り入れました。どうして日本ではこのような一般の人々にとっても親しみやすいアートイベントが行われていないのか？　真剣に考えなければならないと思います。世界を見ていない、それが一番の理由です。

6・3　海外のアートフェスをお手本にした御代田で学んだこと

ラ・ガシィやヴヴェイの展示方法をお手本にした「浅間国際フォトフェスティバル」について、もう少し詳しくご紹介したいと思います。

ことの始まりは２０１５年、当時私が所属していた株式会社アマナの代表取締役社長・進藤博信さんの「軽井沢の別荘の近くにある旧メルシャン軽井沢美術館の跡地がそのままになっているんだよ」の一言からでした。旧メルシャン軽井沢美術館の位置する長野県北佐久郡御代田《みよた》町《まち》は、浅間山の裾野に位置する自然豊かな高原の町です。西軽井沢の異称もあり、近年では移住者が増加しています。

何人かの知り合いを通じて、御代田町の企画財政課長（当時）に会うことからスタートしました。そして、ほどなく町長（当時）に会うことができたのです。そこで町長を含む執行部や町議会で説明をした結果、予想外に早く美術館の長期貸し出しが決まりました。

私たちが実現したかったのは、ラ・ガシィやヴヴェイで見た素敵なアートフォトの屋外展示です。この旧メルシャン美術館の魅力は、アマナの保有する９００点以上におよぶ日本を代表するアートフォトを展示できることだけではありません。美術館の建物は５３００坪の広い敷地のごく一部であり、敷地内には感じの良い緑地や林とフランス人建築家のデザインによる、

2018年に開催された「浅間国際フォトフェスティバル」（長野県御代田町）の屋外展示風景。写真はジェシカ・イートンの作品。

小さいながらおしゃれな建物が四つあります。つまり、フランスやスイスで見た屋外でのアートフォトの展示風景を再現可能だったのです。私はこの出合いに運命を感じました。

　そして２０１８年、私たちは第1回となる浅間国際フォトフェスティバルを開催しました。アートフォトメディア「ＩＭＡ」を運営し、自らアートフォトのコレクションを所有し、海外のアートフォトフェスティバルを経験したアマナは、資金的にはたいへんだったものの御代田町との協業で、素敵なフェスティバルを開くことができました。緑に包まれた広大な敷地の中に、巨大なパネルや立体作品、映像などのアートフォトをさまざまな形で展示し、さらに東京から多士《たし》済々《せいせい》の話題の講師を招聘してセミナーや写真教室を開催するなど、私たちなりにさまざまな工夫を凝らして、日本ではオンリーワンのアートフォトフェスティバルになったと自負しています。８月11日から９月30日までの全51日間の会期中、来場者は約２万人におよびました。

初回なのでＰＲも積極的に展開しなかったのですが、普段からお付き合いのある新聞の文化部や雑誌社などのメディアにお越しいただきました。日本で開催されている他のアートフェスを見なれているゆえに、そしてまだ海外のアートフォトフェスを見ていないがゆえに、皆さんは感動して、思いのほか大きな記事にしてくれたのです。そして最も驚いたのは、１００社におよぶ企業が視察に訪れたことです。多くの企業の方々に「素敵だ」という感想をいただきました。私たちが欧州の小さな町で経験した感激と同様の、心からの言葉だと思います。現代アートの中でもアートフォトはわかりやすい、ということもあるのだと思います。

しかし、残念ながら、すぐに何かが生まれたわけではないという事実も付しておきます。地元の人にもわかりやすい作品をセレクトしたり、地元向けの撮影会も実施しました。海外で展覧会を開催するようなアートフォトグラファーによる写真教室も開催しました。初年度約２万人の来場者の内訳は県内、県外ほぼ半々でしたが、いきなり現代アートの写真に対して地元の方たちのご理解や反響が大きかったわけではなく、また御代田は観光地ではないため町にわかりやすい経済効果をもたらしたわけではありませんでした。

コロナを挟んで3回目となる２０２２年の開催では、大型の企業協賛がつき、町からのボランティア参加や町民主催イベントなども実施され、徐々に地元へ浸透しています。その背景には、会場となるモップ[3]（MMoP）へのテナント誘致や御代田町へのクリエイターたちの移住という流れがあります。私は現代アート全般の新しいプロジェクトに移り、浅間国際フォトフェスティバルの担当からは外れましたが、その後もアマナの担当チームによる試行錯誤が続いています。

先にご紹介した北海道の東川町も試行錯誤を重ね、ここまでに35年以上かかっています。御代田もここからが楽しみです。そして、この御代田の経験により、私は日本における現代アートの地方でのフェスティバルの展開について、多くのことを考えるようになりました。

6・4　地方の芸術祭と町の日常

東川町に学び、御代田でのアート施策に従事してきた私は、アートをテーマに地方を盛り上げるには相当のエネルギーと時間が必要だということを、身をもって体験しました。何を目的とするのか、どんなタームで考えるのか、収支を金銭だけで考えるのか……そこにはさまざまな基準があります。そもそも、日本において「現代アート」というテーマが一般の市民にふさわしいのか。これまでも述べてきたように、アートについて語り合うことに子どもの頃から慣れている「世界」とそうでない「日本」。道半ばとはいえ、写真というわかりやすいメディアの芸術祭でさえも、正解への道はまだ見出せていません。

日本における地方とアートを考える時、真っ先に思い浮かぶのが**瀬戸内国際芸術祭**（＊104）とその中心である**直島町**（＊105）です。町が主催ではないというものの、直島町の町長が芸術祭について積極的に発言している姿を私は知りません。アートの聖地として世界にも知られるようになった直島町ですが、町の人口は減り続けています。

直島に行って、ベネッセのホテルに泊まったことがあります。そこはこれまで私が宿泊したホテルの中で、おそらく一番素敵な場所でした。**杉本博司**（＊106）をはじめとする素晴らしい作家のアート作品を夜中の23時まで見ることができるのです。さらにレストランの素晴らしさにも感動しました。でも、そこで町民がアートや食事を満喫することがあるのだろうか、という疑問が湧きました。島を回遊するバスは宿泊者専用で、私はゆったりと座りましたが、夏の観光ピーク時、私たちのバスが優雅に進む中、ベネッセハウス以外に泊まっている方々は、満員の通常バスに乗り込むか、炎天下の中で次のバスを待つしかありません。全ての観光客や町民に寄りそっている雰囲気は感じませんでした。

私はこれが悪いと言っているわけではありません。これも個性の一つです。日本らしくない、

図表6-1：アートをキーにしている3つの町の人口推移

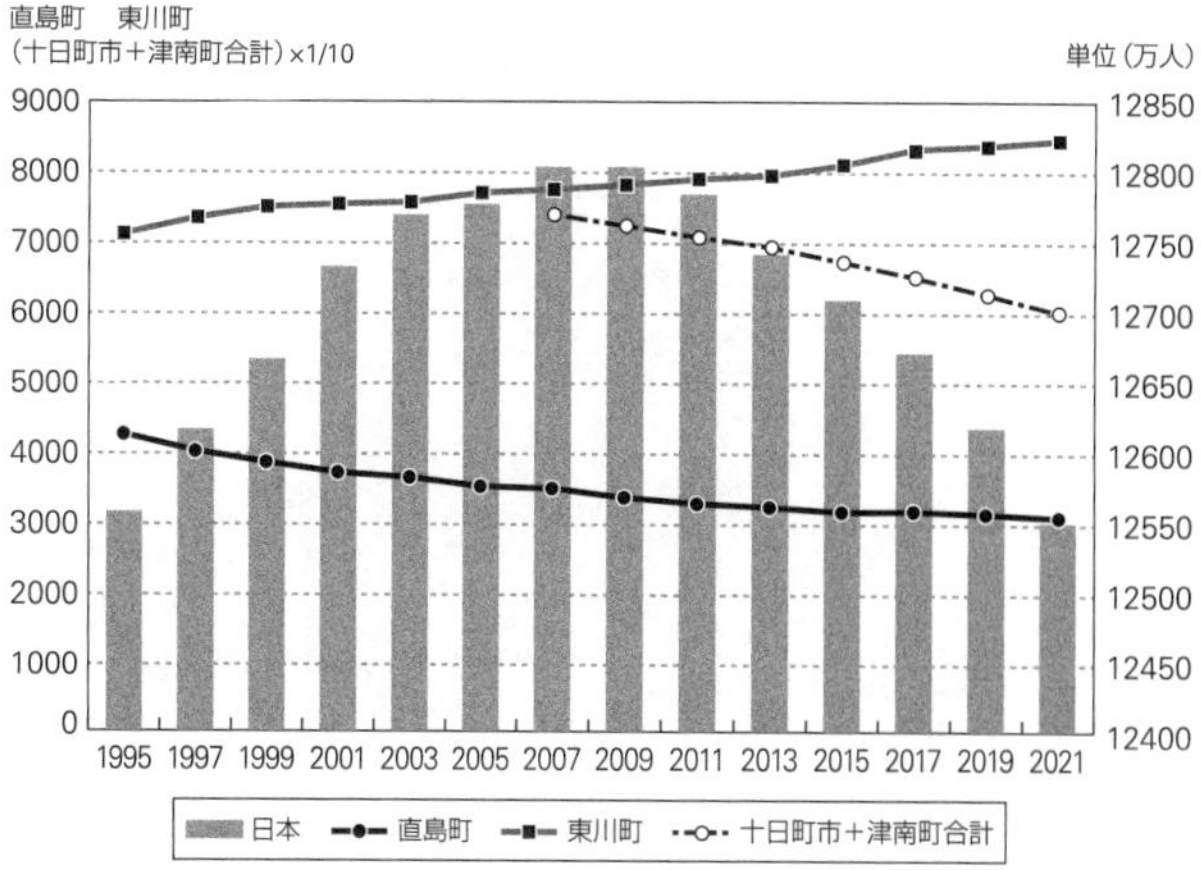

出所：著者作成

「区別」された世界。ただし、言いたいこともあります。アートで有名な町、例えば直島町や、大地の芸術祭が開催される越後妻有（十日町市と津南町）の人口が減り続けている事実がほとんど報じられないことです（図表6-1）。「アート施策の目的は人口の増加や維持ではないし、世界的に有名になることだ」というのならそれでいいのです。「税収が増えるため」というのならそれでいいのです。しかし、多くの場合は「町興し」のテーマとして話題になっていることを考えると、人口の減少程度はメディアが取り上げるべきだと思います。

また、アートによる町興しで有名になった地方の町と、この章の初めにご紹介した東川町ではウェブサイトも大きく違います。

直島町のHP（左）と東川町のHP（右）

どちらに「アート」を感じるでしょうか。どちらが個性的でしょうか。このところ、東川町長がメディアに取り上げられるようになりました。東川町の主役は東京の人ではなく町の住民です。「地方とアート」でよく取り上げられる町に行ってみてください。その人口の推移を調べてください。記者発表会場には賑わいがあるものの、町を歩くと、昔ながらの街並みはシャッター街だらけです。地方のアートフェスティバルに行ったら、地元の人にそのフェスについて聞いてみてください。私は必ず聞きます。タクシーの運転手やレストランで尋ねると……彼らはほとんど、何も知りません。現代アートは東京でも集客が厳しいと聞きますが、それは本当です。

２０２２年は世界的な現代アートの芸術祭であ

るヴェネチア・ビエンナーレ、ドクメンタといった世界的なアートフェスティバルの開催年でした。この他にも世界各地には特徴豊かな芸術祭がたくさんあります（巻末資料3）。日本各地でもさまざまな芸術祭が開催されました。会期の早い順番に名前をあげてみましょう。

・KYOTOGRAPHIE 京都国際写真祭（＊107）（京都）
・瀬戸内国際芸術祭（岡山、香川）
・道後オンセナート（＊108）
・越後妻有 大地の芸術祭（＊109）
・浅間国際フォトフェスティバル２０２２（長野）
・国際芸術祭「あいち２０２２」（＊110）（愛知）
・リボーン・アートフェスティバル（＊111）
・ＢＩＷＡＫＯビエンナーレ（＊112）（滋賀県近江八幡市、彦根市）
・岡山芸術交流（＊113）２０２２（岡山）

これらのアートフェスに接して私が感じることは、地方の芸術祭にもかかわらず、運営主体から審査員まで、海外の人、東京の人が多く、いつも同じような狭いアート業界のメンバーに

	2020〜2021	2022
		池田豊人［香川県知事］
		真鍋武紀［前香川県知事］
		泉雅文［香川県商工会議所連合会会長］
		大西秀人［高松市長］
		福武總一郎［公益財団法人福武財団理事長］
		北川フラム［アートディレクター］
		片岡 真実［森美術館館長／国際美術館会議（CIMAM）会長］
		コスミン・コスティナス ［パラサイト（香港）エグゼクティブ・ディレクター／キュレーター］
		ラーナ・デヴェンポート［南オーストラリア州立美術館館長］
		マーティン・ゲルマン［インディペンデント・キュレーター］
		ウンジー・ジュー［サンフランシスコ近代美術館キュレーター］
		ガビ・ンゴボ ［ジャベット・アート・センター キュレトリアル・ディレクター］
		ヴィクトリア・ノーソーン［ブエノスアイレス近代美術館館長］
		トビアス・オストランダー［インディペンデント・キュレーター］
		ラルフ・ルゴフ［ヘイワード・ギャラリー館長］
		島袋 道浩［美術家］
		飯田志保子
		相馬千秋
		会田大也
		山本 高之 ［アーティスト／スクール・イン・プログレス・コディレクター／オンゴーイング・スクール・ディレクター］
		中村史子［愛知県美術館主任学芸員］
		堤拓也［キュレーター／グラフィックデザイナー］
		藤井 明子［愛知県芸術劇場プロデューサー］
		前田 圭蔵［アートプロデューサー］

図表6-2：近年の主な地方芸術祭の役職者一覧

	2018〜2019
瀬戸内国際芸術祭（3年毎開催）	
瀬戸内国際芸術祭実行委員会	
会長	浜田恵造［香川県知事］
名誉会長	真鍋武紀［前香川県知事］
副会長	泉雅文［香川県商工会議所連合会会長］ 大西秀人［高松市長］
顧問	梅原利之［四国旅客鉄道株式会社顧問］
総合プロデューサー	福武總一郎［公益財団法人福武財団理事長］
総合ディレクター	北川フラム［アートディレクター］
アドバイザリーボード委員	椹木野衣［多摩美術大学教授］ 鷲田めるろ［キュレーター］
あいちトリエンナーレ（3年毎開催） **＊2022年は「あいち2022」**	
芸術監督	津田大介［早稲田大学文学学術院教授］
キュレトリアル・アドバイザー	
企画アドバイザー	東浩紀［作家／批評家］
チーフ・キュレーター（学芸統括）	飯田志保子
キュレーター（国際現代美術展）	能勢陽子　ペドロ・レイエス　鷲田めるろ
キュレーター（映像プログラム）	杉原永純
キュレーター（パフォーミングアーツ）	相馬千秋［アートプロデューサー／NPO法人 芸術公社 代表理事］
キュレーター（音楽プログラム）	大山卓也
キュレーター（ラーニング）	会田大也［山口情報芸術センター（YCAM） アーティスティック・ディレクター］
キュレーター（現代美術）	
パフォーミングアーツ・アドバイザー	
コンサルタント	ホウ・ハンルゥ
公式デザイナー	前田豊

	2020〜2021	2022
		新潟県知事
		関口芳史
		桑原悠
		福武總一郎
		北川フラム
		佐藤卓［グラフィックデザイナー］
		高島宏平［オイシックス・ラ・大地株式会社 代表取締役社長］
		大森 雅夫
		横田 有次［岡山県副知事］
		松田 久［岡山商工会議所会頭］
		石川 康晴
		那須 太郎
		リクリット・ティラヴァーニャ［アーティスト］
		木ノ下 智恵子
		川上 シュン［artless Inc. 代表］
		和氣健［岡山市議会議長］
		槇野博史［国立大学法人岡山大学学長］
		宮長雅人［株式会社中国銀行取締役会長］

	2018～2019
大地の芸術祭：越後妻有アートトリエンナーレ（３年毎開催）	
名誉実行委員長	花角英世［新潟県知事］
実行委員長	関口芳史［十日町市長］
副実行委員長	桑原悠［津南町長］
総合プロデューサー	福武總一郎［株式会社ベネッセホールディングス取締役会長］
総合ディレクター	北川フラム［アートディレクター］
クリエイティブ・ディレクター	佐藤卓［株式会社TSDO］
オフィシャルサポーター・リーダー	高島宏平［株式会社オイシックス・ラ・大地代表取締役社長］
岡山芸術交流（３年毎開催）	
会長	大森 雅夫［岡山市長］
副会長	
総合プロデューサー	石川 康晴［公益財団法人石川文化振興財団理事長］
総合ディレクター	那須 太郎［TARO NASU 代表 / ギャラリスト］
アーティスティックディレクター	ピエール・ユイグ［アーティスト］
パブリックプログラムディレクター	木ノ下 智恵子［大阪大学21世紀懐徳堂准教授］
デザインディレクター	
顧問	

出所：各芸術祭のHPより著者作成

よって論じられている、ということです。メディアもその表面的なことばかりを報じます。そこに住む人々ではなく、遠方から訪れた参加者の意見を記事にします。

世界のアートイベントに足を運び、アート関係者だけではなく地元の住民や普通の市民が見事に親しんでいるシーンを見てきた人間として、日本の芸術祭について意見を述べたいと思います。日本美術も含めアートにもいろいろな種類や切り口があるにもかかわらず、現在開催されている大規模な芸術祭のほとんどが現代アートの祭典です。現代アートが駄目だと言いたいのではありませんが、あまりに画一的です。

次に、なぜ東京や海外のディレクターが中心で、地元の人々が脇役なのか。２０１９年のあいちトリエンナーレで生じた問題は記憶に新しいと思いますが、論じているのはほとんど東京の人でした。地元の人が中心になり、そのシナリオとして東京や海外から人を呼ぶのなら、私にも理解できるのです。２０１８～２０２２年に開催された主な芸術祭のプロデューサー、ディレクターを見ると錚々《そうそう》たるメンバーと言える一方で、場所を入れ替えても各チームが成り立つのではないかと感じます（**図表6-2**）。その地域の個性はどこにあるのでしょう。もちろん、地方で世界の現代アートシーンを見せる意味は充分にあります。しかし、シナリオを書くのは、今、地方で生活をしている人であるべきだと思います。

このままでは、東京の人が指導し、地方の人は脇役で、地元の人々の生活に影響する可能性は低く、人も町も変わらないというステップから脱しないように思います。地方のどの町に行っても、とても親しみやすいことに気がつくとともに、これはおかしいと思うわけです。私が親しみやすいということは、東京に似ていることを意味するのではないかと。本来は個性があるはずの地元の商店街は、見事に廃《すた》れています。地方に行ったら聞いてみてください。「昔からの商店街はどこですか？」と。きっとどこも同じ回答のはずです。「あそこですけれど、もう廃れちゃって……」。芸術祭が盛んな町もそうです。そして、駅および中心街に軒を並べる店や雰囲気は東京と似たり寄ったりです。

6・5　前橋がアートの街になる日

アートによる地方活性化のために何ができるのか。そう思案していた時にお会いしたのが、ジンズホールディングスＣＥＯの田中仁さんでした。実は以前、彼が出身地の前橋市をアートの街に変えようとしているというお話を聞き及んだ時には、行政予算に基づく文化施策をサポートされているのだと思っていたのですが、それは誤りでした。

２０２３年2月、田中さんがオーナーである前橋市の白井屋ホテルでお話を伺いました。このホテルは、２０１４年に廃墟同然だった物件を「地元の若者の熱意に動かされ、買うに至った」（田中さん）ということなのですが、建築家の**藤本壮介**（＊114）氏により見事に設計・リノベーションされたホテル空間の質の高さは、直島のベネッセホテルで感じた時と同様の素晴らしさでした。通りから見えてきたのは言語をグラフィックで表現した**ローレンス・ウィナー**（＊115）のアートワーク、そしてレセプションでは杉本博司の作品に迎えられ、オールデイダイニングの吹き抜け空間には**レアンドロ・エルリッヒ**（＊116）のコミッションワークが圧倒的な存在感を放っています。軽食はもちろん、コーヒー一杯でも気軽に立ち寄ることができる「ザ・ラウンジ」や共有部には**武田鉄平**（＊117）や**五木田智央**（＊118）といった注目の現代アート作家から、若手までの作品が展示されていて、全ての客室がアーティストルーム、つまり一人のアーティストをテーマに、その作品が複数飾られています。著名アーティストやデザイナーがデザインした特別な部屋もあります。宿泊しなくても誰でも利用できるレストランやラウンジでは、人々が楽しそうに歓談していました。地元民に対する閉鎖的な雰囲気を感じてしまうベネッセとは異なり、ちょっとハイクラスの日常風景がそこにありました。

　田中さんは、自ら立ち上げた財団でこの世界一流のアート作品のコストを全て負担しています。税金どころか、ジンズホールディングスのお金も使っていません。そして田中さんは白井屋ホテルのみではなく、ここを拠点に前橋をアートの街にするためのさらなる構想を進めているのです。

白井屋ホテル（群馬県前橋市）のヘリテージタワーの外壁に設置されたのは、コンセプチュアル・アートを代表する作家であり、言語を主要なメディアとする制作活動を展開したローレンス・ウィナーのコミッションワーク「FROM THE HEAVENS FROM THE PRAIRIES FROM THE SEA FROM THE MOUNTAINS」。
Courtesy of SHIROIYA HOTEL

信じられないことですが、田中さんは10年前までほとんど現代アートに関心がなかったそうです。でも、建築やデザインにはもともと興味を持っていたとのことで、JINSでは2009年には建築家のデザインによるアイウエアが発売されています。

ことの起こりは2014年。「前橋はもう終わっている街だなあ」と感じていた田中さんが、**「アーツ前橋」**（＊119）のイベントで出会った若者たちから、この街の再建への協力を請われたことから始まりました。当時はまだ現代アートには関心もなかったことから、起業家育成で貢献しようと考え、ホテルについては街の活性化を念頭に、前橋市のビジョンをドイツのコンサルティング会社とともに作りながら再建計画を練りました。しかし、それに乗ってくる観光系企業は一つもなかった。そんな流れの中で、当初はホテルの建物については、ほとんど従来の構造のままで、各部屋にはリトグラフでも飾っておけばいいかな、と考えていたといいます。

一方、海外旅行や出張の際には美術館に赴き、当時ＪＩＮＳの顧問だった元エルメスジャポンの藤本幸三さんの影響もあって、ギャラリーで現代アートを見るようになり、アートバーゼルといったハイエンドなアートフェアにも通い始めていました。そんな海外でのアート体験の積み重ねと、前橋のホテル再建計画が見事に重なり、急転直下でプランが変わったのが２０１８年。４層の吹き抜け空間に導入したレアンドロ・エルリッヒのコミッションワークだったといいます。ここでホテルの構想は「本物の現代アート志向」へと完全にシフトし、国内外の一流のアーティストを起用するアートホテルの計画と相成ったわけです。

私が感心したのは、ホテルの再建の機会に「もう駄目だ」と感じていた前橋の街の全体の再興、それも、人通りの全くなくなってしまったシャッター商店街の復興に田中さんが取り組んでいることです。東京からディレクターが赴いて、地方都市を何とかしようと動き始めても、大抵はこの旧商店街のことは考えません。しかし、彼は現在、行政とともに「アートが溶け込む街」を目指して邁進しています。例えば、面白かったのが「杉本博司の作品がさらりと飾ってある八百屋」といった構想です。日常の暮らしの中にアートのある街。アートをアートとして意識しない街。街の至るところに、アートのある空間、施設、カフェ等々をいくつも用意し、それを旧市街から始めるという構想は素晴らしいと思いました。

２０２３年５月には、白井屋ホテルから徒歩圏内に新しくできた**「まえばしガレリア」**（＊120）に**タカ・イシイギャラリー**（＊121）や小山登美夫ギャラリーもオープンしますが、ここだけフィーチャーする必要はなさそうです。「空港の滑走路になるほど」（田中さん）誰も歩いていない商店街にも、いくつかの小さいながらもアートを意識した店舗が誕生するそうです。「アートだけじゃなくて、食や建築もやりますよ。商店街のこれからのデザインが街になじむようにし、地元の皆さん、そして訪れる人たちにとって魅力的なものになればと思っています」。

この試みが市民たちに何を訴えるか、芽が出るのは、少し先になるでしょう。でも、とても楽しみです。地方の場合、現代アートのテーマは一部の人々の間では間違いなく盛り上がるでしょうが、普通はそこまでです。例えば人口増に至るには、東川町のように試行錯誤を重ねながら20年以上かかります。もちろん田中さんもそれを覚悟していました。ちなみに、このところＪＩＮＳにも逆流して「アート」のキーワードが出てきているようです。

＊101 国際写真フェスティバル（Les Rencontres d'Arles）　１９７０年から続く、南フランスのアルルで毎年７月から約３カ月間にわたり開催されるヨーロッパ最大規模の写真フェスティバル。世界中から多くの写真

家、評論家、キュレーター、ギャラリストや写真ファンが集う祭典として、カンヌ国際映画祭に匹敵する写真界のイベントとされる。過去には植田正治や田原桂一ら日本人写真家が招待され、その後アルルでの評価によって世界的な知名度を高めるなど、世界のアート写真における評価軸ともなっている。

＊102 浅間国際フォトフェスティバル　浅間山麓の自然の中で、五感で感じられるさまざまな写真体験ができるアートフォト。２０１８年にスタートし、株式会社アマナと長野県御代田町を中心とする同県の自治体が共同開催している。これまでに御代田町の「PHOTO MIYOTA」、長野原町の「PHOTO KITAKARUIZAWA」、小諸市の「PHOTO KOMORO」など浅間山麓の複数の会場で開催されている。

＊103 フェスティバル イマージュ ヴヴェイ（Festival Images Vevey）　スイス・レマン湖沿岸の街ヴヴェイで、2年に一度9月に開催される写真フェスティバル。毎回テーマが設定され、国内外の写真家による作品が街中にわたり屋内外で展示される。

＊104 瀬戸内国際芸術祭　２０１０年から3年ごとに、瀬戸内海にある12の島々等を舞台に開催される国際美術展。芸術祭の開催が地域住民とアーティスト、国内外の来訪者との交流を生み、高齢化、過疎化によって低下しつつある活力が島々に取り戻されること、そして瀬戸内の魅力が世界に向けて発信されることを目標としている。年間を通じて温暖で安定した気候といった地理性、国際的に認知度が高いアーティストらの参加や地域の伝統文化・祭事との連携イベントなど企画内容・数の充実度とともに、運営体制等の組織力の高さなどの要因が重なり、国内外からの来訪者は増加傾向にある。会期は約１００日間、来場者数は延べ約１００万人、経済効果は約１００億円を超える規模であり、日本を代表する国際美術展となっている。

＊105 直島町　香川県にある町で、直島を中心とした27の大小の島で構成される。高松港からフェリーで約1時

間の場所に位置する。瀬戸内国際芸術祭の会場の一つでもあり、アートの島として知られる。島内には、株式会社直島文化村（株式会社ベネッセホールディングスのグループ会社）が運営する、建築家安藤忠雄の設計による美術館と宿泊施設の複合的施設「ベネッセハウス」があり、海外からの観光客が増加傾向にある。

＊106　杉本博司　１９４８年東京生まれ。１９７０年渡米、１９７４年よりニューヨーク在住。活動分野は、写真、彫刻、インスタレーション、演劇、建築、造園、執筆、料理と多岐にわたる。時間の性質、人間の知覚、意識の起源といったテーマのもと、西洋と東洋との狭間に観念の橋渡しを探求している。２０１０年秋の紫綬褒章受章。２０１３年フランス芸術文化勲章オフィシエ叙勲。２０１７年文化功労者。

＊107　KYOTOGRAPHIE 京都国際写真祭　京都の歴史的建造物や現代建築の空間を利用して、国内外で活動するアーティストの写真や映像作品等が展示される国際写真展。２０１３年から毎年開催されている。「社会問題の解決」に写真で取り組む姿勢を打ち出し、毎回異なるテーマが設定されている。その姿勢からインディペンデント開催を実施し、行政の支援を受けない運営方針を貫いている。

＊108　道後オンセナート　日本最古の温泉といわれる愛媛県松山市の道後温泉で、２０１４年から実施されているアート事業の一つ。２０２４年の道後温泉本館改築１３０周年に向けて、世界に向け新たな道後ブランドの創出とインバウンドの確立を目標としている。２０２３年度からはアートに加え、国際クラフトフェアの開催も行われる。

＊109　越後妻有 大地の芸術祭　２０００年から始まった、越後妻有地域（新潟県十日町市・津南町）で3年ごとに開催される世界的にも最大級の国際芸術展。約７６２平方キロメートルの土地を美術館に見立てた広範囲にわたる展示が特徴で、日本各地で開催されている地域芸術祭のパイオニアとされる。２０１８年第8回にお

いては、開催期間約１５０日間、作品数約３３０点となり、来訪者数はおよそ54万人、経済効果は約65億円を記録している。「交流人口の増加」「地域の情報発信」「地域の活性化」といった目的のもと、集落単位に焦点を当てた展示がなされており、国内外のアーティストと地域住民が地域に根ざした作品を協働しながら制作している。また、開催期間外にも鑑賞ができる恒久設置作品が数多くある。

＊110 国際芸術祭「あいち2022」　２０１０年から愛知県で3年ごとに開催されている「あいちトリエンナーレ」を前身とする都市型の大規模国際芸術祭として、２０２２年に名古屋市で開催された。

＊111 リボーン・アートフェスティバル　２０１７年から宮城県石巻市と牡鹿半島等を中心に、2年ごとに開催されている、「アート」「音楽」「食」を融合する総合芸術祭。東日本大震災で被害を受けた地域の復興支援を機に構想され、「Reborn-Art ＝人が生きる術」をコンセプトに掲げている。石巻市長とともに、Mr. Children などを生み出した音楽プロデューサーであり非営利団体 ap bank 代表理事の小林武史氏が実行委員長を務める。

＊112 BIWAKOビエンナーレ　２００１年から滋賀県近江八幡市の旧市街地を中心に、2年ごとに開催されている国際芸術祭。〝日本人の持つ美意識の回復〟というコンセプトのもと、国内外のアーティスト約70組を招聘している。開催当初は、琵琶湖畔のびわ湖ホールとその周辺で始まったが、その後江戸期より残る空き家、元造り酒屋や醤油蔵等貴重な建物や公共空間における展示にまで拡充し、市街地での美術展示のさきがけとなった。また、行政やその他機関が主導する芸術祭とは異なり、滋賀県出身の総合ディレクター中田洋子氏が個人の信念で立ち上げ、継続開催している。

＊113 岡山芸術交流　２０１６年から3年ごとに岡山市内で開催される都市型の国際現代美術展。毎回、国際的に活躍する海外のアーティスティック・ディレクターを招聘している。展示作品の鑑賞だけではなく、最先端

の現代美術アーティストたちの思考に触れ、芸術との交流を深める機会の創出を目的としている。メイン会場のほか計10カ所あまりの会場は市内中心部にコンパクトに配置されており徒歩での移動が可能なことや、地域住民や県民を対象としたパブリックプログラムの充実度の高さなどが、都市型の芸術祭としての特徴である。

＊114　藤本壮介　１９７１年北海道生まれの建築家。東京大学工学部建築学科卒業後、２０００年に藤本壮介建築設計事務所を設立。２０１４年フランス・モンペリエ国際設計競技最優秀賞（ラルブル・ブラン）に続き、２０１５、２０１７、２０１８年にもヨーロッパ各国の国際設計競技にて最優秀賞を受賞。

＊115　ローレンス・ウィナー　１９４２年ニューヨーク生まれ、１９６０年代に台頭したコンセプチュアル・アートにおける中心的アーティストの一人。活動初期からステートメントを掲げ、自らの芸術を「インフォメーション」と称し、法律用語を用いて自身の芸術的意図を宣言するなど、言語を主要なメディアとする制作活動を続けた。

＊116　レアンドロ・エルリッヒ　１９７３年アルゼンチン・ブエノスアイレス生まれの現代美術家。現在はブエノスアイレスとウルグアイ、モンテビデオを拠点に活動。日本では金沢21世紀美術館に恒久設置された《スイミング・プール》の作家としても知られている。

＊117　武田鉄平　１９７８年山形県生まれの現代美術家。２００１年武蔵野美術大学視覚伝達デザイン学科を卒業。２００３年からフランスに滞在し、帰国後２００５年に東北芸術工科大学にて樹脂、木工を学ぶ。その後も地元山形県を拠点に、家業の傍ら自身のアートを追求し、２０１３年より抽象的な肖像画の制作を始める。37歳という遅いデビューで、山形の多目的アートスペースでの個展であったがＳＮＳなどを通じて大きな注目を集め、２０１９年の作品集『PAINTINGS OF PAINTING』（ユナイテッドヴァガボンズ）の刊行、東京で

の初個展での成功につながった。

＊118 五木田智央　１９６９年東京生まれの現代美術家。90年代後半に鉛筆、木炭やインクで紙に描いたドローイング作品で注目を集め、２０００年に作品集『ランジェリー・レスリング』（リトルモア）を出版。その後、白から黒の色彩を用いたグラデーションを特徴とする平面作品を制作、近年では具象的なモチーフを見せつつも抽象的かつ造形的なカラー作品を手掛けている。国内外のギャラリーや美術館等で個展を開催するなど、その国際的な評価は高い。

＊119 アーツ前橋　２０１３年に開館した群馬県前橋市の中心市街地に位置する美術館。定期的な企画展の開催に加え、地域密着型のイベントやワークショップ等も実施されている。

＊120 まえばしガレリア　２０２３年に群馬県前橋市に建設された、集合住戸とギャラリーやレストラン等商業施設が融合した複合施設。全体のデザインと設計を建築家 平田晃久氏が担当。空間デザイナー・クリエイティブディレクター 谷川じゅんじ氏をはじめとする国内外を代表するクリエイターや起業家が参画。タカ・イシイギャラリー、小山登美夫ギャラリーなどのギャラリーが入る。

＊121 タカ・イシイギャラリー（Taka Ishii Gallery）　１９９４年開廊。重点を写真（グラフィック）に置きながら、荒木経惟、森山大道、畠山直哉などの日本における代表的な写真家や新進気鋭の日本人作家、国際的評価の高い海外作家などを幅広く扱う。六本木（2カ所）、天王洲、京都、前橋、香港に展示スペースを持ち、フリーズやアートバーゼルなど世界的なアートフェアにも参加している。

アートのある生活——アートコレクターインタビュー

最終章の前に、私の周囲の3人のビジネスパーソンたちの、アートのある生活をご紹介します。普通の人が日常としてアートを買い続ける、とても素敵な例です。ここまで延々と企業人として、事業におけるアートの活用法についてお伝えしてきました。

でも、原点に戻って、読者のあなた自身がアートを買って、自宅に迎えてみてください。若いアーティストと話をしてみてください。お子さんを連れてギャラリーに行ってみてください。

それは心豊かな楽しみですし、あなたのビジネスにおけるアートへの取り組みが、もっとリアルなものになるはずです。

アートコレクターインタビュー①

清水明子さん（資生堂ジャパン株式会社プレステージ事業部マーケティング本部長）

コレクションの前提にあるのは、生活の中で楽しむこと

仕事でマーケティングについて語る時、アートや美術史を引き合いに出すことがあります。モネが《日の出》を描き、後に「印象派」と呼ばれるようになったことは、まさに新しい市場創造ですよね。マーケティングも同じで、いかに新しい価値を創造できるかがその本質ではないでしょうか。

生活者や市場環境の変化、競合の活動による影響など刻々と変化するマーケットにおいて、ブランドの価値と競争優位性を守り、戦略を描く――これまで私自身がアートから影響を受けた感性や右脳的な思考は、マーケッターとしての論理的・左脳的な思考によるアウトプットに幅と深さを与えてきたように思います。コロナ禍を通して経験をしたように、昨日までの常識が一変してしまう先行き不透明で将来の予測が困難な時代において、データが語るのは「過

去」です。過去の延長線上ではない「未来」の市場を創造する仕事に従事する中で、私のビジネス上の判断の軸を創ったものの一つが、長年アートと向き合うことにより育まれた美意識だった気がします。

最初に購入したアート作品は草間彌生のリトグラフでした。アートは美術館で見るもの、と思っていましたが、ギャラリーでこの作品と出合った時に初めて、「日常生活の中でアートを楽しみたい」という気持ちになりました。当時はそれほど高額ではなかったこともありました。私がコレクションしているのは現代アートが中心です。どんなに好きでもゴッホの作品は買えませんが、現代に生きる同時代の作家の作品であれば、値段もアクセシブルです。作品からアーティストの生き方を感じ、時にはアーティスト本人と交流をしながら、自宅に飾って生活の中で楽しめることに魅力を感じています。

大学での専攻は法律学でしたが、美術館学芸員の資格を取得するほど学生時代からアートが好きでした。卒業後、Ｐ＆Ｇマーケティング本部に入社し、ロジカルシンキングを徹底的に求められる環境において、戦略的思考を磨く中でアートのコレクションを始めました。アートを日常の中で楽しむことを通して身についた審美眼や感性が、ビジネスにおいても良い影響を与えてくれました。

「アートを買う」という行為には、ロジックを超えた決断と判断が求められます。自分が何者なのかを問われる行為でもあり、軸が定まらず迷っていると、その間に他人の手に渡ってしまう。正に瞬発力のある判断を求められます。そのギリギリの判断の積み重ねが、ビジネスの世界で自分の判断の美意識、すなわち、マーケティング戦略として美しく、ブランド価値を高める決断のベースにもなっていると感じています。

黒田泰蔵（＊122）さんが晩年までずっと向き合い続けていらっしゃった梅瓶を購入した際、ギャラリーのオーナーに2点から作品を選ばせていただきました。お元気な頃のシャープで勢いのある作品と、晩年の魂の叫び声が聞こえてきそうな作品——どちらをより美しいと感じるのか、どちらのオプションを捨てるのか。そういうジャッジを重ねることが、過去のデータだけでは導けない、論理を超えたビジネスにおける決断につながってきた気がします。

資生堂初代社長である福原信三は「ものごとはすべてリッチでなければならない」と、見えないものを見る感性、美意識の重要性を説いていました。長年、日々アートと向き合っている生活の中で、正にこの「リッチであるか否か」が浮かび上がって見えてくるようになりました。福原信三は「商品をもってすべてを語らしめよ」とも語っていますが、アートに向き合う日常の中から、商品、広告のメッセージやビジュアルに至るまでの「美」と「全体の調和」の有無が見えてくることを実感しています。

アートとサイエンスの双方を大切にする資生堂では、論理とデータだけではなく、マーケッターとして描く「すべて」のストーリーに美意識が宿っていることが重要です。特にプレステージのビジネスにおいては、ディテールまでの徹底的なこだわりが勝敗を分けることがありますが、自らの審美眼を磨く上で、日常の中にアートがある生活が担ってくれた役割は大きかったと感じます。ビジネスを牽引する役割を担う若手を含む私の傘下のチームで、「美術館を訪れてディスカッションをする」というワークショップを開催しました。これには、正解がないこれからの時代に向けて感性を磨いてもらう意図もありましたが、普段のデータとロジックだけを追っていた中では見えなかった、新たな視点を得たようでした。やはり、アートの力はパワフルですね。

　資生堂ギャラリーで展覧会を開催したこともあるガラス作家の**三嶋りつ惠**（＊123）さんの作品と、三嶋さんのご子息である**アンジュ・ミケーレ**（＊124）さんの作品を、同じ部屋に飾って楽しんでいます。私のコレクションの前提にあるのは、自分の生活の中で楽しむこと。素晴らしい作家であっても自分の感性や趣味に合わないものを買うことはないですね。さらに作家ご本人との関わりができると、作品の進化や変化を見ていけることが楽しいです。これからもアートから受ける刺激を通してアウトプットの質を高め、美しいもので世界を満たし、「よりよい世界」を創るために1ミリでも貢献できればと思います。

＊122 黒田泰蔵　１９４６年滋賀県生まれ。１９６６年に渡仏しパリに１年間滞在の後、１９６７年ニューヨークを経てカナダへ。陶芸家ゲータン・ボーダンに師事し陶芸を始める。この間２度帰国して益子の島岡達三氏に師事。初期のキャリアの大半をカナダで培う。１９８１年に帰国し、１９９１年静岡県伊東市に築窯、曲折を経て白磁の制作に専念する。《円筒》など実用の枠を超えた、純粋芸術的な作品も制作した。２０２１年没。

＊123 三嶋りつ惠　１９６２年京都府生まれ。１９８９年からヴェネチアに移住、２０１１年より京都にも住まいを構え、二拠点生活を送る。ムラーノ島のガラス職人とのコラボレーションにより、ヴェネチアン・ガラスの透明度や粘度を生かした、周囲に溶け込みながら光の輪郭を描き出す無色のガラス作品を制作。公共空間での展示作品としても評価も高く、また美術のみならず建築やファッション、デザインとジャンルを横断した活躍が続いている。

＊124 アンジュ・ミケーレ　１９８９年ヴェネチア生まれ、京都府在住。海や山、星、月、植物、動物、鉱物といった自然のエレメントをモチーフに平面作品を手掛ける。現実世界を凝視し、自身の内なるイメージに変換してためらいなく描かれる絵画は、作家の心身と渾然一体となった作品として日々弛まずに作り出されている。近年京都・西陣織の銀糸の材料となるアルミ紙を支持体にして独自の絵画表現を展開。２０２０年に作品集「イマジナリウム」を刊行。

アートコレクターインタビュー②

藤岡岳哉さん（株式会社ＫＡＤＯＫＡＷＡ 教養・生活文化局 ビジネス編集部 部長）

株式同様、同時代での優位性や将来性などを分析する

高校から大学に入学した時期は社会学が全盛で、宮台真司さんから影響を受けました。そこから歴史を遡ってニューアカデミズムの思想や経済学の流れを勉強し、自然にセゾンカルチャーの映画やアートにも興味を持ちました。その名残なのか、今でも現代アートはコンテンポラリー以降しかあまり関心がなく、作家の思想性と独創性がないものはアートとは感じられません。

政治ジャーナリストになりたかったのですが新聞社とご縁がなく、ＰＨＰ研究所という出版社が出している雑誌『Ｖｏｉｃｅ』で、雑誌記者&編集者として社会人生活を始めました。本業の傍らで美術批評家の椹《さわら》木《ぎ》野《の》衣《い》氏やデザイン評論家の柏木博氏の連載を企画して担当するなど、趣味を仕事にさせてもらった会社には感謝しています。そのあと新書出版部に異動し、

そこで**東京画廊**（＊125）の**山本豊津《ほず》**（＊126）氏の書籍『アートは資本主義の行方を予言する』を手掛けたことがギャラリストとお付き合いを始めたきっかけで、日本の戦後美術に目を向ける機会にもなりました。

　書籍を出した後も山本氏とは交流が続き、こちらも自然に東京画廊で取り扱いのあった、戦後を代表する女流作家の**桂ゆき**（＊127）や、**もの派**（＊128）の**菅木志雄《すがきしお》**（＊129）の作品を購入したことがコレクションを始めたきっかけです。現在のトレンドからしても、私くらいの世代のコレクターの入り口としては、かなり異例だと思います。

　その後も具体美術協会やもの派など戦後美術を背負ってきた作家で、良い作品が適正から割安で手に入る時は、予算と相談の上で購入することにしています。もちろん、もともとアートを好きになったきっかけはセゾンカルチャーですし、椹木氏から強い影響を受けてもいますから、戦後美術だけではなく、若手作家を含めて現代アート全般の動向を追うように心掛けています。

　なぜアートを蒐集したいか、ですか？　ありきたりな答えかもしれませんが、編集者という、作家ほどではないにせよ創造性が求められる仕事の中で、天才の思考プロセスを所有することでその一部を共有できるかもしれない、という期待があるからかもしれません。

　もちろんそのためには、今の社会がその作家の作品に対して与えている「価値」を理解する必要があります。「価格」はもちろん「価値」の一部を表す指標ですが、もう少し細かく見ていくと、その作家の画力や思想性はもちろん、当時の美術史のコンテクスト（文脈）の中でどの点に新規性があったのか、それが今の美術史のコンテクストの中でどう位置づけられているのかなど、その構成要素が連立方程式のような形になっているのがわかってきます。

そうした複雑なコンテクストを海外作家の作品で理解しようとすれば、ネイティブ並みの語学力と情報収集力が必要になります。そんな能力は自分にはないので、結果的にいま蒐集している作品のほとんどは、そのコンテクストを母国語できちんと捉えられる日本人作家のものになっています。

逆に目の前の「価格」だけを判断基準にするのは危ないと思っていて、例えば最近、少し前にオークションレコードを叩き出したある作家のセカンダリー価格が暴落して話題になりました。もちろんその作家の作品が好きで購入しているならコレクターとして問題はないのですが、資産性を気にするなら、アート蒐集では美術史的なコンテクストを考える作業が必要になるのでは、と思います。

もちろん自分も資産性は気にします。アートを買うかなり前から株式投資をやっているのですが、株式を買う時は同時代での優位性や顧客への向き合い方、将来性などの企業分析を行います。アート作品を買う時にも、特に、気軽に買える値段ではない作家の場合は、ほぼ同じように分析をします。もちろんメガコレクターのように潤沢な予算があればあまりシビアになる必要はないかもしれませんが、サラリーマンですし、お金には限界がありますから。

とはいえ、戦後美術も本当に良い作品はオークションを含めてなかなか表に出ませんし、現代作家でも人気のある方の作品は争奪戦のようになっているのはご存知の通りです。私は作家やギャラリストとそれほど深くお付き合いしないので、そうした中でも何かのご縁で手元に来てくれる作品があれば、それはセレンディップな出合いではないか、と思うようにしています。

コレクションを売却することもあります。作品の力は良い作品の隣に並べればわかる、とあるギャラリストの方から聞いたことがありますが、所有している作品のポートフォリオを眺めた時、作品強度に不足があると感じたものについては、オークションなどを通じて別の方にお譲りしています。以前は**エディション**（＊130）の版画もいくつか持っていましたが、今はほぼ売ってしまいました。やはり作品強度という点では、版画は**ユニーク**（＊131）（1点もの）作品には敵《かな》いません。作品の選び方という点では、できるだけ作家の名前だけでは選ばず、作品の質と作家名のバランスを大切にしています。

日本の若手作家でいいなと思うのは、ともに若手という枕詞《まくらことば》をつけるのが失礼なくらいの実力派ですが、ペンギンのモチーフがトレードマークの**猪瀬直哉**（＊132）さん、２０２３年９月に京都市京セラ美術館での個展を控えている**井田幸昌**（＊133）さんなどです。猪瀬さんはあるインタビューで、「ポストモダニズムにおける絵画は、意味がない」と発言されていて、世の中の作家が自らの作品をなんとか意味づけしようとしている中で、この人はすごいな、と思ったところから興味が湧きました。

井田さんは画力やコンセプトはもちろん、マーケティング的に先ほどのコンテクストをご自分で作り上げられるという意味で、稀有な能力を持つ方だと思います。このマーケティングというのは批判的な意味ではなくて、例えば戦後美術を代表する具体の白髪《しらが》一雄《かずお》や田中敦子がいまのような世界的作家になった背景には、国内外でともに強い影響力と意志をもった仕掛け人がいたわけです。それを自らの力でやってしまえるところが、井田さんの強みであり、オンリーワンのすごさだと思います。

もっと若手の作家でいえば、２０２１年、史上最年少で第24回岡本太郎賞を受賞した**大西茅《ち》布《ふ》**（＊134）さん。彼女はいま日本で流行っているトレンドを良い意味で無視していますが、９歳にしてウンベルト・エーコを読み始めたという感性を背景にした作品は、アートシーンの中で異彩を放っていると思います。２０２２年７月に銀座の蔦屋書店で開催されて話題を集めた個展では、ご縁があってマスターピースとも言える作品を買わせていただきました。

その他にも若手作家で惹かれる人もいますが、総じて、同じようなトレンドの作品を同じような手法で制作することに抵抗がなくなってきている傾向に違和感を覚えています。具体の創始者の吉原《よしはら》治良《じろう》は「人の真似をするな。いままでにないものをつくれ」[4]と言っていますし、吉原と付き合いの深かった桂ゆきも「たとえ貧しくとも、見劣りがしようとも、主人を持たぬ自分独自の創造をしたい。マチス、ピカソを御主人としたり、逆にそれらの世界的芸術を、他教の教えとして異端視する無知を避けながら、理解ある目で世界の芸術を咀嚼し、自分は常に主人でいたい」[5]と語っています。

若手作家の方は作品の歴史的なコンテクスト自体がまだないわけですから、いちアートファンとして、作家とは美術史的に新しいコンテクストを作り出す人であってほしいと思いますし、これからもそうした意志と才能を持つ作家に刺激を与え続けてもらいたいと願っています。

＊125 東京画廊 １９５０年に設立された、日本最初の現代美術画廊。開廊時は近代日本の具象絵画を中心に扱っていたが、１９５８年以降、ジャクソン・ポロック、イヴ・クライン等欧米の先駆的な現代美術作家とともに、高松次郎、岡本太郎といった新たな日本の現代美術家もいち早く紹介してきた。また70年代以降は、当時知られていなかった韓国や中国の現代美術の企画展なども開催している。２００２年北京・大山子地区にＢＴＡＰを開設、２００６年に屋号を東京画廊＋ＢＴＡＰと改め、東京と北京を拠点に、幅広い世代・地域のアーティストを国内外に発信している。

＊126 山本豊津 東京画廊代表取締役社長。武蔵野美術大学造形学部建築家卒業後、衆議院議員村山達雄氏の秘

書を経て東京画廊に参画し、２０００年より代表。アートバーゼル（香港、スイス）、フリーズソウルなど海外の主要アートフェアに出展。日本の古典的表現の発掘・再発見や銀座の街づくり等、多くのプロジェクトを手がける。日本現代美術商協会理事。

＊127 桂ゆき　１９１３年東京生まれ。１９９１年没。戦前から紙や布、コルクを用いたコラージュ作品を制作し、抽象から風刺・戯画的なものまで、60年間にわたり多彩なスタイルを並行的に展開しながら多くの寓意的表現の作品を生み出した。戦前と戦後をつなぐ女性芸術家のパイオニア的存在と評され、２０１３年には生誕１００年を記念して、東京都現代美術館と下関市立美術館で「生誕１００年 桂ゆき ある寓話」が開催された。

＊128 もの派　１９６８年頃〜70年代中期にわたり日本で展開した美術運動。運動に関わった主な作家たちは、関根伸夫、吉田克朗、成田克彦、小清水漸、菅木志雄、李禹煥、榎倉康二、高山登、原口典之などである。思想やテーマには各自の間に差異はあるが、表現上の共通点として、石、土、水等といった自然物を用いたインスタレーション制作を中心に展開された。具体派と並んで、戦後日本の現代美術史における大きな転機点として、その独自な表現は国際的にも評価をされている。

＊129 菅木志雄　１９４４年岩手県生まれ。１９６８年多摩美術大学絵画科卒業。１９７０年前後の美術運動「もの派」の代表的アーティスト。木や石、金属、紙や布などの日常にある自然物や人工素材を加工せずに組み合わせて配置し、それらの「もの」と設置された空間との相互依存的関係によって生じる風景を「状況（景）」と呼んで作品化してきた。国内外で数多くの個展・グループ展に参加してきたが、２０１２年「太陽へのレクイエム：もの派の美術」Blum & Poe（ロサンゼルス）への参加により、アメリカにおける再評価が高まった。２００８年、栃木県那須塩原市に「菅木志雄 倉庫美術館」が開館。２０１６年、毎日芸術賞受賞。

＊130 エディション　通常、版画作品で販売される「限定部数」を意味する。版画は制作技法上、刷りを重ねると版の劣化により仕上がりに違いが生じるため、質の担保として販売部数を限定するようになった背景がある。今日では版画以外に写真やその他複製作品においても、作品のオリジナル性を保証するマーケット的な理由で設定されている。

＊131 ユニーク　エディション等の複製が存在する作品とは異なる、いわゆる「１点もの」の作品を意味する。

＊132 猪瀬直哉　１９８８年神奈川県生まれ。２０１２年東京藝術大学絵画科油画専攻卒業。２０１７年にロンドン芸術大学チェルシーカレッジオブアート修了後、ロンドンを拠点に制作活動。主な作品収蔵先には、高橋龍太郎コレクションやベネトンコレクションがある。さまざまな社会問題や環境問題を題材に、ロマン主義風景絵画を基礎とした、精巧で卓越した技術力による作品を制作。近年は、絵画制作だけでなく、海外での国際交流プロジェクトを展開するなど活動の幅を広げる。

＊133 井田幸昌　１９９０年鳥取県生まれ。２０１９年東京藝術大学大学院美術研究科修了。家族や友人またアンディ・ウォーホルら著名人をモチーフに描いた「Portrait」シリーズや、自身の心象風景や身近な人々を絵日記のように描く「End of today」シリーズなど、「一期一会」をテーマに、さまざまな強弱を融合させた独特な力強さを持つ筆致で、移りゆく日々の中での変化と不変を描いている。２０２１年に前澤友作が国際宇宙ステーションへ井田の作品を持ち込んだことが報道され、多方面からの注目を集めている。

＊134 大西茅布　２００３年大阪府生まれ。２０２１東京藝術大学絵画科油画専攻入学。幼少時より数々の賞を受賞し、大阪の天才少女画家として知られていた。２０１４年、年齢を書かずに応募した昭和戦前期から続く洋画団体独立美術協会による「独立展」で史上初の小学生での入賞。２０２１年には若手登竜門とされる「岡

本太郎現代芸術賞」において史上最年少（18歳）で大賞を受賞し、話題となった。衝撃的でグロテスクな画風には人間の暗部に触れる世界観が充満し、圧倒的な画力をもとに神話的な作品を創り上げている。

アートコレクターインタビュー③

石井佳子さん（翻訳家）

自邸に飾るアート作品は、別の世界への入り口

子どもの頃から百科事典の美術別冊で古今東西の名画を眺めるのが好きでした。アートコレクションを始めることになったきっかけは、２００７年に上野の森美術館で開催された**「アートで候。会田誠・山口晃」展**（＊135 ＊136）。現代アートの2トップの作家なので、それぞれの作品を見たことはあったのですが、まとまった数の作品を見るのはこの展覧会が初めて。この展覧会で初めて「ここに欲しいものがある！」と感じたんです。「今、同じ時代に生きている作家によるアート作品を家に置きたい」という気持ちになりました。翌年に京都の**アサヒビール大山崎山荘美術館**（＊137）で山口晃さんの「さて、大山崎」展が開催され、その直後に**ミヅマアートギャラリー**（＊138）で個展が開かれました。「さて、大山崎」で展示されていた3部作の1点の《千宗易》（２００８年）に強く惹かれ、販売作品ではなかったのですが売っていただけ

ることになって。フレームも山口さんに選んでいただきました。

アートは夫と一緒にコレクションしています。趣味や好みが一致しているのはラッキーでしたね。最初に山口さんの作品を買う時も、躊躇する気持ちもありましたが、二人だったからハードルを超えられたのだと思います。そこから始まって、現在のコレクションは90点くらい。平面が中心ですが、木彫、ガラス作品もあり、そのほとんどが現代アートです。

ギャラリーに行こうかなという気にさせてくれた、別のきっかけもありました。古美術や工芸、近代絵画などのギャラリーが集積する京橋・日本橋エリアで開催されている**「東京アートアンティーク」**（＊139）です。古美術もお好きで集めているという小山登美夫さんのトークショーなど、興味深く、入りやすいイベントがあり、普段はハードルが高い老舗ギャラリーにものぼりが立っていて、これなら入っても無下にされることはないかなと。

古美術も好きで、「東京アートアンティーク」にも参加している老舗の**加島美術**（＊140）で**河《かわ》鍋《なべ》暁斎《きょうさい》**（＊141）の軸を購入したこともあります。加島美術が神楽坂にオープンした**√Kコンテンポラリー**（＊142）も好きなギャラリーです。その他、定期的に覗くのは、ミヅマアートギャラリー、**アノマリー**（＊143）、**児玉画廊**（＊144）、**スノーコンテンポラリー**（＊145）、**無人島プロダクション**（＊146）など。好みのギャラリーに通っているうちに、顔なじみになったギャラリストとおしゃべりするのが楽しいですね。コロナ禍以前は時間が取れると個展のオープニングレセプションにも行っていましたが、今はＳＮＳでギャラリーに通っているアートコレクターをフォローして情報をチェックすることも多くなりました。毎週土曜日はどこかのギャラリー、日曜日は美術館に行くのがルーティンです。

アートバーゼル香港（＊147）には前身のアート香港の頃から毎年行っていました。行きつけのギャラリーが出展するとＶＩＰカードをいただけるので、**アート台北**（＊148）、台北ダンダイにも行ったことがあります。海外のアートフェアでは、日本では見られない中国やインドなどの新興ギャラリー、新進アーティストの作品が見られるのが楽しいです。アート台北に出展していたベルリンのギャラリー「ＤＡＭプロジェクツ」のブースが面白くて見ていたらギャラリストと会話になって、メールアドレスを交換しその後も定期的に連絡し合う、みたいな広がりも面白いですね。

コレクションを始めてよかったのは、家にいる時間がより楽しくなったこと。作品がふと目につくとそこに別の世界の入り口があるような感覚です。コレクションが増えてくると、季節によって作品を掛け替えたり、新しい作品を購入した時、既に持っている作品とコーディネートするなどのセルフキュレーションも楽しい。お正月には最初に購入した山口晃さんの作品の前にフラワーアレンジメントを置くなど、ファインアートではないものとも合わせます。

コレクションを始めてこれまでの十数年はアートとの付き合いを広げていく時代でした。

これからは、我が家らしいコレクションは何かを改めて考え、所有作品を絞り込んでいきつつアートと付き合いたいと思います。その際には、所有作品を売ることもあるでしょう。自分と同じような普通のサラリーマンコレクターの方と交流する場があるといいな、とも思います。ワイン友達はいるけれど、アートコレクター友達はいません。美術館には行くけれどギャラリーはハードルが高いから行かないという人が多いですが、ギャラリーの方からどこかに出てきたらいいのにと思います。

銀座の**ドーバーストリート**（＊149）のディスプレイの中にさりげなくアートがあって、ファッションと親和性が高い刺繍の手法の作品に10万～20万円の値札がついていました。ファッションやインテリアなど別のカテゴリーの、感度の高い人が集まる場所にアートは合いますよね。「清貧」を好む日本ですが、自分ができる範囲でお金を使って楽しいことをしようというのも大切。自分ができる範囲で、お金と足を使って楽しいことをする。その選択肢の一つとしてアートもある。今はアートがその選択肢にも上っていないようなので、売っている人たちがもっと前に出てきてくれたらいいのにと思います。

＊135　会田誠　１９６５年新潟県生まれの現代美術家。東京藝術大学油画専攻卒業後、同大学院修了。在学中に小沢剛、加藤豪らと同人誌を発行。１９９３年、レントゲン藝術研究所で開催されたグループ展でデビュー。

浮世絵や明治期の日本画、昭和戦前戦後の戦争画など絵画作品を中心に様々なメディアを用いた作品を発表。美術制度や現代社会に向けた批評的な作品でも知られる。

＊136 **山口晃**　１９６９年東京都生まれ、群馬県で育つ。１９９６年東京藝術大学大学院美術研究科絵画専攻修了。日本の伝統的絵画様式と油絵の技法を用い、非常に緻密に建築物や人物を描写する画風が特徴。絵画のみならず立体、マンガ、インスタレーションなど表現方法は多岐にわたる。成田国際空港や東京メトロ日本橋駅のパブリックアート、新聞小説や書籍の挿画・装画、養林庵書院（平等院内）への襖絵の奉納や、東京２０２０パラリンピック公式アートポスターの制作など、幅広い活動を展開。２００１年に岡本太郎記念現代芸術大賞優秀賞、２０１３年に著作『ヘンな日本美術史』（祥伝社）で第12回小林秀雄賞を受賞。

＊137 **アサヒビール大山崎山荘美術館**　関西の実業家・加賀正太郎氏によって建築された「大山崎山荘」（登録有形文化財）を修復した本館に、安藤忠雄氏設計による新館を加え、１９９６年に開館した京都府にある美術館。公益財団法人アサヒグループ芸術文化財団が運営している。日本の民藝活動の支援者であった山本爲三郎コレクションを中核として、クロード・モネの絵画、アルベルト・ジャコメッティやイサム・ノグチ、ヘンリー・ムーアの彫刻等西洋美術作品を加えた約１０００点を所蔵する。

＊138 **ミヅマアートギャラリー**　エグゼクティブディレクターの三潴末雄氏により１９９４年に東京に開廊。同時代のスタイルにとらわれない独自の感性を持った日本およびアジアの作家を中心に、国際的なアートシーンに紹介。アジアにおける現代アートマーケットの発展に伴い、２００８年に北京、２０１２年にシンガポールにMizuma Galleryを開廊。２０１４年にはインドネシア・ジョグジャカルタに日本と現地のアーティストた

ちの交流の場としてレジデンススペース「ルマ・キジャン・ミヅマ」を開設。アートバーゼル香港やアーモリーショーなど国際的なアートフェアにも積極的に参加し、国際的に活躍する作家を多数輩出している。

＊139 東京アートアンティーク　１９９８年に開始した「日本橋・京橋美術骨董まつり」を前身とする、東京都中央区京橋、日本橋エリアの画廊、美術店が共同で開催するアートイベント。戦後から古美術・工芸・日本画・近代絵画・彫刻・版画等多岐にわたる約１５０の専門店が密集する地域性を生かし、実際に作品を手に取り店主や作家と交流することで、アートと人のつながりが感じられる機会を提供している。

＊140 加島美術　１９８８年に設立された、東京・京橋にある日本美術専門の画廊。絵画、掛軸、書画を中心に、主に江戸時代から近現代の日本美術品全般を幅広く取り扱う。各地の有名百貨店において展示即売会を催す一方、全国の美術館、博物館等学術機関への納品実績も多い。

＊141 河鍋暁斎　１８３１年に生まれ、幕末・明治前期に活躍した絵師。７歳で歌川国芳から浮世絵を学び、その後狩野派に入門。浮世絵と狩野派を折衷し写実に優れた画風で、無数の作品を描いた。自らを「画鬼」と称し、四条円山派などの伝統的なものから西洋画に至るまでさまざまな画法を研究し、独自の表現を探求した。毎年のように展覧会が開催される人気絵師である。

＊142 √Kコンテンポラリー　２０２０年に設立された、東京・神楽坂にある現代美術ギャラリー。東京・京橋の古美術商・加島美術が展開する。展示スペースは約３００平米あり、多目的レンタルスペース「Space √K」も併設され、都内では大型のギャラリーとなっている。

＊143 アノマリー　２０１８年に設立された、東京・天王洲にある現代美術ギャラリー。美術業界では稀な経営統合により、10年以上のキャリアを持つ三つのギャラリー「山本現代」「URANO」「ハシモトアートオフィス」

が合併した。展覧会以外にもトークセッション、パフォーマンスを展開できる柔軟性の高いギャラリー空間、プロジェクトごとにさまざまな人々が滞在できるオフィスとラウンジなどの「場」が設けられている。ギャラリー名称「ANOMALY（アノマリー）」は、正論や常識では説明不可能な事象や個体、変則や逸脱を表す言葉から取られている。

＊144 児玉画廊　１９９８年に大阪で開設された、東京・天王洲にある現代美術ギャラリー。若手のアーティストの才能をいち早く見出し、マーケットに送り出していくという理念のもと、企画展、作家個展を中心に展覧会を運営している。２０１６年、これまでベースとして来た関西を離れて東京・天王洲に移転、国内外への一層の発信を強化している。

＊145 スノーコンテンポラリー　２０１０年にインディペンデント・キュレーターの窪田研二氏とギャラリストの石水美冬氏により、現代美術アーティストのマネジメントオフィスとして東京とシンガポールでスタート。２０１６年に東京・西麻布に移転し、国内外のアーティストによる創造的でカッティングエッジな展覧会を開催。絵画や陶芸、パフォーミング・アートやストリート・アート、コンセプチュアル・アートまで広い分野の表現を扱う。アーティストのマネジメントを通じて芸術表現を多彩な場で紹介し、同時代の文化に貢献することを目指している。

＊146 無人島プロダクション　２００６年東京・高円寺で設立、２０１９年から墨田区江東橋を拠点とする現代美術ギャラリー。現代社会や歴史に対しての鋭い観察と考察を、表現を通して可視化する作家たちのマネジメントを行う。またギャラリーでの展覧会だけでなく、作品のコンセプトによって、ギャラリー外での展覧会企画を数多く行っている。また展覧会開催以外にも、作家のヴィジョンを紹介するために書籍やＤＶＤ等のアー

ティストプロダクトを多数制作している。

＊147　アートバーゼル香港　2013年から始まる、香港で毎年3月に開催されるアジア地域最大規模の現代アートフェア。世界各国の200を超えるギャラリーが出展し、約8万人もの来場者を集める。同時期に、サテライトフェア「Art Central」の開催や、美術館や文化施設でも注目度の高い展覧会が催されるなど、香港の街全体がアートウィークとなる。

＊148　アート台北　1992年から始まる、台湾・台北市で開催されるアジアで最も長い歴史を持つアートフェア「台北國際藝術博覽會（アート台北）」。

＊149　ドーバーストリート　コムデギャルソンのデザイナー川久保玲氏とエイドリアン・ジョフィ氏がプロデュースするコンセプトショップ。力強いヴィジョンのもとに立ち上げられた同店は、世界各地に店舗を構え、Comme des Garçons 以外にも厳選されたファッションアイテムを取り扱う。オープン当初から、店内のさまざまな場所に独自の審美眼により選ばれた現代アート作品が展示され、ファッションとアートが融合した空間が作られている。

第7章

アートのある素敵な日本

私は楽観主義者です。社会は変わると信じてきたし、最盛期のマガジンハウスにいた頃は、雑誌の影響でどんどん社会が変わってゆく姿を目にしてきました。今や雑誌の力はなくなりましたが、振り返ってみると、この10年でも何らかの力で社会は大きく変わったと思います。

そして、民間至上主義者でもあります。自らの存続を考える企業こそが時代に敏感であり、真剣に考えます。行政主体で、複雑な手続きに時間をかけて成長した産業は過去にもありません。事実、第４章で動き出した企業の多くは行政とは無関係に動き始めています。

かつて日本の半導体産業が、世界の市場をほぼコントロールしていた時代がありました。１９８６年、「日経マイクロデバイス」（半導体製造関連企業向け専門雑誌）の広告営業を担当していた私が、ある大型商社のマネージャーに言われた言葉がいまだに頭に残っています。「上坂君、こうやって伸びてくると、政府から補助金が出るようになるんだよ。でもね、それが衰退への第一歩なんだよ……」

だから、ここまで書いてきたように、ビジネスとしてさまざまな企業が動き出したことは良い流れだと思います。ただ、なかなか専従スタッフが少なく、また、アートに力を入れ始めている企業同士の横の情報がない。すなわち「メディア」が存在しないのです。だからこの新書を執筆しました。

せっかちな私は、メディア人の一人として、また、世界横断×企業横断的に見て、考えて、リアルに試行錯誤してきた人間として、企業にとってのアート事業案を、勝手に書き出してみました。夢物語ではありません。海外を見ることなしに机上で作った長期計画書よりも、ずっと現実的です。

下を向いてスマホに向かっている人々で埋め尽くされた街が、アートを語り合う人々の行き交う場所になりますように。

7・1　変化とともに、過去を忘れる日本

ふとしたことで「需要」が生まれ、「供給」がそれに合わせて成長します。やっと日本でも「需要」の芽が生まれ始めています。でもその流れを支える「供給」を行うのは、日本の場合、既存のギャラリーではないかもしれません。続々と新しいビルや地区にギャラリーができていますが、並行して始まっている、新しいタイプのアートイベントに来ている若者は、そんな流行に敏感に気づいた、企業やグループによる新しいスペースへ向かう可能性も高いと思います。

センスある富裕層を集めたい企業（たくさんありますよね）が、そういう類《たぐい》の人を集めたければ、極めてオープンな空間に、一流のアート作品を購入できるギャラリーとカフェがあり、それに企業名を冠して……というようにすれば一石二鳥どころではないです。

ともかく、美術館でアートを見る人が日本では２０００万人もいるという数字は、潜在的なコレクター予備軍としては充分でしょう。クラシック音楽を好きな人が日本人に何人いるでしょうか。マイナースポーツの中継を見る人は？　それらに比べれば、ちょっとしたきっかけで爆発的に「アート購買者」が増えるはずです。「カレンダーを貼る」代わりに「アートを飾る」時代です。

感じ方はバラバラですが、確実にその芽は出ています。そして何事も、最初はこんなものなのです。例えば、皆さんよくご存知の「ＳＤＧｓ（持続可能な開発目標：Sustainable Development Goals)」という言葉。日本でも積極的に取り組まれていて、今日では誰もが知るものですね。しかし、子ども支援専門の国際ＮＧＯである「セーブ・ザ・チルドレン」の日本組織に勤務する私の友人は、当初、ＳＤＧｓの普及にかなり苦労していました。しかし、何をきっかけにしてなのか、みるみるうちに広まっていきました。

そんな例なら他にいくらでもあります。信じられないと思いますが、30年前まで、日本ではワインをレストランで飲む人はほとんどいなかったのです。「アウトレット」という言葉が登場した頃、ファッション雑誌では注釈がついていたのです。ラグジュアリーブランドはイメージが大切だからと、インターネットどころか新聞には広告を出さないと豪語していました。どれも、遠い昔の話ではありません。

アマナでアートフォトの魅力を紹介する「ＩＭＡ」というメディアを創刊した２０１２年頃、広告や販売提携の営業のため日本企業に連絡しても、会ってもくれませんでした。世界のアートトレードフェアに、世界の銀行や企業が膨大な協賛金を出し、競ってサポートしていることを説明しても、誰も耳を貸しませんでした。それが、明らかに変わり始めたのです。

７・２　アートの事業化を考え始めた企業への提案

第３章と第４章でご紹介した数々の例が物語るように、日本でも新しい動きが始まっています。それがどれくらい大きなものなのかは、本書の売れ行きも試金石の一つになるかもしれません。きっと、多くの企業やビジネスパーソンの動きはこれからです。

ここで、いくつかの業界別アイデアを提案します。その前に、まず次の三項目をぜひ今年中に実行してみてください。

① 世界のアートシーンを見に行く。できれば「アートフェア」
② 伝手《つて》があるなら協賛企業をはじめとしたイベントのビジネスサイドの人に会う
③ 出張の機会を得たら、その都市のギャラリーに行く。都市によっては、サザビーズやクリ

スティーズの開放された空間を見る。現地企業の受付を見る。現地の人にアートとの関係を聞く

きっと、大きく変わります。私が繰り返し言う日本の「幕末感」がわかるはずです。

次に、企業がアートに関わる目的を改めて整理してみます。前章までにご紹介した日本企業の試みは、次のいずれかに該当します。⑥⑦のように、利益に直結しない目的もあります。

① 売買
② 別のビジネスの付加価値
③ 資産のある、または高い嗜好の顧客者リスト獲得ツール
④ 特定の顧客向けサービス
⑤ 教育ビジネスのテーマ
⑥ 国際的ブランディング
⑦ 社会貢献

これを念頭に置いて、各業種別に顧客や支持獲得のヒントをあげてみます。本来は、その業界に携わるあなた自身が考える方が良いアイデアが出てくるはずですが、そのきっかけに使ってください。

●金融機関、クレジットカード会社
・アートフェアの初日を自社顧客独占にする＝世界の常道
・第5章で紹介したサザビーズやクリスティーズ、海外教育機関のスクール事業の輸入・主催
・自家用飛行機が飛び交う著名アートフェアへの超豪華ツアー
・世界のアートフェアへの協賛
・日本人アーティストの世界デビューのサポート
・自社の各店舗に地元アーティストの本格的一流作品によるギャラリーを併設
・著名アーティストによる優良顧客向け創作仲介

●ハウスメーカー・不動産デベロッパー
・住宅：高額アート購入のサポート、仲介↓購入後も付き合いが続く
・住宅：アートの買い方、選び方、飾り方等連続セミナー

・住宅：モデルルームの一流×安心できるギャラリー化
・住宅：著名アーティストによる個人向け創作仲介
・オフィス：オフィスに飾るアートのサポートと仲介
・オフィス：海外オフィス視察ツアー
・商業施設：超一流ギャラリーを富裕層集客手段として不動産企業自らが運営

❺宝飾・時計、百貨店
・アートの歴史からアートの見方、世界レベルの購入までを教える高額な授業料のスクール
・自家用飛行機が飛び交う著名アートフェアへの超豪華ツアー
・各店舗に、地元アーティストの本格的一流作品によるギャラリーとコレクター視点のアートスクールの常設
・著名アーティストによる個人向け創作仲介
・超一流ギャラリー（自然に富裕層が集まる）経営
・世界の各店舗を日本人アーティストの作品でギャラリー化
・著名アーティストと組んだ商品開発と世界販売

●自動車

・アートフェアに協賛し、トップコレクター100人を送迎
・第5章で紹介したサザビーズやクリスティーズや海外教育機関のスクール事業の輸入・主催
・日本企業の場合、世界のアートフェアの協賛
・日本人アーティストの世界デビューのサポート
・著名アーティストをリスト化し彼らに車の装飾創作仲介
・各店舗に、地元アーティストの本格的一流作品によるギャラリーとコレクター視点のアートスクール常設
・著名アーティストと組んだ商品開発と世界販売

●航空、旅行等

・（日本企業の場合）日本人アーティストの世界デビューサポートとコレクター視点のアートスクール常設
・自家用飛行機が飛び交う世界の著名アートフェアへの超豪華ツアー
・右記とのセットも含め、世界の著名ギャラリーやオークションハウス訪問ツアー
・世界のアートフェアを見て、作品を購入するための最高レベルセミナー

・世界の各店舗を日本人アーティストの作品でギャラリー化
・日本人アーティストの世界デビューサポート

●その他（電機、通信、飲料、エンタメ、医薬、生産財など）世界に支店がある企業
・日本人アーティストの世界デビューサポート
・各店舗に、各顧客層にあった地元アーティストの本格的作品によるギャラリー併設
・社員向けに世界から信頼を得るための日本の美について語れる教育や、世界のアート視察ツアー
・世界の各店舗を日本人アーティストの作品でギャラリー化
・著名アーティストと組んだ商品開発と世界販売
・世界のアートフェアへの協賛
・著名アーティストによる製品の装飾創作仲介
・日本人アーティストの世界デビューサポートと旅行サポート
・自家用飛行機が飛び交う著名アートフェアへの超豪華ツアー
・世界のアートフェアを見て作品を購入するための最高レベルセミナー

図表７-１：アートの目的と手段

出所：著者作成

図表7-2：目的×手段ごとのアプローチ

目的／手段	センスのある商材	別ビジネスの付加価値	富裕層へのアプローチ	顧客向けサービス	教育重視	国際的ブランディング	社会貢献
作品購入コレクション	○		○	△		○	○
美術館保有	△				○	○	○
ギャラリー保有	○		○	△		○	△
フェア・ツアー販売関連イベント主催or協賛	○	○	○	○		△	△
フェス・スクール運営or協賛	△	○	△	○	○	△	△
アーティスト起用	○		△			△	△
アーティストサポート	△				△	○	○

出所：著者作成

いずれもリスクの少ない選択肢だけにしました。世界で認められる絶好の題材です。ここから先は、自社の特徴を鑑《かんが》みて、一流の作品（「高い」というわけではなく）、一流のアーティスト（世界を考えて動いている）、一流のリーダー（世界を知っている人）を組み立ててください。これはあなた自身のビジネスアート作品の創造でもあります（図表7-1 7-2）。

7・3 維新に向けて

この最終章の前に、私の周囲の3人のビジネスパーソンたちの「アートのある生活」をご紹介しました。普通のビジネスパーソンが日常としてアートをコレクションする、とても素敵な例だと思います。そして3年後には、このようなアートのある生活が、特段珍しいことではなくなっています。一部の学校やカルチャーセンター、全国3000の地方自治体の一部では「アートを語る」教育が始まり、アートセミナーの中には「アートを買ってみる」「アーティストと交流する」という類も増えるでしょう。また、アートを気軽に購入する商業空間も増え、まだ少数ながらも金融機関にアート専門部隊が登場し、先に紹介したQUICKのアートレポートが普及して、新聞に「日経アート平均」の項目ができるかもしれません。一部の美術大学でも別セクションとしてアートをプレゼンテーションするコースが増えるとともに、海外講師を中心にした本格的なアーティスト養成講座が開かれ、一般向けにはサザビーズやクリスティーズ、さらには独自の高いレベルのアートのカルチャースクールも開講されるでしょう。

ＱＵＩＣＫの指数に刺激された企業の一部がアートを購入し始め、アートフェアの初日を独占するという世界では普通の手法を企業が踏襲し始め、企業が自らギャラリー運営にも着手するなど、世界戦略のためにアートをテーマにした企業政策が乱立し始めるでしょう。さらに企業の中には、関係のある地方自治体の美術館をサポートし、広くそれを訴えるようになり、これまでアートについては論じていなかった文化人が続々と論じ始め、そして、これらの情報を結び、論争の場となる「メディアア」が登場するでしょう。

——きっとあと三年で、世界の「今」に近づきます。

いろいろな意味で「幕末」であるのが現在の日本です。こういう時に必要なのは、「幕府」ではなく「薩長」による維新、つまり肝心なことに気がついた、ごくごく少数の企業の力による変革だと私は思います。

締めに、幕末の勝海舟の言葉をご紹介して本編を閉じることにします。

「もし、こんにち、攘夷家を汽船にのせ、広く外国を見せたならば、おのずと意識はかわるであろう」

あとがき

『ハーブ＆ドロシー（Herb & Dorothy）』という映画をご存知ですか？

アートの世界では有名な庶民アートコレクター夫婦を描いたドキュメンタリー作品で、日本では２０１３年に公開されました。アートファンではなくても楽しめて、ほろっとするところもある映画で、動員数約５万人という、その年の「ミニシアター系」で三本の指に入るヒット作品になりました。

この映画で、私たちは、庶民なりに購入できる作品の作者である若いアーティストと語り合う楽しさ、アートを買う喜び、そして、何年も経て世界的存在になるアーティストたちの姿を見る嬉しさなど、海外では日常として「アートを買う」生活が存在することを知ることができます。今も充分楽しめる映画ですので、ぜひご覧ください（Ｕ‐ＮＥＸＴのほか、アマゾンやユーチューブ等でもレンタル・購入可能です）。そして、ご覧になった際、最後のスタッフクレジットにご注目ください。配給プロデューサーが「上坂真人」となっています。私です。

まだアートを取り巻く状況が現在ほど盛り上がっていなかった当時、全ての映画配給会社に流通を断られた佐々木芽生《めぐみ》監督（当時ニューヨーク在住）が自主運営チームを募り、それが回り回って私のところに来たのです。その頃の私は、「アートを買う」ことは考えたこともない、典型的な日本人アートファンでした。また当時、出版社を退社してフリーランスだったので、ボランティアの話は少し辛かったのですが、あまりに素敵な映画だったので引き受けてしまいました。映画業界の常識を知らないチームで、美術館で試写会を開催し、ギャラリーにチラシをまき、企業営業をし……その結果、見事にヒットしてギャラが入り、ほっとしたことを覚えています。しかし、それよりももっと大きな収穫は、アートのある素敵な生活を知ったことです。

１９８０年から朝日新聞社出版局（現・朝日新聞出版）、日経マグロウヒル社（現・日経ＢＰ社）、マガジンハウス、日経コンデナスト（現・コンデナスト・ジャパン）、アシェット婦人画報社（現・ハースト婦人画報社）の営業部門を渡り歩いた私は、時代に先駆けて新しい生活提案をする楽しさは知っていました。

29歳の時に「日経デザイン」というビジネスパーソン向けのデザイン誌を「君たちは若いから、失敗しても……」と室伏章郎社長（当時）に言われて「担当させられた」のが１９８６年。当時、広告会社には「デザイン費をきちんと取ろう」というポスターが貼ってありました。それから約40年……。

若者のライフスタイルをリードしていた雑誌「POPEYE」が、時代に先駆けて「パソコンのある生活」をテーマにした別冊を出した時、やっとアポイントが取れた有名パソコンメーカーで、「上坂君、パソコンだよ？　ワープロじゃないよ？　普通の人がパソコンを買うわけないでしょう」と言われ、企画書を目の前で捨てられたのが１９９５年。それから約30年……。

時代は変わります。何もなかったように、当たり前にアートを買う時代が来ます。それにまつわる教育も普通になされるようになります。私はそう信じて日々を過ごしています。

そしてこの新書は、私にとってのアート作品です。私の人生と、考えと、思いが詰まっています。ぜひ、この作品を楽しんで、批評してください。ここからたくさんの議論をしましょう。

この作品の執筆にあたり、藤野淑恵さんにお世話になりました。藤野さんは「W Japan」に始まり、「流行通信」、日経ビジネス「Priv.」などの編集部を経て、現在はインディペンデント・エディターとして活動しています。営業出身の私の文章から業務色を抜き、一貫性を持たせてくれました。彼女との共著としたいほど真摯に取り組み、サジェスチョンや新たな資料や取材先の発掘もしてくれました。企業取材に同行し、私論展開に走る私を制御してくれました。

その他にも、たくさんの方々にお礼を申し上げなければなりません。

10年以上にわたり私にたくさんの経験をさせてくれた進藤博信さん、本当にありがとうございました。海外の情報やデータ収集を引き受けてくれた、オランダ在住の貝谷若菜さん、アートに関するあらゆるデータ収集やリサーチに加え、取材にも同行してくれた小石原あまなさん、石崎りり子さん、英語の苦手な私をサポートしてくれた戸倉里奈さん、池澤加那さん、画像の取り寄せと許可取りを引き受けてくれた青木早苗さん、そして、藤本教子さん、斎藤美奈子さん、丹生有紀さん、篠崎みおさん、李海宣さん、前田ゆかりさん、ＭＡＧＵＳの皆さん、さらに全ての面で支えてくれた太田睦子さんと平野謙一さん、心よりお礼を申し上げます。ありがとうございました。

また、同じ出版の世界にいながら、雑誌作りしか経験のない私たちを優しく指導し続けてくれた光文社新書編集部の高橋恒星さん、ありがとうございました。ぜひ、この書籍を起点とした新しい知の輪モデルに挑戦しましょう。

最後に、こんな勝手な私を数十年間にわたって支え続け、昨年9月に先立ってしまった妻に、深く感謝します。

スターバックス清瀬駅前店にて
2023年6月　上坂真人

【巻末資料1】世界の主要アートマーケットレポート12

1. The Art Basel and UBS Global Art Market Report by Art Basel | UBS

世界最大のアートフェアであるアート・バーゼルとスイスの金融機関UBSが2017年以降毎年3月に発表している市場レポート。膨大なデータを用いてアート市場の動向を分析、解説、評価する本レポートは、後述のデロイト、アートタクティックのアートファイナンス・リポートと並んでアート業界で最重要視されている。毎年3月に発行。

https://theartmarket.artbasel.com/

2. Art & Finance Report” by Deloitte Private | ArtTactic

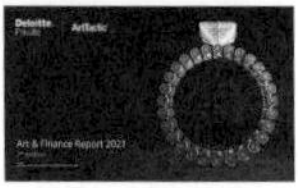

アートとビジネスに関する多様なサービスを展開するコンサルティング会社であるデロイト（本社・ルクセンブルク）とアートの市場調査会社最大手であるアートタクティック社が2011年から毎年発表している、アートに特化した業界最重要視の市場レポート。アートとビジネス、文化と金融の関わりを具体的に解説し、数々のメディアでも引用されている。毎年発行。

https://www2.deloitte.com/lu/en/pages/art-finance/articles/art-finance-report.html

3. The Artnet Intelligence Report by Artnet

オンラインのアート作品販売プラットフォームを基盤に、価格データベース、オンラインギャラリー、ニュース情報サイトを展開する米企業、アートネット社が2018年から年2回（春と秋）発行しているレポートで、アート市場のトレンドに焦点を当てた内容が充実している。作品も多く掲載され、デザイン性も高い。

https://media.artnet.com/image/upload/v1649782197/2022/artnet_news_intelligence_report_spring_2022_pesuzj.pdf

4. Art Market Report by TEFAF（The European Fine Art Fair）

世界で最も重要なアートフェアのひとつで、オランダ・マーストリヒトと米国・ニューヨークで毎年開催されているTEFAF（テファフ、欧州現代アートフェア）が、デロイトのリポートも作成するアートタクティック社と共同で発行している市場レポート。毎年、注目すべき個別テーマについて掘り下げているが現時点では2020年以降、最新版の発表はない。

https://tefaf-amr-3.s3-eu-west-1.amazonaws.com/TEFAF_Art_Market_Report_2020.pdf?mtime=20200309175931

5. Contemporary Art Market Report by Artprice

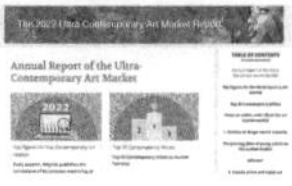

フランスを拠点にするアートプライス社による、前年のアートオークション市場に関するレポート。アートプライス社は72カ国6300のオークションハウスと提携し、価格データベースや専門家による価格査定などを提供している。本レポートは2002年から毎年発行され、国、オークションハウス、アーティストごとに作品が何点出品されたのか、また、その落札価格などのデータを発表している。毎年10月に発行。

https://es.artprice.com/artprice-reports/the-contemporary-art-market-report-2022

6. Power 100 by ArtReview

アーティスト、コレクター、ギャラリスト、批評家、キュレーターなど、アート界全体で最も影響力のある100人(組)をランキング形式で紹介するレポート。イギリスの現代アート情報メディア「アートレビュー」が、2002年から毎年発表している。全世界のアート界の識者30人以上から匿名で寄せられた意見を基に、過去12カ月間に現代アートの発展に貢献したトップ100を認定する。

https://artreview.com/power-100/

7. Apollo 40 Under 40 by Apollo Magazine

1925年にイギリスで創刊され、長い歴史を持つ美術情報・批評誌であるアポロマガジンが、アーティスト・キュレーター・批評家・コレクター・ビジネスの各分野で、地域(ヨーロッパ・アジア・中東・アフリカなど)やテーマごとに影響力のある40歳以下の40人のリストを発表。現在と今後のアート界を先導する主要な人物について知ることができる。調査にはBNPパリバやドイツ銀行などの企業が協力。毎年9月に発行。

https://www.apollo-magazine.com/40-40-art-tech/

8. Artsy Gallery Insights by Artsy

ニューヨークに本社を置くオンラインアートブローカー、Artsy(アーツィー)による、ギャラリーの動向にフォーカスしたレポート。2022年4月に発表された最新版では、84カ国、1,300以上のアートギャラリーおよびディーラー(アーティストのパートナーおよび非パートナー)を対象に調査を行っている。毎年発行。

https://partners.artsy.net/resource/2022-gallery-insights-report/

9.　TOP 200 Collectors by ARTnews

米ARTnews（アートニュース）社が、1991年から毎年発表しているトップコレクター200人のリスト。コレクター、キュレーター、画商、オークションハウス、美術館などへのインタビューや、推薦されたコレクター本人らへの調査を基に200人を選出する。このリストには各コレクターのプロフィールや所有作品、作品の種類や作家が活動する国、コレクターの職種なども掲載されているため、トップコレクターの傾向の変遷もわかる。多くのコレクターは収集活動の他にもアートに関する様々な支援や活動をしていることなど、世界の富裕層やビジネストップたちのアート活動についても言及され、美術界だけでなくビジネス界からも注目される。毎年12月に発行。

https://www.artnews.com/art-collectors/top-200-profiles/?filter_top200year=2022

10. The Next Generation Collectors Report　by Larry's List

次世代のコレクターとして注目すべき人物の経歴やコレクション、運営する私設美術館などの活動をまとめる不定期レポート。発行しているラリーズリストは、香港を拠点に世界70カ国以上、3500人以上のアートコレクターのデータベースを持ち、アーティスト、ギャラリー、コレクターを結ぶプラットフォームを運営。この広いコレクターネットワークを基にレポートを作成している。不定期発行。

https://www.larryslist.com/art-collector-report

11. The Wealth Report　by KnightFrank

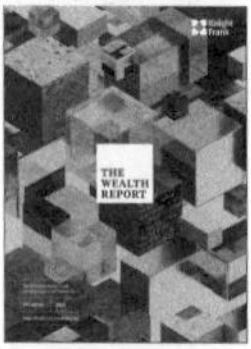

ロンドンの不動産コンサルタント会社である KnightFrank（ナイトフランク）が発表する、富の集中する都市、高級住宅の価格変動など、世界の富裕層の動向をわかりやすくまとめたレポート。アートに関連するデータにはNFTが高値で売れたアーティストや最も高価なオークション落札結果、アートを含む高級収集品の市場などが取り上げられている。毎年発行。

https://content.knightfrank.com/resources/knightfrank.com/wealthreport/the-wealth-report--apr-2023.pdf

12. Cultural Infrastructure Index by AEA Consulting

米・ニューヨークを拠点に、世界中の文化やクリエイティブ業界のコンサルティングをしているAEA Consulting（AEAコンサルティング）が、世界の大規模文化施設（予算規模1000万ドル以上）のうち、その年に建設が発表された、または建設が完了したプロジェクトの一覧をまとめたレポート。毎年発行。

https://aeaconsulting.com/uploads/1400014/1656602871476/AEA_CII_2021_WEB.pdf

出典：各HPより著者作成

【巻末資料2】世界視点のある日本のギャラリー

【世界の2大アートフェアであるアートバーゼル、フリーズ、そしてアートフォトでは最高峰のパリ・フォトに2021年、2022年に出展したギャラリーのリスト（含む日本に拠点のある海外ギャラリー）。

ギャラリー名、拠点地名	出展アートフェア
タカ・イシイギャラリー	アートバーゼル、アートバーゼル マイアミビーチ、アートバーゼル香港、フリーズロンドン、フリーズ ロサンゼルス、フリーズ ソウル
TAKE NINAGAWA	アートバーゼル、アートバーゼル香港、フリーズソウル
東京画廊 + BTAP	アートバーゼル、アートバーゼル香港、フリーズソウル
NANZUKA	アートバーゼル マイアミビーチ、アートバーゼル香港
TARO NASU	アートバーゼル香港、フリーズロンドン、フリーズソウル
MAHO KUBOTA GALLERY	アートバーゼル香港（Discoveries）、フリーズソウル
MISAKO & ROSEN	アートバーゼル香港（Discoveries）、フリーズソウル
Yumiko Chiba Associates	アートバーゼル香港、パリフォト
思文閣	アートバーゼル香港（insight）、フリーズマスター
SCAI THE BATHHOUSE	アートバーゼル マイアミビーチ
ANOMALY	フリーズソウル
小山登美夫ギャラリー	フリーズソウル
OTA FINE ARTS	アートバーゼル香港
ミヅマアートギャラリー	アートバーゼル香港
MISA SHIN GALLERY	アートバーゼル香港
GALLERY SIDE 2	アートバーゼル香港
Kaikai Kiki Gallery	アートバーゼル香港
KOSAKU KANECHIKA	アートバーゼル香港
ときの忘れもの	アートバーゼル マイアミビーチ（survey）
NUKAGA GALLERY	アートバーゼル香港（insight）
GALLERY KOGURE	アートバーゼル香港（insight）
みぞえ画廊	アートバーゼル香港（insight）
Parcel	フリーズソウル（フォーカスアジア）
現代美術 艸居	フリーズソウル（フォーカスアジア）
The Third Gallery Aya	パリフォト
MEM	パリフォト
AKIO NAGASAWA	パリフォト（オンラインビューイング）
【日本に拠点のある海外ギャラリー】	
PERROTIN TOKYO	アートバーゼル、アートバーゼル マイアミビーチ、アートバーゼル香港、アートバーゼル パリ+、フリーズロンドン、フリーズLA
Blum & Poe（ブラム&ポー）	アートバーゼル、アートバーゼル マイアミビーチ、アートバーゼル香港、フリーズ ロンドン、フリーズ ニューヨーク、フリーズ ロサンゼルス、フリーズ ソウル

	8月	9月	10月	11月	12月
ア、第18回：2023）					
チア - イタリア、次回：2024）					
オーストラリア、次回：2024）					
回：2027　5年毎開催）					
ンスター・ドイツ、次回：2027 10年毎開催）					
(開催都市固定なし第15回：2024 バルセロナ					
		フェスティバル・イメージズ・ヴヴェイ（ヴヴェイ- スイス、次回：2024）			
（ラガシー - フランス、 次回：2023）					

	8月	9月	10月	11月	12月
*あいちトリエンナーレの後継（愛知県）					
		瀬戸内国際芸術祭　後期期（岡山県、香川県）			
		岡山芸術交流（岡山県岡山市）次回：2025年　3年毎開催）			
トフェスティバル（長野県）					
	リボーン・アートフェスティバル（宮城県）				
			BIWAKOビエンナーレ（滋賀県近江八幡市、彦根市）		

【巻末資料3】世界・日本の主なアートフェス／フェア

【世界のアートフェス】

1月	2月	3月	4月	5月	6月	7月
			ホイットニー・ビエンナーレ（ニューヨーク - アメリカ 次回:2024）			
			ヴェネチア・ビエンナーレ国際建築展（ヴェネチア - イタリ			
					ヴェネチア・ビエンナーレ（ヴェネ	
					シドニー・ビエンナーレ(シドニー -	
					ドクメンタ（カッセル - ドイツ、次	
					ミュンスター彫刻プロジェクト（ミュ	
						マニフェスタ
					フェスティバル・フォト・ラガシー	

＊ビエンナーレは２年ごとの開催、トリエンナーレは３年ごとの開催

【日本のアートフェス】

1月	2月	3月	4月	5月	6月	7月
						あいち2022／
			越後妻有 大地の芸術祭 （新潟県）			
			瀬戸内国際芸術祭　前期（岡山県、香川県）			
マツモト建築芸術祭（長野県）						
			KYOTOGRAPHIE 京都国際写真祭（京都府）			
						浅間国際フォ

7月	8月	9月	10月	11月	12月
		La Biennale Paris（パリ）	Frieze London（ロンドン）	Artissima（トリノ　イタリア）	Art Basel Miami Beach（マイアミ）
		Frieze Seoul／KIAF（ソウル）	Frieze Masters（ロンドン）	Art Cologne（ケルン）	
		Armory Show（ニューヨーク）	Art Basel Paris＋（パリ）	Paris photo（パリ）	
		UNSEEN Amsterdam		ウェストバンド・アート＆デザイン（上海）	
				上海現代アートフェア アート021（上海）	
			Art 台北		
				香港スポットライト（香港）	

8月	9月	10月	11月	12月
		東美アートフェア（東京）	Art Collaboration Kyoto (京都)	工芸アートフェア金沢
	アートフェアアジア福岡	アートウィーク東京		
		デザイナート東京		

【巻末資料3】世界・日本の主なアートフェス／フェア

【世界のアートフェア】

1月	2月	3月	4月	5月	6月
FOG Design+Art（サンフランシスコ）	ARCO Madrid（マドリード）	TEFAF Maastricht（マーストリヒト オランダ）	SP-Arte（SP-アルテ、サンパウロ）	Independent New York（ニューヨーク）	Masterpiece London（ロンドン）
ART SG（シンガポール2023年第1回）	Zona Maco（メキシコシティ）	Art Dubai（ドバイ、アラブ首長国連邦）＊中東最大規模	Expo Chicago（エキスポ・シカゴ）	NADA New York（ニューヨーク）	Art Basel（スイス）
	Frieze Los Angeles（ロサンゼルス）	1-54 Marrakech（マラケシュ、モッコ）	Art Basel Hong Kong（香港）	TEFAF New York Spring（ニューヨーク）	
	Outsider Art Fair（ニューヨーク）		Art 北京（中国）	Frieze New York（ニューヨーク）	
				台北當代（台北台湾）	

【日本のアートフェア】

1月	2月	3月	4月	5月	6月	7月
		ARTISTS' FAIR KYOTO（京都）				Tokyo Gendai（横浜：2023年初開催）
		アートフェア東京				アート大阪

	会員特典
	【個人プラン（69ポンド）の特典】　※26歳未満は49ポンド ・全展覧会に入場無料（無制限、予約不要） ・メンバーズイベントの特別プログラム ・メンバーズルームの利用 ・年３回発行の『British Museum Magazine』、定期的なメール配信 ・館内のショップ、カフェ、レストランで10%割引 【ヤングフレンド会員（対象：8-15歳）の追加特典】 ・お泊り会の参加費割引：日没後の博物館を体験、歴史的なテーマを学ぶ ・年３回発行の雑誌「Remus」と定期的に発行されるＥニュースレター ・ミュージアムショップやカフェで10%割引 ・メンバーシップバッグとグッズのプレゼント ・バースデーカード
	【個人メンバー（80ユーロ）の特典】 ・ルーヴル美術館とウジェーヌ・ドラクロワ美術館の常設展と企画展に無制限無料入館 ・ホール・ナポレオン展の最初の15日間、金曜日の夜と終日、美術館全体へのゲスト（カード所有者１名につき）の同伴が可能 ・パサージュ・リシュリュー経由での美術館への優先的アクセス ・大人のワークショップ、ガイドツアー、オーディトリアムプログラム（コンサート、映画、会議）の割引 ・ルーヴル美術館の書店（RMN）、ガリニャーニ書店、ドラマン書店で販売されている書籍が５%割引 ・美術館内のカフェやレストランでの10%割引 ・パリ市内、地方、海外の他の美術館での割引 ・コメディ・フランセーズ（カルーセル・ギャラリー）のスタジオ・テアトルでの割引 ・ルーヴル・ランス：ギャラリー・デュ・タン（常設展）および展覧会の開幕から15日間の年間を通じて入館無料 ・ルーヴル・アブダビ：入館無料 【ベネファクター（後援者）プラン（1,000ユーロ）の追加特典】 ・ルーヴル美術館友の会が行うチャリティー活動の支援が可能 ・ルーヴル美術館を訪れるたびにゲストを迎えることが可能 ・ルーヴル美術館や他の美術館のプライベートな見学に招待 ・Revue des Musées de Franceの購読、オルセー美術館の無制限入館無料 ・4,000ユーロ以上の寄付をするとルーヴル美術館友の会の名誉会員となり、ルーヴル美術館の新しいプロジェクトに資金を提供する後援者の輪に入ることが可能

【巻末資料4】著名博物館／美術館のメンバーシップ特典（抜粋）

美術館・博物館名	通常料金
大英博物館 ＊公設	常設展示：無料　企画展示：無料〜20ユーロ前後
ルーブル美術館 ＊公設	入館料金：17ユーロ ＊18歳以下と、26歳以下のEEA居住者は無料

	会員特典
	【ソロパス（49ユーロ）の特典】 ・無制限無料入館（すべての展覧会と展示無料で何度でも並ばずに入場できる） ・コラボレーションイベント（共同制作、パフォーマンス、アーティストとの交流の機会） ・ファミリープログラム（子ども向けのギャラリーの入場無料、見学やワークショップの特別割引） ・シネマプログラム（無料シネマ、アヴァン・プルミエールの招待券をプレゼント） ・ライブショーの割引、ステージ体験 ・各種割引サービス（カフェ・ル・セントラル：ドリンク10%オフ、フード５%オフ、ギフトショップ、ブックショップ タイアップ商品10%オフ、書籍５%オフ）
	【アクセスプラン（110ドル）の特典】 ・毎日入館無料 ・会員限定の営業時間や、限定のデジタルコンテンツ ・同伴者の入場料が格安（５ドル） ・映画コレクションMoMA Filmの無料チケット ・展覧会のプレビューへの参加、営業時間外を含む会員限定のアクセス ・MoMAストアでの10％割引（メンバーショッピングデーの間は20％に増加）標準送料無料

美術館・博物館名	通常料金
ポンピドゥー・センター ＊私設	コレクションとギャラリー　1日券：15ユーロ 企画展・特別展：20ユーロ前後 映画とビデオチケット：5ユーロ 【パリ・ミュージアム・パス】 2日間：55ユーロ ＊ポンピドゥー・センターを含む、パリとイル・ド・フランス地方の60の美術館・博物館・モニュメントで有効なパス
ニューヨーク近代美術館（MoMA） ＊私設	入館料金：25ドル シニア（65歳以上）、障がい者手帳提示：18ドル 学生：14ドル 6歳以下：無料

第4章

1 https://artfairtokyo.com/press_info（2022年アートフェア東京報告書）
2 https://www.bunka.go.jp/seisaku/bunka_gyosei/artplatform/index.html
3 https://www.mori.co.jp/company/press/release/2013/10/20131022143000002717.html
4 https://artnewsjapan.com/business/article/10
5 https://www.uniqlo.com/jp/ja/contents/corp/press-release/2022/02/22022412_moma.html
6 https://mb-live.jp/category/special/artscope/
7 https://rp.kddi-research.jp/atelier/column/archives/1152
8 https://rp.kddi-research.jp/atelier/column/archives/1068
9 https://www.tel.co.jp/promotion/gallery/
10 https://artmarket.report/2022

第5章

1 https://www.sujetdebac.fr/annales/philosophie-2021-zero-1
2 https://explorecourses.stanford.edu/search?filter-term-Winter=on&q=ARTHIST&view=catalog&acade
3 https://explorecourses.stanford.edu/search?view=catalog&academicYear=&page=0&q=ARTSTUDI&fil
4 https://www.geidai.ac.jp/department/fine_arts/curriculum_policy
5 https://www.tamabi.ac.jp/dept/as/course.htm
6 https://www.musabi.ac.jp/wp-content/uploads/2022/03/2022_syllabus_apm.pdf
7 https://www.musabi.ac.jp/course/undergraduate-ctsi/ci/curriculum/
8 https://www.beroepkunstenaar.nl/en/disciplines/education-in-art-in-the-netherlands/art-education-inschools/
9 https://www.rca.ac.uk/study/programme-finder/history-of-design-ma/
10 https://www.tate.org.uk/about-us/learning-programmes
11 https://www.guggenheim-bilbao.eus/en/learn/educational-project
12 https://www.artizon.museum/program/
13 https://yokohama.art.museum/education/index.html
14 https://www.hauserwirth.com/news/29176-education/
15 https://tas-premier.a-i-t.net/

第6章

1 https://higashikawa-town.jp/storage/files/files/2022-04-08_R04_YOSANGAIYOU1.pdf
2 https://photo-town.jp/collection
3 https://mmop.jp/
4 「ジェラルミンの塀」『山陽日々新聞』1952年3月1日付
5 『秋田魁新聞』1952年3月7日付

参考文献

第1章

1 https://www2.deloitte.com/content/dam/Deloitte/at/Documents/finance/art-and-finance-report-2017.pdf

2 https://media.artnet.com/image/upload/v1632422899/2021/09/artnet_news_intelligence_report_fall_2021_1_sda3j7.pdf

3 https://d2u3kfwd92fzu7.cloudfront.net/Art%20Market%202022.pdf

4 www.bunka.go.jp/seisaku/bunkashingikai/seisaku/18/art_wg/pdf/92838801_04.pdf

5 https://www.metmuseum.org/-/media/files/about-the-met/annual-reports/2021-2022/report-from-the-cfoannual-report-2021-22.pdf

6 https://news.artnet.com/market/the-square-footage-of-global-mega-galleries-1409839

7 https://content.knightfrank.com/research/83/documents/en/wealth-report-2016-3579.pdf

8 https://amr.tefaf.com/s

9 https://www.sothebysinstitute.com/

10 https://www.theartnewspaper.com/2022/12/19/art-market-record-christies-posts-84bn-in-sales-for-2022

11 https://www.artnews.com/art-news/news/sothebys-record-high-8-billion-sales-year-2022-1234650487/

12 https://www.artnews.com/art-collectors/top-200-profiles/?filter_top200year=2022

第2章

1 https://www.larryslist.com/artmarket/features/11-major-corporate-contemporary-art-collections-thatare-worth-exploring/

2 https://www.tate.org.uk/about-us/corporate-support/partnership

3 https://www.theartnewspaper.com/2022/09/26/guggenheim-ends-hugo-boss-prize

4 https://www.bloomberg.co.jp/news/articles/2022-12-14/RMURG0T0G1KW01

第3章

1 https://hypebeast.com/jp/2020/4/most-popular-museums-exhibitions-the-art-newspaper-2019-report

2 https://www.knightfrank.com/siteassets/subscribe/the-wealth-report-2022.pdf

上坂真人（うえさかまこと）

1957年生まれ。朝日新聞社、日経BP社を経て、マガジンハウスで「BRUTUS」「GINZA」、コンデナスト ジャパンで「VOGUE」「GQ」、ハースト婦人画報社で「ELLE」「marie claire」等のビジネスディレクターを歴任。2011年、アマナに入社。世界のアートシーンに赴き学び、アートを活用したビジネスを日本企業に提案し、運営までを手掛ける。2021年、株式会社MAGUSを設立し、代表取締役社長に就任。アメリカの「ARTnews」と提携する。2023年3月、MAGUS退社とともに、武蔵野美術大学客員教授を辞し、アートの事業化を目指すビジネスパーソンが交流し、世界とつながる場を作る事業に専念。

連絡先：teamwarm2023@gmail.com

世《せ》界《かい》視《し》点《てん》で読《よ》む　企《き》業《ぎょう》戦《せん》略《りゃく》とアート

2023年6月30日初版1刷発行

著　者 ── 上坂真人

発行者 ── 三宅貴久

装　幀 ── アラン・チャン

印刷所 ── 堀内印刷

製本所 ── ナショナル製本

発行所 ── 株式会社光文社
東京都文京区音羽1-16-6（〒112-8011）
https://www.kobunsha.com/

電　話 ── 編集部03（5395）8289　書籍販売部03（5395）8116
業務部03（5395）8125

メール ── sinsyo@kobunsha.com

ISBN 978-4-334-04669-9

1238
教育大国シンガポール
日本は何を学べるか
中野円佳

激しい教育競争、点数化する習い事――煽られ、葛藤する母親達、疲弊する子ども達。教育社会学研究者・ジャーナリストが現地の教育システムの実態を、インタビュー調査を交え報告。

978-4-334-04645-3

1239
エンタメ小説家の失敗学
「売れなければ終わり」の修羅の道
平山瑞穂

華々しいデビュー、10万部超えのヒット、そして映画化――。人気作家も目前だった小説家が犯した痛恨の「失敗」とは? 出版界の裏事情と赤裸々な告白に満ちた自虐的反省の書。

978-4-334-04646-0

1240
「おふくろの味」幻想
誰が郷愁の味をつくったのか
湯澤規子

一体「おふくろの味」とは何を指しているのか。なぜそれは時に女性たちをいらだたせるのか。社会と時代を丹念に読み解き、「おふくろの味」が誕生した経緯とその正体を探る。

978-4-334-04647-7

1241
数字のセンスを磨く
データの読み方・活かし方
筒井淳也

私たちは数字に取り囲まれて日々を送っている。だが、数字をきちんと理解し、数字ときちんと向き合えているだろうか。計量社会学・家族社会学を専門とする著者が「数字との付き合い方」を示す。

978-4-334-04648-4

1242
追跡 税金のゆくえ
ブラックボックスを暴く
高橋祐貴

一般社団法人による〝中抜き〟、見えない五輪予算、孫の小遣いとなる中山間地域の助成金――。私たちの税金は何に使われているのか。気鋭の新聞記者がその杜撰な実態に粘り強く迫る!

978-4-334-04649-1

光文社新書

1243

友情を哲学する
七人の哲学者たちの友情観

戸谷洋志

友情とは何なのか。いま、その多様性を知ることが、人生をいくらか豊かなものにしてくれるのではないか。漫画が描く「友情」のあり方を参照しながら、哲学者七人の友情観を探る。

978-4-334-04650-7

1244

改訂版 東大合格高校盛衰史
1949年～最新ランキング徹底解剖

小林哲夫

日本一の頭脳たちはどこから集うのか？ 名門進学校の凋落と躍進を辿ることで、日本社会の構造が浮き彫りになる。戦後から今に至るまでの合格者数ランキングで、東大受験の実情を一挙総覧！

978-4-334-04651-4

1245

リスキリングは経営課題
日本企業の「学びとキャリア」考

小林祐児

急速に取り組みが進む、知識やスキルの学び直し「リスキリング」を阻む、日本企業特有の構造とは何か。大人が世界一学ばない国・日本における学び方、働き方の新たな仕組みを考える。

978-4-334-04652-1

1246

宇宙ベンチャーの時代
経営の視点で読む宇宙開発

小松伸多佳　後藤大亮

宇宙開発は民間企業がイニシアティブをとる「ビジネス」として生まれ変わりつつある。ベンチャー・キャピタリストとJAXAのエンジニアが企業経営とサイエンスの観点から展望する。

978-4-334-04653-8

1247

東大生、教育格差を学ぶ

松岡亮二　髙橋史子
中村高康　編著

地域・性別・社会階層など本人が変えることのできない「生まれ」によって学力や学歴などに差がうまれる「教育格差」を、東大生38人はどう捉えるか。白熱ゼミの模様を新書化。

978-4-334-04654-5

1248
90歳までに使い切る お金の賢い減らし方
大江英樹

「貯める・増やす」の呪縛、「老後不安」という物語に振り回されず、価値ある使い方をすることで人生を豊かに生きる方法とは。お金の本質を掘り下げ、日本人のお金観に一石を投じる。

978-4-334-04655-2

1249
大人のマナー術
辛酸なめ子

コロナ禍の限られた人付き合いで、辛酸さんのマナー感覚は危機的状況に。一念発起、よりよい人間関係のヒントを学びます。今こそ読みたい、避けられないコミュニケーションへの処方箋！

978-4-334-04656-9

1250
会社のなかの「仕事」社会のなかの「仕事」
資本主義経済下の職業の考え方
阿部真大

際限のない「超」長時間労働、蔓延するやりがい搾取、働き手を蝕む過剰サービス。日本人の働き方は、どうすれば変えられるのか？ 疲弊した日本経済に「職業の社会学」が新たな地平を拓く。

978-4-334-04657-6

1251
山本五十六、最期の15日間
歴史に埋もれた「幻の3番機」
池田遼太
〈語り〉青木藏男

「私は1943年4月18日、米軍に撃墜された長官機の後ろを飛んでいました」。99歳の元搭乗員が明かす、山本五十六の戦死の真相。日本海軍の頂点と地べたが交わる戦場ノンフィクション。

978-4-334-04658-3

1252
再考 ファスト風土化する日本
変貌する地方と郊外の未来
三浦展

全国各地のロードサイドに同じような商業施設が建ち並ぶ「ファスト風土化」によって、郊外とそこに暮らす人々の意識はどう変わったか。小説家、建築家、研究者ら13名の論考を収録。

978-4-334-04659-0

光文社新書

1253

コミュ力は「副詞」で決まる

石黒圭

「めっちゃ」「やっぱり」「じつは」「なるほど」「せっかく」「あいにく」「おかげさまで」…etc. 気持ちを効果的に伝える最強の助っ人「副詞」、その分類と機能を知り、使い方の勘所を学ぶ。

978-4-334-04660-6

1254

阪神タイガースはなんで優勝でけへんのや？

喜瀬雅則

歴史　看板　風土　戦略　育成　苦悩　誤解　派閥　そして「アレ」――9つの枠組で分析する優勝が遠のく理由。阪神ファンの元番記者だから書けた「新・阪神タイガース論」。

978-4-334-04661-3

1255

定年前と定年後の働き方
サードエイジを生きる思考

石山恒貴

定年前と定年後の働き方は、個人の思考ひとつで大きく変わる――。この時期を、どう働き、どう過ごし、どう生きるのか。幸福な働き方を実現する思考法を、研究理論と実例から探る。

978-4-334-04662-0

1256

編集者の読書論
面白い本の見つけ方、教えます

駒井稔

古典新訳文庫創刊編集長が綴《つづ》る気取らぬ読書論。話題は海外の書店や出版社、作家、歴史的人物、古典、短編、児童書へと縦横無尽に広がり、未読の本の存在にわくわくすること間違いなし！

978-4-334-04663-7

1257

超遺伝子《スーパージーン》

藤原晴彦

生き物の不思議を司る超遺伝子。メスの一部だけが擬態するナガサキアゲハなど、ダーウィンとウォレスが残した謎を解き明かして見えてきた、遺伝学の新たなフロンティアに迫る。

978-4-334-04664-4

1258

理想の職場マネージメント
一軍監督の仕事

高津臣吾

個性豊かな選手がひとつの方向を向くチームをつくるには？ セ・リーグ連覇、交流戦優勝、ゆとりローテーション、言葉の力——球界に革新を起こす名将が自らのマネージメント手法を語る。

978-4-334-04665-1

1259

参議院

倉山満

参議院を制する者が日本の政治を制する——。参議院とはいかなる存在なのか。誕生の背景から歴代政権のスタンス、そして現代日本政治まで、憲法学、政治学、歴史学の視点で検証。

978-4-334-04666-8

1260

東大生のジレンマ
エリートと最高学府の変容

中村正史

急増する休学者に、急進的な起業志向——保守的なはずの東大で、あえて「レール」を踏み外す学生が増えている理由とは？ 激変する東大と東大生の「今」を、当事者たちの声が浮き彫りにする。

978-4-334-04667-5

1261

宇宙・0・無限大

谷口義明

私たちの想像が及ばないほど広大な宇宙は無限の大きさを持つのか。また、この宇宙に0となる物理量は存在するのか。シンプルながらも深遠な問いに天文学者が果敢に挑む一冊。

978-4-334-04668-2

1262

世界視点で読む
企業戦略とアート

上坂真人

なぜ世界のトップ企業は事業としてアートに投資するのか。日本には何が欠けているのか。ビジネスとしてのアートの役割と活用法を、豊富な事例とデータから分析・提言する。

978-4-334-04669-9